Женщины любят свои сумочки не меньше, чем мужчины свои автомобили.
ужчин более
хота на львов –
о брать живьём.
Чтобы создать семью, женщине приходится сначала играть в нападении, а потом всю жизнь стоять на воротах.

ЕСЛИ К ЗАГАДКЕ ДОБАВИТЬ ЛЮБОВЬ И ВСЕ ЭТО ОБИЛЬНО ПРИСЫПАТЬ ЮМОРОМ, А ЗАТЕМ ХОРОШО ПЕРЕМЕШАТЬ, ТО ПОЛУЧАТСЯ

ШОУ-ДЕТЕКТИВЫ

Гарем покойников
Муха на крючке
Похождения соломенной вдовы
Красивым жить не запретишь
Невеста из коробки
Пакости в кредит
Синдром бодливой коровы
Закон сохранения вранья
Рецепт дорогого удовольствия
Салон медвежьих услуг
Рога в изобилии
Дырка от бублика
Правила вождения за нос
Сумасшедший домик в деревне
Секретарша на батарейках
Витязь в овечьей шкуре
Пенсне для слепой курицы
Фантом ручной сборки
Леди из нержавейки
Брюнетка в клетку

Сериал «Пиковая дамочка»

Рукопашная с купидоном
Блондинка за левым углом
Вуду для "чайников"

Галина Куликова

Вуду для «чайников»

В оформлении обложки и форзаца использованы рисунки автора

Москва ЭКСМО 2005

УДК 82-3
ББК 84(2Рос-Рус)6-4
К 90

Оформление серии художника *С. Курбатова*

Серия основана в 2003 году

Куликова Г. М.

К 90 Вуду для «чайников»: Повесть. — М.: Изд-во Эксмо, 2005. — 320 с. — (Шоу-детектив).

ISBN 5-699-09883-6

Никогда еще пиковая дамочка Лайма Скабле — руководитель секретной группы «У» — не имела дела с такой экзотикой: сыщик с котом, карлик с колокольчиком, негры — метатели ножей и мулатка-убийца... А все началось с сыщика Арсения Кудесникова. Это он со своим котом обнаружил на пустынном шоссе даму без сознания. Красавица не помнила даже своего имени. Но под резинкой чулка она обнаружила на своей ноге какой-то адрес. Безымянная дама просто горела нетерпением узнать, что с ней случилось, поехала по указанному адресу и... попала на тайную квартиру нового шефа группы «У» Игоря Тагирова. Тот явно видел эту красавицу впервые, но отвез ее к своему агенту, который сообщил: они вдвоем у него уже были, и Игорь называл даму Эммой. Тагиров в недоумении — он этого не помнит. И вот Игорь бросил на это дело всемогущую троицу: Лайму, Корнеева и Медведя плюс Арсения с котом. Вот тут-то и началась чертовщина с карликом, мулаткой и неграми. Но от славной троицы еще никто не уходил!..

УДК 82-3
ББК 84(2Рос-Рус)6-4

ISBN 5-699-09883-6

Арсений Кудесников гнал машину сквозь ночь и негромко напевал. Настроение было чудесным — он хорошо выполнил работу, справившись с весьма затейливым дельцем. Свет фар с силой отталкивал горизонт, который казался опасно близким, и лента дорожной разметки, шурша, убегала под колеса. В низком небе висела абсолютно круглая, страшная, кладбищенская луна. К пустынному шоссе вплотную подступали непричесанные деревья, а редкие фонари напоминали подслеповатых стариков, преисполненных пессимизма. Впечатлительному человеку такой пейзаж вряд ли пришелся бы по душе.

А вот Кудесникову все было нипочем. В его кармане лежал тяжелый пистолет, а рядом на пассажирском сиденье развалился персидский кот по кличке Мерседес, повсюду сопровождавший хозяина — огромный, широкомордый и флегматичный. Ошейник, украшенный разноцветными стекляшками, тонул в душной шерсти. Цепочка, на которой Кудесников водил своего любимца по улицам, валялась тут же, на резиновом коврике.

— Жизнь хороша! — сообщил Арсений коту, легко вписываясь в поворот.

И тут же с коротким воплем ударил по тормозам. Машина завизжала и от неожиданности едва не встала на дыбы, как осаженная лошадь. Мерседес, коротко мякнув, свалился на пол. Однако Арсений даже не повернул головы. Взгляд его был прикован к человеческому телу, перегородившему дорогу.

Женщина! Она лежала поперек разделительной полосы, разметав руки. Вечернее платье открывало колени, темные волосы растеклись вокруг головы блестящей лужей. Атласная туфля слетела с ноги и валялась поодаль, посверкивая стеклярусом. Транспортных средств поблизости не наблюдалось — никого и ничего.

Кудесников громко сглотнул и заставил себя разжать пальцы, стиснувшие руль.

— Гадство, — прошипел он. Зажмурился и снова открыл глаза. Женщина никуда не делась. — Знаем мы такие штучки!

Он действительно знал такие штучки. Вы катите по дороге и вдруг замечаете лежащего на пути человека. Останавливаетесь, выпрыгиваете из машины, и тут... Из придорожной канавы выскакивают добры молодцы, бьют вас по башке и угоняют автомобиль со всем содержимым. Предполагаемый труп, естественно, встает и присоединяется к шайке, хмыкнув в ваше запрокинутое лицо.

Кудесников поспешно поднял стекло и сдал назад, отъехав от женщины на приличное расстояние.

— Не может быть, — сказал он Мерседесу, взобравшемуся обратно на сиденье, — чтобы эта мадам оказалась тут случайно — ее наверняка подложили! Очевидно, у меня хотят отнять деньги. Но кто мог знать, что я поеду именно этой дорогой? — И сам себе ответил: — Да никто не мог.

Логичнее было бы возвращаться в Москву другим путем. Он специально выбрал долгий, окольный, чтобы оградить себя от всяких случайностей. Он любил ездить по пустым дорогам — в этом была некая анонимность, приятная его сердцу. Вероятно, по ночам здесь идет охота на лохов, и ловушку подстроили для первого попавшегося водителя, а не лично для него, Арсения Кудесникова.

Носок его ботинка шевельнулся, тронув педаль. Автомобиль вновь пополз вперед, похожий на кошку, подбирающуюся к бабочке. На этот раз он остановился гораздо дальше, чтобы иметь свободу маневра и объехать живое препятствие по встречной полосе.

Именно в этот самый момент женщина зашевелилась и открыла глаза. Потом неожиданно резко села и повернула к Кудесникову бледное лицо — обморочно красивое, с красно-карминовым ртом. Арсений разнервничался. Приспустил стекло, чтобы образовалась щелочка толщиной с мышиный хвост, и крикнул в нее:

— А вот я возьму и не выйду из машины, а?

Женщина ничего не ответила. Поднесла руку к лицу и потрогала лоб, будто бы проверяла, нет ли у нее температуры. Дикая ситуация! Кудесников достал пистолет и, держа его в правой руке, левой приоткрыл дверцу. Стрелял он неплохо и заранее решил, что будет целиться в конечности — если, конечно, кто-нибудь выпрыгнет из зарослей. Однако все оставалось по-прежнему, и в сгрудившихся под откосом черных кустах не слышно было ни треска, ни шороха.

Кудесников осторожно выставил ногу наружу и подержал ее в воздухе, будто пробовал пальцами воду — хороша ли. Внутри у него все сжалось в предвкушении поединка. Вот сейчас — выскочат, побегут, крикнут...

— Вы что, сбили меня? — испуганно спросила женщина, не сводя с Кудесникова огромных вампирских глаз. Она уже надела отлетевшую туфлю и подтянула коленки к животу, словно девчонка, забравшаяся на диван с наспех вымытым яблоком.

— Я?! — возмутился тот, выбравшись из машины весь, целиком, но все еще опасаясь совсем отпустить дверцу. — Когда я подъехал, вы уже валялись тут, милочка.

Кудесников был высоким и статным мужчиной. Он вплотную подобрался к сорока годам, но все еще медлил перед решительным переходом на другую сторону жизни. Женщины любили его — страшной бескорыстной любовью, — но он не отвечал им взаимностью, более того: не доверял ни одной. А уж этой, на дороге, не собирался ни верить, ни сочувствовать.

— Кажется, у вас ничего не болит, — добавил он ехидно. — И крови нет. Довольно странный наезд, верно? Так что давайте вставайте. И вообще — кто вы такая?

Женщина нахмурилась. На ее мелованном лбу прорисовались складочки.

— Господи, — пробормотала она, суетливо завертевшись на месте, чтобы половчее подняться на ноги. Поднялась и беспомощно посмотрела на Кудеснико-

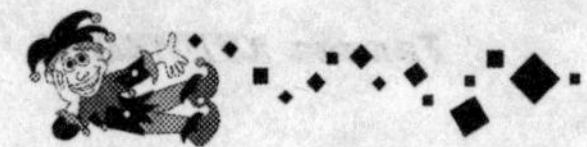

ва. — Я... Я ничего не помню! Вообще ничего. Как меня зовут? Кто я? Как я сюда попала?

— О! — ответил тот, заведя глаза. — Почему-то я ни чуточки не удивлен.

Теперь уже он не опасался, что кто-то нападет на него прямо здесь, на темной пустынной дороге. Налицо перспективное планирование. По всем законам жанра он должен посадить эту красногубую в машину и принять участие в ее судьбе.

Она стояла перед ним с опущенными руками — отвратительно красивая и несчастная. Ему даже потребовалось сделать над собой усилие, чтобы подчиниться здравому смыслу. Когда он полез в машину, незнакомка потрясенно воскликнула:

— Вы что, бросаете меня?!

— Вот именно, — кивнул тот, шлепнулся на сиденье и решительно захлопнул дверцу. — Чао, малышка!

Машина сорвалась с места и полетела вперед, демонстративно обойдя «малышку» по широкой дуге. Кудесников некоторое время удерживал взглядом обтекаемую фигурку в зеркальце заднего вида, но потом непроизвольно моргнул, и она исчезла.

Тогда он принялся насвистывать. И так откровенно при этом фальшивил, что Мерседес поднял голову и укоризненно посмотрел на хозяина.

— Ну ладно, ладно! — буркнул Арсений. — Сам знаю!

Он выкрутил руль, заложил чудовищный вираж и поехал обратно. Женщина брела ему навстречу, крепко обхватив себя руками за плечи. Услышав шум мотора, она шарахнулась к обочине и едва не свалилась в кювет.

— Это я, — сообщил Кудесников, затормозив и высунувшись в окно. — Я решил, что смогу подбросить вас до города.

— Почему? — растерянно спросила она.

— Не желаю прочесть о вас в криминальной сводке за неделю, вот почему, — сварливо ответил сыщик. — Залезайте.

Женщина посмотрела на него в упор и сказала:

— Но я вас боюсь.

— Я вас тоже боюсь, — проворчал тот и приказал Мерседесу: — Давай прыгай назад, у нас попутчица.

Мерседес послушно сиганул на заднее сиденье, и незнакомка изумленно воскликнула:

— Ой, какая киса!

— Это мужчина, кот, — внес ясность Кудесников, наблюдая за тем, как она влезает в салон и устраивается.

Вместе с ней появился новый запах — свежего ветра и выдохшихся духов. Она немедленно извернулась, чтобы поглазеть на Мерседеса. Кот пошло развалился сзади, расставив лапы — приглашал почесать себя. Поганец любил женщин.

— Только не размахивайте руками во время пути, а то я нервный, — предупредил Кудесников и тронул машину с места.

Несколько минут они ехали молча, примериваясь друг к другу. Теперь уже пустынная дорога, на которую с двух сторон наваливалась темная туша леса, не казалась приятной. Хотелось скорее попасть в город,

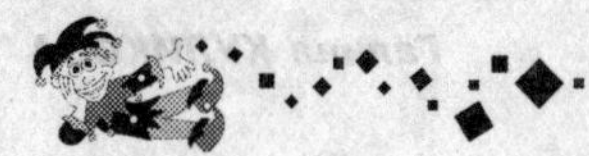

в его сверкающее и пульсирующее чрево, чтобы испытать обманчивое чувство безопасности.

Незнакомка не выдержала первой. Она вдруг тяжело задышала, громко втягивая воздух через нос.

— Вы что это? — с подозрением спросил Арсений. — Вздумали рыдать?

— Я не помню своего имени, — трагическим тоном ответила та. Слезы действительно выползли из ее глаз и повисли на округлых щеках. — Наверное, мне надо в больницу.

— Психиатрическую? — уточнил сыщик.

Он лихорадочно размышлял, имеет ли эта девица к нему какое-то отношение или все-таки нет. А вдруг его выследили? Тот джип, который обогнал его на выезде из подмосковного поселка, ревя, как реактивный самолет... Может быть, девица выскочила оттуда? У него столько дел за плечами, столько недовольных, обозленных, мстительных мерзавцев, которых он вывел на чистую воду. Или собирается вывести в ближайшее время. Вполне возможно, что эта красотка — живое орудие мести. Она слишком хороша, чтобы быть настоящей.

— Меня что, запрут в сумасшедшем доме? — Женщина всем корпусом развернулась к Кудесникову, расширив глаза. В них стоял ужас. — В таком случае я не хочу в больницу.

Платье обтягивало ее плотно и вблизи казалось скользким, как змеиная шкура. «Вряд ли под ним можно спрятать оружие», — решил Арсений и неожиданно спросил:

— У вас не было с собой сумочки?

— Нет, — растерянно ответила она. — Вы же сами видели.

— И часов с гравировкой, и медальона с адресом тоже. Так что неизвестно, куда вас можно сдать. Разве только в милицию.

Она протяжно всхлипнула:

— Я не хочу в милицию! Я боюсь...

— Милиции я тоже боюсь, — честно признался Кудесников. — Особенно ночью и на темной дороге.

Незнакомка поморгала и стесненным голосом спросила:

— А что же нам делать?

Кудесников засмеялся. Его позабавило это «нам». Будто бы он уже пристегнут к ней гражданской ответственностью. Женщины обладают феноменальной способностью в два счета сваливать на подвернувшихся мужчин личные проблемы.

— Ничего не остается, как поехать ко мне, — откликнулся он. — Я сварганю вам бутерброд с колбасой, напою сладким чаем, после чего вы попытаетесь освежить свою память. Идет?

— Но я вас совсем не знаю!

В ее голосе появились истерические нотки. Кудесников пожал плечами и заметил:

— Это можно довольно быстро поправить.

Он достал из внутреннего кармана пиджака глянцевую визитку и протянул ей.

Женщина схватила карточку и, склонив голову, прочитала вслух:

— Частный детектив Арсений Кудесников. Вы — частный детектив?!

— Теперь скажите, что именно я вам и нужен.

— Не думаю, — пробормотала она. — У меня ведь ничего нет. И денег тоже.

— Я уверен, — оптимистично ответил Арсений, — что существуют мужчины, готовые оплатить мои услуги. Впрочем, возможно, это и не понадобится. Возможно, ваша фотография появится завтра во всех газетах под заголовком «Ушла и не вернулась». Допускаю, что вы жена немецкого посла или любовница нефтяного магната. На вас дорогущее платье и кольцо с бриллиантами. Кроме того, вы ухожены и блестите, как серебряная плевательница в богатом доме.

На некоторое время в салоне воцарилась тишина. Они уже въехали в пригород, и за машиной, отталкивая друг друга, понеслись серые пятиэтажки. Время от времени попадались оазисы остановок, украшенные урнами, и киоски, торгующие едой, запаянной в разноцветный пластик. Кудесников подумал, что если извлечь из предлагаемых продуктов консерванты и красители, то можно подсластить, подкрасить и заложить на длительное хранение взрослого слона. Сколько киосков, столько слонов.

— Почему именно жена посла? — спросила незнакомка после долгой паузы.

— Я говорю образно, — нетерпеливо ответил Кудесников. — Мне вообще в последнее время везет, как утопленнику. Просто рок какой-то! Я работаю один, видите ли. Стараюсь не влезать ни во что серьезное. И вот в прошлом месяце помогаю скромному американцу найти старого русского друга и оказываюсь в центре международного скандала. Или еще событие! Недавно является ко мне рабочий механического завода. Заподозрил жену в измене и во что бы то ни стало решил дознаться, кто ее любовник. Жена работает продавщицей в ювелирном магазине. Уж и побегал я за ней! И знаете, кто оказался ее любовником? Семигуб!

— Кто это? — рассеянно спросила незнакомка.

— Не помните, кто такой Семигуб? — удивился Кудесников. — Эк вас приложило... Кстати, если вздумаете кому-то пересказать эту историю, я буду все отрицать. Семигуба каждый день показывают по телевизору в политических новостях. Муж, когда узнал, сразу попросился в уборную. Уверен, что он сидит теперь на своем механическом заводе безвылазно.

— Или в уборной, — поддакнула она. — Безвылазно.

— Приятно, что у вас есть чувство юмора, — желчно заметил Кудесников, — но с вами, я думаю, мне тоже не повезло. От вас просто разит неприятностями.

— Почему это? — Кажется, она обиделась.

— Вы помните свое лицо? Помните, как выглядите? Нет? Вы выглядите так, будто вас создали мастера по спецэффектам на студии Стивена Спилберга. Вы можете прямо сейчас отправляться в столицу Филиппин на конкурс «Мисс мира», заранее купив чемоданчик для короны.

Она немедленно схватилась за лицо руками, как будто это могло дать ей представление о собственной внешности.

Кудесников сжалился и повернул зеркальце, в которое она поспешно заглянула, на миг оторвавшись от сиденья. И пробормотала:

— О господи! У вас есть расческа?

— Какая расческа?! — вознегодовал он. — Вы что,

не понимаете, что влипли? А если вы кого-нибудь кокнули сегодня ночью?

И тут она все-таки расплакалась. Сначала мелко подрожала подбородком, слепив из накрашенных губ клубничину, уронила несколько серебряных слез на колени, а потом закрылась руками и затряслась, как бурильная установка.

Будучи мужчиной опытным, Кудесников не стал ее утешать. В процессе утешения женщины припадают к вашей груди, или обнимают за шею, или опираются на плечо, но в итоге всегда садятся вам на голову.

Пока бедняжка рыдала и всхлипывала, они добрались до места. Сыщик проживал в большом современном доме рядом с душистым липовым парком и прудиком, который нынешней весной оккупировали жирные утки. Дом был обнесен забором, а возле ворот дежурил охранник с постной физиономией. Он постоянно ходил туда-сюда, точно заведенный. Завидев Арсения, «страж врат» кивнул головой, но потом перевел взгляд на его попутчицу, был наповал сражен ее красотой и на некоторое время остекленел.

Зарулив на стоянку, сыщик вытащил попутчицу из машины и, неласково схватив за локоть, повлек к подъезду. Кот Мерседес важно шел впереди, натянув цепочку. И лишь изредка, наступив в мелкую лужу, притормаживал, чтобы потрясти лапой.

В лифте она смотрела только на кота, ахала, приседала и оглаживала его двумя руками. К концу путешествия бедняга стал выглядеть так, будто пролез через узкий рукав.

— Вы любите кошек? — с подозрением спросил Кудесников.

— Н-не знаю, — пробормотала женщина. Разогнулась и сдула со лба прядь волос. Волосы были мягкими и легкими, как в телевизионной рекламе, и блестели от избытка питательных веществ. — Я ничего про себя не знаю.

Когда дверь в квартиру распахнулась, оба некоторое время помедлили на пороге, как ныряльщики на краю утеса. Наконец Кудесников отринул сомнения, вошел внутрь и включил в прихожей свет. Освобожденный кот нырнул в коридор и мгновенно исчез в глубине квартиры.

— Нужно придумать вам какое-то прозвище, — заявил сыщик, сняв башмаки и задвинув их носком правой ноги под вешалку. — Не могу же я постоянно обращаться к вам «Эй!». Вам нравится имя Дина?

— Мне все равно, — выдавила она. — Пусть будет Дина. Мне правда все равно.

Она скинула свои офигительные туфли, которые были похожи на музейный экспонат. Вероятно, их делали вручную, и мастер посадил зрение, вышивая все эти узоры. Кудесников задержал на них взгляд. В душе у него снова шевельнулось опасение, что рано или поздно за «Диной» приедет длинный лимузин в сопровождении мотоциклистов-автоматчиков. Дину увезут, а его на всякий случай кастрируют.

Издав тяжкий вздох, он прошел по квартире, зажигая повсюду свет. Шторы были задернуты круглосуточно, из-за чего одна подружка называла его квартиру фотолабораторией.

Войдя в спальню, Кудесников снял костюм и аккуратно повесил его в шкаф. Рубашку положил в пакет для грязного белья. Он редко надевал костюмы, предпочитая тесные вельветовые штаны и пуловеры на голое тело. Пожилые соседки между собой называли его «фасонистым мужчиной» и были убеждены, что он артист.

— Послушайте, Дина! — крикнул Арсений, переодевшись в джинсы и футболку. — Вы все еще стоите в коридоре?

Он отлично знал, что она не двинулась с места, потому что оставил в двери щелку, чтобы подглядывать и подслушивать.

— Да, — ответила новоиспеченная Дина после некоторой паузы.

Она действительно стояла в коридоре, переступая черными шелковыми ногами на жиденьком коврике.

— Хотите есть, пить, спать? Или, может быть, вам нужно в уборную?

Кудесников взъерошил волосы на макушке. Такое впечатление, что она сказочная принцесса, а он углекоп, который не знает, как обращаться со столь дорогим товаром.

— Я сильно замерзла, — призналась Дина и в подтверждение своих слов поежилась. — На улице так холодно, а это платье... Наверное, я сбежала с какой-то вечеринки.

— Или вас выкинули из машины, — высказал собственное предположение Кудесников.

— Мне хочется принять ванну. Вы... как?

— Сейчас принесу халат и полотенца. Можете пока покопаться в шкафчике и выбрать себе тапки.

Она проводила его взглядом и подумала, что он абсолютно безопасен. Несмотря на напускное нахальство, было в нем что-то такое... благородное, что ли. Кроме того, он был единственным человеком, которого она знала. На месте воспоминаний в ее голове вертелась клочковатая тьма, иссеченная краснобелыми всполохами огня. Это было похоже на чертово колесо с пылающими кабинками, и Дина на секунду зажмурилась.

Запершись в ванной, она пустила воду и уставилась в зеркало. Некоторое время изучала себя, потом вздохнула и принялась раздеваться. На ее ногах оказались чулки на широких резинках, с них она и начала. Подобрала платье и двумя руками потянула левый. Он пополз вниз неохотно — и не зря! Ему, оказывается, было что скрывать. Резинка отъехала, и глазам открылась длинная черная полоса на ноге.

Сначала Дина даже не поняла, что это такое. Подумала — грязь или шрам. И только наклонившись, различила буквы и цифры. Неровные черненькие буковки, как маленькие клещи, впились в ее розовую ногу и засели в ней намертво.

Первым ее порывом было броситься к Кудесникову, чтобы сообщить о находке. Однако оторвать глаз от надписи она не могла, поэтому осталась на месте и только крикнула в незапертую дверь:

— Арсений!

Арсений не собирался выпускать ночную гостью из поля зрения. Он болтался возле ванной комнаты, поэтому сразу же откликнулся на призыв.

— Вам что-нибудь нужно? — спросил он, подойдя вплотную к двери и уставившись на блестящую ручку, в которой отразилась его растянутая по горизонтали физиономия. — Забыл предупредить, что крема от Диора у меня нету.

— Идите сюда, — ответила дверь возбужденным голосом.

— Э-э... — протянул Кудесников. — Не стоит.

— Арсений, идите ко мне! — еще раз потребовала дверь не терпящим возражений тоном.

— Зачем?

— Я вам кое-что покажу.

Сыщик тяжело вздохнул. Кажется, начинается! Она хочет заманить его в душ, чтобы насмерть поразить своим дивным мягким телом, похожим на тесто для французских булочек. Она и в одежде хороша, как русалка, а уж без нее наверняка действует на мужчин подобно оружию массового поражения. Конечно, кто предупрежден — тот вооружен, но... Мало ли, как там, внутри, все сложится. Лучше не ходить.

На самом деле Арсений себе льстил. У него была куча поклонниц, и красивые женщины так его пресытили, что головокружение при виде обнаженной натуры вряд ли ему грозило.

— Не думаю, что это хорошая идея, — тем не менее поделился он своими мыслями с невидимой Диной.

— Арсений, вы должны это увидеть! — продолжала упорствовать та. — Тут есть на что посмотреть.

— Ну, в этом-то я не сомневаюсь.

— Вам даже в голову не может прийти, что у меня тут обнаружилось! Вы ничего подобного в жизни не встречали, ручаюсь.

— Господи, вы меня пугаете.

— Я начала раздеваться и просто обалдела.

— Ну, уж если вы обалдели, то я, вероятно, упаду замертво, — пробормотал Кудесников.

— Арсений, откройте дверь.

— Нет.

— Тогда я сама... — пробормотала Дина.

Сыщик едва успел отскочить назад. Дверь полетела наружу, и он крепко зажмурился, в самом деле опасаясь, что будет сражен наповал, как давешний охранник на воротах. Тут же решил, что нельзя встречать врага с закрытыми глазами, и распахнул их.

Его новая знакомая стояла на пороге в одном чулке, приподняв подол платья. Высоко на ноге у нее чернели какие-то закорючки. Сначала он подумал о татуировке, но потом вдруг понял, что видит буквы.

— Разрази меня гром! — азартно воскликнул Арсений и бросился вперед. Другой на его месте потерял бы голову от волнения при виде обнаженной сливочной ножки. Но черствое сердце Кудесникова даже не дрогнуло.

Читать кверху ногами было неудобно, поэтому он потащил Дину в комнату, бесцеремонно толкнул на диван и, усевшись рядом, собственноручно задрал ей платье. Надпись была аккуратной и очень разборчивой: **«Лиственная аллея, 7—17, Игорь»**.

— Отлично, — пробормотал Кудесников, дергая себя за нос. — Замечательно. Вероятно, вы подвержены приступам амнезии и ваш муж пометил вас единственно возможным способом — поставив клеймо. Так делают фермеры, выжигая на шкуре склонных к авантюризму буренок фамилию владельца. Никак не могу понять, что это — татуировка? Вроде бы нет.

Он послюнявил палец и попытался стереть буквы, но они не поддавались. Похоже, надпись была сделана несмываемой краской.

— Логичнее было бы оставить здесь номер теле-

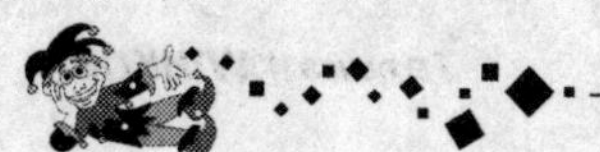

фона, — высказала здравую мысль Дина. — Чтобы я позвонила и за мной приехали. Если я часто пропадаю... Верно?

Ей не нравилась эта надпись. От нее веяло опасностью. Кудесников бросил на Дину косой взор. Он знал, что некоторое время она будет бороться с собой, но в конце концов не устоит. У него в запасе не так много времени. Ровно столько, сколько ей потребуется, чтобы переварить новую информацию. Пятнадцать минут? Полчаса? Наверное, не больше. Потом она воспылает желанием узнать о себе правду. Вряд ли у нее хватит выдержки дождаться утра... Если, конечно, все это не подстроено.

Приложив некоторые усилия, Кудесников снова засунул Дину в ванную комнату, а сам схватился за телефон. Он работал под эгидой фонда помощи бывшим военнослужащим, и у него всегда было к кому обратиться.

— Это ты? А это я. Не спишь? Отлично. Лиственная аллея, дом семь, квартира семнадцать, — быстро проговорил он в трубку. — Там должен находиться некий Игорь. Узнай, кто он такой. Вывернись наизнанку, но узнай, ясно?

Бросив трубку, он достал из книжного шкафа атлас, чтобы отыскать незнакомую ему аллею на карте Москвы. Прикинул расстояние. По пустому городу езды примерно минут двадцать. Уголком атласа он с остервенением почесал висок, словно хотел таким способом расшевелить мозги. Если все подстроено, то чего от него ждут враги? Что он посадит Дину в автомобиль и повезет по таинственному адресу? Ужасно примитивная ловушка. Вероятно, ее подстроили примитивные личности. Но рисковать все же не стоит. «Не поеду, — решил Кудесников. — Ни за что».

Дина появилась из ванной комнаты розовая и душистая. Глаза ее блестели, как у собаки, узревшей в руках хозяина поводок и сообразившей, что впереди чудесная незапланированная прогулка. Она уже приняла решение.

Кудесников завел ее на кухню, соорудил многоярусный бутерброд, залил пряный пакетик чая кипятком и водрузил на стол угощение.

— Ешьте! — приказал он. — Возможно, вы привыкли к виноградным улиткам, но в моем холодильнике только плебейская колбаса, так что придется потерпеть.

— Я решила, что нужно туда поехать, — с трудом выговорила Дина, набив рот хлебом. — На Лиственную аллею.

— Сейчас?! — притворно изумился Кудесников. — В третьем часу ночи?

— А вдруг этот Игорь уходит спозаранку, — парировала она. — Именно ночью есть шанс застать его дома. А то потом целый день ждать...

— Предупреждаю сразу, — сказал сыщик. — Я готов заплатить за такси — и это все. У меня был тяжелый день, и завтра будет тяжелый день, так что я ложусь спать.

— Я думала, вы действительно решили мне помочь... — Дина проглотила хлеб и уставилась на него глазами, полными укоризны.

— Я разве не помог? — возразил Кудесников. — Кроме того, если неведомый Игорь пошлет вас подальше, можете возвращаться обратно.

— Как это он меня пошлет? — изумилась Дина. — А даже если и пошлет... По крайней мере, скажет, кто я такая.

Пока она ела, сыщик вызвал для нее такси и отыскал легкую курточку, которую забыла в платяном шкафу одна из его девиц. Потом свел Дину вниз по лестнице и усадил в машину. Она уверяла, что ей одной страшно, но он не сдавался. Рано ему вступать в игру. Вот узнает все про этого Игоря, тогда...

Как только такси тронулось с места, Кудесников помахал ему вослед ручкой, вернулся домой и действительно лег спать. Слева от подушки он поставил телефонный аппарат, а справа положил мобильный. Мерседес попытался взгромоздиться ему на живот, но, как всегда, был безжалостно изгнан и ушел, оговариваясь.

* * *

Игоря Тагирова разбудил посторонний звук. Он приподнял голову и прислушался. Внизу, во дворе, тихо урчал мотор. Судя по всему, до утра еще далеко — на улице темнотища. Вот только луна, воспользовавшись раздернутыми шторами, забралась внутрь и теперь шарила по комнате, оставляя повсюду слюдяные лужи.

Тагиров легко соскочил с кровати и скользнул к окну. Возле подъезда стояла машина с гребешком на крыше, оттуда как раз выбиралась пассажирка — стройная брюнетка в спортивной куртке, накинутой поверх вечернего платья. Он сразу заметил, какой фирме принадлежит таксомотор, и запомнил номер борта — крупные цифры на крыле были хорошо различимы в свете фонаря. Плюнув выхлопными газами в клумбу с незабудками, автомобиль покружил на месте, разворачиваясь, и, радостно рыкнув, умчался колесить по городу.

Сделав несколько мелких шагов в направлении подъезда, брюнетка подняла голову и посмотрела вверх, на окна дома. Тагиров непроизвольно отступил, хотя увидеть его снизу было никак нельзя.

Сердце забилось сильно — он услышал, как оно торопится, и разозлился. Нет повода беспокоиться, об этой квартире не знает никто, ни одна живая душа. Старухи, проживающие на площадке справа и слева, считают, что он ученый, который изобретает всякую секретную дрянь, а потом уезжает из Москвы на полигоны ее испытывать. Он сам подбросил им эту идею, когда выбрал себе тайное убежище. Незнакомая брюнетка приехала к кому угодно, только не к нему.

В ту же секунду в коридоре загудел домофон. Еще гудок, еще. Тагиров открыл окно и высунулся. Она совершенно точно была одна. Одна и с пустыми руками — даже без сумочки. Это было странно. Женщины любят свои сумочки не меньше, чем мужчины свои автомобили. Он подошел к переговорному устройству и снял трубку.

— Игорь? — немедленно спросила трубка низким хрипловатым голосом. — У меня для вас послание.

— От кого? — коротко поинтересовался Тагиров, уставившись в стену.

Так, значит, его выследили. Кто? И с какой целью? Впрочем, у него была возможность выяснить все это. Возможность стояла внизу и переминалась с ноги на ногу.

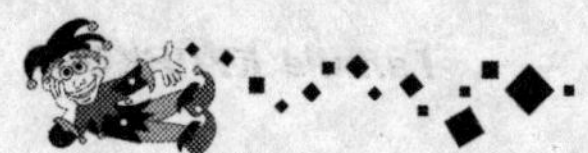

— Я вот так сразу не могу сказать, от кого, — ответила она нетерпеливо. — Вы меня впустите?

— Входите.

Он открыл дверь загодя, чтобы по звуку шагов определить, сколько человек поднимается снизу и нет ли кого наверху — слух у него был, как у зверя. Брюнетка взбиралась по ступенькам, проигнорировав лифт, и каблуки ее туфель отстукивали затейливый ритм.

Ее появление на площадке было похоже на удар под дых. Она оказалась дерзко, яростно красивой. На чистом лице живыми звездами сверкали глаза. Но главное — она подалась навстречу Тагирову с такой надеждой, с таким радостным ожиданием, что он опешил.

— Игорь! — воскликнула брюнетка тягучим голосом. — Это я! Ты меня не узнаешь?

— Вас было бы сложно не узнать, — быстро ответил он. — Но, увы, мы не знакомы.

Его слова произвели на нее сокрушительное впечатление. Она шагнула назад, сникла и померкла, как будто в бальной комнате разом погасли все свечи.

— Не может быть...

Если перед ней не муж, не родственник и не друг, то, стало быть, она всего лишь винтик в чужой игре. Кто она? Курьер? Товар? У нее на коже вытравлен адрес этого ужасного типа. И он просто перешлет ее дальше, как посылку. Может быть, в Саудовскую Аравию, в какой-нибудь гарем.

То, что тип «ужасный», не вызывало сомнений. Он был высоким, сухощавым и сильным. Очень сильным. Дина не могла объяснить, откуда взялась эта уверенность, но он, безусловно, способен убивать голыми руками. Приятные черты лица, заметная седина в волосах, короткие прямые брови и — драконий взор. Во взгляде этом заключена мощь, способная добраться до самого сердца и выжечь его дотла. Ей оказалось не под силу такое выдержать.

— Произошла ошибка, — пролепетала она. Отвела глаза и попятилась. — Извините, что я вас разбудила.

На нем были спортивные штаны и свободная футболка, под которой прятался стальной пресс. Несмотря на дезабилье, его легко было представить в строгом костюме и галстуке. Или в длинном темном пальто с прикрытым полой автоматом.

То, что произошло дальше, показалось ей материализовавшимся кошмаром. Ужасный тип сделал неуловимое движение и один только шаг в ее сторону. В ту же секунду она почувствовала резкий рывок, потом ее оторвало от пола и протащило через всю площадку — прямо в зияющую пасть темной квартиры. Горячая ладонь залепила разинутый в вопле рот, из которого так и не вырвалось ни одного звука.

Хлопнула дверь, ее протрясло по бугристому мраку и швырнуло на что-то мягкое. Свет вспыхнул, и Дина увидела, что сидит в кресле, а ужасный Игорь стоит рядом и смотрит на нее не мигая. Его ноздри тонко подрагивали, как будто он принюхивался к добыче.

— Я хочу знать, — упреждая ее возгласы, спросил он, — откуда у вас этот адрес.

— Произошла ошибка, — прошептала Дина, вдавливаясь в широкую спинку. Мысль о Кудесникове и его коте, которые остались в безопасной квартире и сейчас, вероятно, спят, похрапывая и помуркивая, едва не заставила ее разрыдаться в голос.

— Ерунда, — Тагиров двинул бровью. — Вы явились ночью ко мне в дом. Вы знаете мое имя... Вам придется рассказать.

— Что? — одними губами спросила Дина.

И он весьма предсказуемо ответил:

— Все.

Дина поняла, что он вырвет из нее признание — и сделает это легко. Достаточно причинить ей боль. А он наверняка умеет причинять боль...

— Ну хорошо, — пробормотала она и подвигалась, чтобы сесть ровнее. — Начну с самого главного: у меня провал в памяти.

— Так, — обронил Тагиров и опустился в кресло, стоящее напротив. Глаз он с нее не сводил, и Дина подумала, что врать будет трудно.

Она не собиралась рассказывать про Кудесникова. Это был ее тыл, ее запасной выход. Нельзя отрезать себе путь назад.

— Я очнулась примерно час назад в незнакомом дворе на скамейке. Ничего не помню — кто я, как очутилась на улице, где живу...

Ей показалось, что ужасный тип сейчас ехидно продолжит: «А потом вдруг неожиданно вспомнили мое имя и адрес». Однако он молчал, продолжая глядеть на нее неотрывно из-под полуприкрытых век, как аллигатор, наблюдающий за пришедшей на водопой антилопой.

— Я очень испугалась, не знала, что делать. И неожиданно увидела вот это.

Дина выставила вперед ногу и, приподняв край

платья, спустила чулок. Надпись была сделана словно специально таким образом, чтобы резинка скрывала ее. Тагиров непроизвольно подался вперед, потом встал и подошел поближе. И опять сказал:

— Так.

Несмотря на серьезность ситуации, он не смог вовсе проигнорировать эту ногу — стройную и гладкую, живую. Незнакомка подвигала туфлей по полу, но платье не оправила, и Тагиров еще некоторое время пристально разглядывал свой адрес, выведенный на гладкой коже. Надпись, сделанная на женской ноге, выглядела дико, и он не нашелся, что добавить к этому «Так».

— Я обратилась за помощью к припозднившемуся типу, который как раз собирался сесть в свою машину, — затараторила Дина. — Попросила подвезти меня, но он не захотел. Но зато вызвал мне такси и заплатил шоферу.

Ей было жарко. Она врала и потела. Тагиров отлично понимал это. Врет, и черт с ней. Важно другое: как, каким образом всплыл адрес его тайной квартиры? Выходя из дому, он всегда путал следы. И проверял, нет ли «хвоста». Кому, как не ему, уметь уходить от преследования?! Тогда кто его выследил? Кто *дерзнул*?

— Я думала, что я — ваша жена, — бесхитростно закончила Дина. — И вы мне обрадуетесь.

Тагиров дернул бровью. У него была совсем другая жена — деловая и не слишком привлекательная, которая с годами становилась все серьезнее и все скучнее. Она отвергала экспромты, плохо реагировала на всякие романтические глупости и при этом считала,

что муж никуда от нее не денется. Сейчас она спала в их общей квартире на их общей кровати, убежденная, что он отсутствует по уважительной причине.

— Пожалуй, я пойду, — сказала Дина. Ее тяготило его невнимательное молчание. — Поброжу по городу и попробую что-нибудь вспомнить.

— Ну да! — воскликнул Тагиров. — Никуда вы с этой штукой на ноге не пойдете. Даже не мечтайте.

Он сказал это с таким свирепым выражением, что она перепугалась до ужаса. Ахнула и мигом вскочила. Но он схватил ее за плечо, швырнул обратно в кресло и с досадой воскликнул:

— Успокойтесь, дурочка, я ничего вам не сделаю. Но пока не выясню, как мое имя и мой адрес попали к вам под юбку, я вас не отпущу.

Он ее не отпустит! Ярость на секунду взяла верх над страхом.

— Я надеялась, что по этому адресу проживает моя семья! — вскричала она. — Или друг...

— А тут я, — мрачно закончил за нее Тагиров. — Кстати, как вас зовут?

— Зовите меня Диной. Пока что. — Она покусала нижнюю губу и с досадой добавила: — Не может быть, чтобы меня никто не искал. Я же не с луны свалилась, верно? Жила себе где-нибудь тихо-мирно...

Тагиров не стал ее разочаровывать. Жить с такой внешностью тихо и мирно практически нереально.

— У вас есть какие-нибудь повреждения? — спросил он с подозрением. — Почему это вы потеряли память? Головой стукнулись?

Дина чуть было не сказала, что ее скорей всего сбила машина, но вовремя прикусила язык.

— Я же говорю, что ничего не помню.

Она взялась двумя руками за голову, чтобы он видел — она и правда ничего не помнит и ужасно страдает от этого.

— Ну вот что, — сказал Тагиров. — Я намерен на некоторое время изъять вас из обращения, как фальшивый полтинник.

И потер руки, будто бы испытывал страсть к фальшивым деньгам. Дина похлопала глазами и спросила, глядя на него снизу вверх:

— Как это — изъять?

— Отвезу вас к моему другу, и вы будете сидеть тихо, пока я все не выясню. Но сначала выложите мне всю правду. Да-да, выложите как миленькая.

Идея Дине не понравилась, и в животе у нее стало так холодно, как будто она наелась ментоловых пастилок. Однако, поймав его тяжелый взгляд, решила не возражать. Сама, сама отправилась в пасть к дракону, дурочка. Он ей не верит. Ясное дело, не верит.

— Вы будете меня пытать? — пискнула она.

— Конечно, — охотно согласился Тагиров. Подошел к шкафу и стащил с плечиков одежду. — Вместе с другом. — Хлопнул дверцей и сверкнул злыми глазами в ее сторону.

Чтобы не выпускать ее из виду, переодеваться стал тут же, бросив барахло в кресло. Снял штаны и майку, оставшись в одних трусах. Дина взглянула на него, увела глаза в сторону, секунду помедлила и посмотрела снова. Он не удержался и хмыкнул. Тело у него было выдающимся, он отлично это знал. И когда отправлялся купаться, на него глазел весь пляж.

Тагиров застегнул «молнию» на штанах и протащил через голову свитер. Кажется, сейчас самый подходящий момент пугнуть эту куклу. Она наблюдает за процедурой одевания и не ждет от него ничего плохого. Как всякая женщина, красотка легко впала в транс и так же легко расслабилась.

Неожиданно для нее он сделал короткий выпад, взял ногами «в клещи» ее сдвинутые колени, схватил правой рукой за горло и рявкнул, упершись кончиком своего носа в ее нос:

— Говори правду, ну!

Она брыкнулась, и слезы неожиданно брызнули у нее из глаз с такой силой, будто бы он поднес к ним луковицу.

— Ты наврала мне!

Красотка несколько раз булькнула, и он ослабил хватку. Тогда она прорыдала:

— Да, я наврала! Наврала!

Тагиров сел перед креслом на корточки — для устрашения, и она в один присест выложила ему всю историю, начав прямо с Кудесникова и его кота. В процессе повествования слезы блестящими нитями тянулись из ее глаз и падали на колени. Он терпеть не мог пугать женщин, но в данном случае у него просто не было выбора.

Предав против воли подобравшего ее на дороге частного сыщика, Дина совершенно раскисла, и Тагирову легко удалось согнать ее вниз по лестнице и засунуть в машину. Когда он пристегивал ее ремнем безопасности, она все еще всхлипывала.

— Перестаньте, — попросил он, возясь с замком.

Ремень ездил по ее скользкому платью и никак не хотел защелкиваться. Как назло, красотка оказалась чересчур близко, и за короткое время он успел надышаться ею. Она пахла, как раздавленная роза — сладко и душно. Вторгнувшись в ее воздушное пространство, он почувствовал себя мерзким завоевателем. В душе его шевельнулось нечто похожее на раскаяние. Однако Тагиров тут же отвлекся — необходимо быстро обнаружить и отсечь преследователей. А в том, что их будут преследовать, он ни секунды не сомневался.

На улице было свежо и тихо. Как только они вывернули на широкий проспект и набрали скорость, в приспущенное окно ворвался ветер и принялся царапать щеки. Дина скосила глаза на своего похитителя и вздрогнула. Ну и лицо! Вернее, лицо ничего себе, но вот выражение... Она все еще испытывала вину за то, что выдала Кудесникова. По сравнению с этим драконоподобным типом сыщик казался ей теперь невероятно добрым и милым.

* * *

Тем временем милый Кудесников храпел, лежа на спине и так широко раскрыв рот, как будто тот был триумфальной аркой, готовой пропустить через себя армию победителей. Длинный звонок вернул его из царства Морфея в предрассветную Москву.

Кудесников сел в постели и потряс головой, потом протянул руку и похлопал по телефонному аппарату. Приложил трубку к уху и аллокнул. В трубке длинно гудело. Он бросил ее на место и поискал с другой стороны. Мобильный молчал, как ржавая железяка. Однако звонок продолжал надрываться, и сыщик сообразил наконец, что кто-то явился к нему живьем и теперь стоит у входной двери, рассчитывая на гостеприимство.

Незапланированных посещений Кудесников не любил. Он тут же вспомнил о Дине, облился «страшным» потом, бросился к окну и сплющил нос о стекло. Лимузина, окруженного мотоциклистами-автоматчиками, во дворе не обнаружилось. Он мысленно перекрестился и потрусил в коридор, перешагнув через валявшуюся на ковре тушу Мерседеса.

Заглянул в «глазок» и увидел мальчишку лет двенадцати, который стоял на коврике и от нетерпения переминался с ноги на ногу. Арсений рывком распахнул дверь, приготовившись изречь мудрую фразу: «Детям ночью нужно спать». Однако мальчишка его опередил, выпалив нахальным тоном прямо в сыщицкий пупок:

— Дяденька, подайте на хлебушек!

Это был условный сигнал, который означал, что Кудесникова ждут возле ближайшей булочной.

— Стой тут, — велел он и, метнувшись к вешалке, добыл из кармана ветровки мятую десятку. Все должно выглядеть правдоподобно. Тем более что на лестничной площадке они были не одни. Возле заляпанного отбросами мусоропровода стояла соседка Кудесникова Нелли Ираклиевна — филолог в пятнадцатом поколении, старая редакторша, которая жила на духовной пище и сигаретах. Травиться к мусоропроводу ее выгонял муж. И хотя он уже давно исчез с горизонта, Нелли Ираклиевна так и не рискнула нарушить традицию. Она мучилась давлением и не спала ночами, продираясь сквозь философские тексты и выкуривая по пачке крепких сигарет «Миллениум» с полуночи до восхода солнца.

— Сеня, детка, вы — подлинное сокровище! — заявила она надтреснутым голосом, похожим на дзиньканье антикварной чашки. — Другой бы на вашем месте начал возмущаться. Я сразу спросила этого ребенка, где его родители и почему он бегает в темноте по чужим подъездам. И как он просочился мимо охранника. А вы... Такой открытый, такой бесхитростный!

Бесхитростный Кудесников приторно улыбнулся Нелли Ираклиевне и скрылся в квартире. Дождался, пока она затопчет окурок и освободит лестничную площадку. Натянул штаны, застегнул не на ту пуговицу рубашку и выскочил из дому в ботинках на босу ногу.

Двор встретил его скрипом качелей и поскуливанием совершающей ранний моцион собаки, которая таскала за собой сонного хозяина. Жесткая темнота уже размякла, превратившись в жиденький серый кисель. Кудесников быстрым шагом прошел до будки с охранником, махнул ему рукой, а потом побежал. Прохладный ветер немедленно забрался к нему за пазуху и пощекотал, прогоняя остатки сна.

Возле булочной никого не было. То есть совершенно никого. Он прогулялся вдоль крыльца с разбитыми ступеньками и дошел до кустов боярышника, усеянных тяжелыми лакированными ягодами. Сорвал одну, обтер о штаны и сунул в рот. Внутри оказались волосатые семечки, и Кудесников с отвращением выплюнул их на асфальт. В ту же секунду листва зашумела, треснула ветка, и тихий голос позвал:

— Пст!

Арсений, недолго думая, влез в палисадник и нос к носу столкнулся с Аликом Малаховым. Именно ему он несколько часов назад поручил установить личность загадочного Игоря, на рандеву с которым отправилась давешняя брюнетка. У Алика оказался абсолютно дикий вид — волосы стояли дыбом, одна пола рубашки застряла в брюках, другая болталась поверх ремня. Маленькие, вечно бегающие глазки были неправдоподобно вытаращены и смотрели в одну точку — а именно в лоб Кудесникову.

— Ты почему в кустах? — спросил тот, но Алик не дал ему закончить, схватил за грудки и больно стукнул о ствол тощей березки, подпиравшей изгородь. И страшным шепотом просвистел, оросив физиономию сыщика порцией слюны:

— Ты что, Сеня, смерти моей хочешь?

— В каком смысле? — до невозможности удивился Кудесников. Его еще ни разу не затаскивали в кусты, чтобы доложить о выполненной работе. — Возьми себя в руки, Малахов. Ты мужик или мамзель в кружевах? Говори спокойно — так, мол, и так, Арсений.

— Так тебя и растак, Арсений! — в сердцах ответил тот. — Во что ты вляпался, а? И меня за собой потянул!

— Вляпался... — задумчиво повторил Кудесников, и призраки мотоциклистов-автоматчиков закружились в его глазах черными мушками. — А что случилось?

— Что случилось?! — задохнулся Малахов. — Знаешь, кого ты поручил мне разрабатывать?

— Игоря, — покладисто ответил Кудесников, почесав левую лопатку о нарост на березовой коре. Да, он не ждал от брюнетки ничего хорошего, но чтобы так паниковать... — Игоря, которому принадлежит квартира на Лиственной...

— Квартира принадлежит черт знает какому фонду, — перебил его Малахов. — Хотя в ней действительно находился Игорь. Как потом выяснилось... Значит, он под ручку с бабой выходит из подъезда и садится в машину. А я, значит, за ним слежу. И пока слежу, сбрасываю Михалычу номер автомобиля, чтобы он, значит, установил владельца. Еду дальше. И тут Михалыч перезванивает, орет, как обезьяна резус, и меня матом! Я ссылаюсь на тебя, он тебя тоже матом! Трубку бросил и оба телефона отрубил.

Кудесников нервно почесал о березу вторую лопатку. Чтобы железобетонный Михалыч орал? Уму непостижимо.

— Я отправился к нему, — продолжал шипеть Малахов, — и знаешь, что он сказал?

— Что брюнетка оказалась молочной сестрой Кондолизы Райс и на Москву уже летят американские баллистические ракеты, — вслух предположил Кудесников.

Малахов несколько секунд смотрел на него не мигая.

— Теперь я вижу, что ты спятил, — мрачно заключил он. — Ты просто спятил, и все. Будь ты в своем уме, ты не послал бы меня следить за руководителем департамента службы безопасности.

Арсений почесался о березу всей спиной, извиваясь, как уж, задумавший вылезти из старой шкурки. И глупо переспросил:

— Службы безопасности чего?

— Страны! — гавкнул Малахов. — Игорь Тагиров, твою мать, его зовут! Думаешь, он не заметил, что я за ним слежу? Думаешь, он не узнает, кто я такой? И кто раздает мне поручения, да? Мы исчезнем прямо сегодня утром, — простонал он. — Бесследно. Наши изуродованные тела смешают с трупами жертв авиакатастрофы рейса Бенин—Урюпинск. Нам крышка. Мне — крышка!

— Ты вот что, — сказал Кудесников, чувствуя беспокойство в желудке, — ты иди домой и ложись спать. А я разберусь...

— Он разберется! — Малахов воздел руки, призывая небожителей стать свидетелями кудесниковской глупости. — Вместо того чтобы разбираться, иди и пиши завещание. Я уже велел жене собирать детей.

Собирать детей! Арсений представил, как дети Малахова, завязанные крест-накрест в белые платки, сидят на чемоданах и рыдают в два голоса. А их мать дрожащими руками запихивает в баул самые ценные вещи, уминая их коленкой.

«Бежать!» Слово билось в голове Кудесникова, раскладываясь на два слога в такт его шагам: бе-жать, бе-жать, бе-жать... Он двигался к своему подъезду длинными скачками, изредка виляя, словно уже был взят в перекрестье прицела. Беспокойство в желудке перешло в штормовое предупреждение. Кудесникову казалось, что этот важный орган раздулся внутри него подобно воздушному шару и уже подпирает сердце — дышать становилось все труднее и труднее.

Прилетев домой, он заметался по квартире, не зная, с чего начать сборы. Необходимо спрятаться.

Пересидеть бурю. Конечно, он ничего такого не сделал, всего-то проявил человеческое участие. И все-таки... Все-таки было страшновато оставаться тут и прислушиваться к шагам за дверью.

«Там», конечно же, решат, что Дину подослал он. И слежку тоже организовал он. Великолепно! Как говорится, сделал дело — жди расстрела.

— Мерс, мы уезжаем! — предупредил Арсений кота, свесившего заднюю лапу со спинки кресла. — Собирайся.

В комке шерсти приоткрылся один зеленый глаз и принялся следить за тем, как хозяин мечется по квартире. Вот Арсений вытащил из шкафа большой чемодан с кусачими замками и принялся набивать его добром.

— Твою миску мне мыть некогда, поэтому мы ее не возьмем, — говорил Арсений. — Иначе вся одежда провоняет «лакомыми кусочками». Воистину, мы живем в век мышиного счастья. Уму непостижимо — коты питаются консервами! Моя дорогая бабушка лопнула бы от смеха. Раньше котов не кормили, а просто предоставляли им кров. Они были обыкновенной скотиной, а сейчас обнаглели до чрезвычайности.

Мерседес приоткрыл второй глаз, всерьез заинтересовавшись хозяйским монологом. Нечасто с ним обсуждали философские вопросы!

— Твою корзинку с подстилкой я тоже не возьму, — сообщил Арсений. — Тем более что спишь ты где попало.

В этот момент в прихожей раздался звонок. Сы-

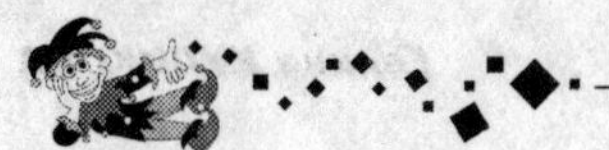

щик выронил из рук любимое полотенце и прошептал:

— Все. Это за мной.

Ноги его налились свинцом, и, тяжело топая, он подошел к двери. Замок злобно лязгнул, и дверь со зловещим скрипом отползла в сторону. На лестничной площадке стояли два мордоворота в черном и смотрели на Кудесникова с неприветливой настороженностью, как два добермана. Между ними обнаружилась невысокая пожилая дама в шелковом костюме и шляпе, похожей на поганку. У дамы был такой решительный вид, словно она собиралась заливать ядом осиное гнездо. Круглый подбородок максимально выдвинут вперед, брови «птичкой» сошлись на переносице, щедро подсиненные глаза сияют отвагой. На сотрудников службы безопасности эта троица походила меньше всего.

— Это вы — частный детектив? — спросила дама и помахала перед носом Кудесникова глянцевой журнальной страничкой, которая раньше была свернута вчетверо и уже изрядно потерлась на сгибах. Время от времени сыщик помещал объявления в прессе, привлекая новых клиентов. Вероятно, дама таковой и была.

— Я принимаю только по предварительной записи, — нервно сказал Кудесников. — И уж точно не по ночам. — Тотчас получил тычок массивным кулаком в грудь, пролетел через весь коридор и впечатался спиной в стену. И прокряхтел: — Но для вас сделаю исключение.

— Уж будьте любезны, — заявила дама, без спросу переступив порог. — Где мы можем поговорить?

Не дожидаясь ответа, она прошла в комнату, деловито огляделась и села на диван. Мордовороты встали по обеим сторонам двери и замерли в ожидании.

— Ну и кот у вас, — заметила дама, оглядев Мерседеса с неудовольствием. — Он похож на сенбернара. Отчего он такой огромный — так и было задумано?

— Нет, это вышло случайно, — ответил Кудесников, соображая, как выкурить отсюда наглую компанию. Пожалуй, ему с ними не справиться.

И тут дама сказала:

— Я желаю нанять вас на работу. Я специально приехала пораньше, чтобы вы смогли начать слежку прямо с сегодняшнего утра.

— Но у меня уже есть работа! — воскликнул Кудесников в отчаянии. Раскрытый чемодан напоминал ему о близкой опасности. — Кроме того, я уезжаю в отпуск.

— Забудьте об отпуске, — отрезала гостья. — Прежде чем отправляться загорать, вы должны отыскать любовницу моего мужа.

— Она что, пропала? — рассеянно спросил Кудесников, представляя, как мчится на автомобиле по Кольцевой. Позже машину, конечно, придется бросить...

— Господи, ну что вы несете! — возмутилась дама. — Никуда она не пропадала. Просто я знаю, что любовница есть. И хочу выяснить — кто она.

— А с чего вы взяли, что любовница есть? — с наигранным оптимизмом спросил Кудесников. — Нашли рыжий волос на галстуке? Поверьте моему опыту, это еще ничего не значит. Может быть, ваш муж по дороге домой погладил лошадь.

— Какую лошадь? — вознегодовала дама. — Не морочьте мне голову. Чтобы создать семью, женщине сначала приходится играть в нападении, а потом всю жизнь стоять на воротах. Вы вообще знаете, кто я? Я — Алла Семигуб! Жена Семигуба. Того самого, смею вас заверить. Мой муж — государственный чиновник, и дело поэтому приобретает государственную важность.

— Жена Семигуба? — с недоверием переспросил сыщик. — Вы? И вы хотите узнать имя любовницы супруга?

Кудесников не верил своему счастью. Судьба улыбнулась ему. И Семигуб, и его пассия жили с ним в одном районе. Судя по всему, их обманутые супруги искали частного сыщика, руководствуясь территориальным признаком.

У Кудесникова появилась реальная возможность завершить расследование в две минуты. Однако он не мог рассказывать клиентам друг о друге. Иными словами, Алла Семигуб не должна узнать о том, что мнительный муж любовницы уже оплатил расследование со своей стороны.

— Должен предупредить, — сказал снедаемый лихорадкой Арсений, — что я пользуюсь нетрадиционными методами расследования.

— Мне все равно, — заявила Алла Семигуб, выпятив нижнюю губу, как Горбачев во время публичных выступлений. — Главное — результат и скорость.

— За скорость я беру двойную оплату.

Он придумал это вовсе не из жадности. Особо дорогим специалистам клиенты доверяют безоговорочно, а ему сейчас как никогда необходимо доверие. Он назвал сумму, и Алла Семигуб немедленно достала из своей сумочки кошелек.

— Я дам вам расписку, — пообещал Кудесников. — Когда-нибудь потом... Когда у меня будет время. А теперь скажите: нет ли у вас с собой какой-нибудь вещи, принадлежащей мужу? Может быть, вы прихватили связку его ключей или зажигалку?

— Собираетесь искать Федорову любовницу по запаху? — с подозрением спросила Алла и снова полезла в сумочку. — Тогда держите.

Она извлекла на свет божий массивный перстень с пустыми «лапками», в которых, судя по всему, раньше сидел квадратный камень. И пояснила:

— Планировала отдать ювелиру. А что вы собираетесь с ним делать?

— Собираюсь вступить с ним в контакт, — ответил Кудесников. — Только мне не должны мешать. Прошу пять минут полной тишины. — Он с вызовом посмотрел на мордоворотов, хотя те и так производили минимум шума, только напряженно сопели.

Усевшись в кресло спиной к окну, Арсений сжал перстень в кулаке и вытянул руку вперед. Лицо у него сделалось вдохновенным, и он закрыл глаза. Алла Семигуб смотрела на него из-под своей шляпы со смесью недоверия и восторга. Сыщик оказался совсем не таким, как ее «мальчики», он был человеком тонкой организации, нервным и импульсивным. Неужели он умеет получать информацию на расстоянии, как экстрасенс? Интересно, что можно узнать, вступив в контакт с перстнем ее мужа?

Кудесников некоторое время подержал на лице

подходящее к случаю выражение, потом распахнул глаза и сказал:

— Все. Я закончил.

Вскочил на ноги, метнулся к секретеру, добыл из его недр листок бумаги, карандаш и быстро написал несколько строк. Подошел к Алле Семигуб и вручил листок ей.

— Что это? — недоверчиво спросила та, разглядывая имя и адрес. — Кто это?

— Это она, — торжественно провозгласил Кудесников. — Любовница. Я умею получать информацию прямо из космоса.

— Вот так просто? — удивилась жена Семигуба.

— Ничего себе — просто! Я напряг все свои внутренние силы, использовал все внутренние резервы, даже воспользовался дополнительной ментальной энергией...

— Моей? — мрачно спросила та. — Я слышала, что это очень вредно.

Терять свою ментальную энергию, да еще из-за любовницы мужа, ей было жалко.

— Конечно, нет! Я... — Кудесников изо всех сил прислушивался, не стукнет ли дверь подъезда. — В сложных случаях я использую ментальную энергию... — Он с опаской поглядел на мордоворотов и быстро закончил: — Своего кота.

— Так это не простой кот! — обрадовалась Алла. — Я ведь сразу поняла, что он недаром такой огромный!

Она с уважением посмотрела на Мерседеса.

— Конечно, — горячо подтвердил Арсений, пританцовывая от нетерпения. — Чем больше кот, тем лучше результат.

Тем временем мысли о бегстве теснились в его голове, отталкивая одна другую. Машина, мобильный телефон, сберкнижка, пластиковая карта, блокнот с адресами друзей — все это становится опасным грузом, когда за тобой охотится государство. Пачка наличных, чемодан с одеждой и кот под мышкой — вот все, что он может взять с собой. И поскорее, поскорее!

Обалдевшая Алла Семигуб вывалилась из его квартиры, прижимая заветную бумажку к животу с такой силой, словно затыкала ей рану от пули. И она еще не верила в ясновидящих! Если информация подтвердится, она вернется к этому человеку и попросит отыскать бриллиантовый кулон, который исчез в прошлом году из ее переносного сейфа. И узнает наконец, куда подевался Леша Кущин, ее сердечный друг. Приложил ли Семигуб руку к его исчезновению или нет? А угнанная машина двоюродной сестры? Кудесников наверняка сможет ее найти...

* * *

Эрик Шелеп работал. На круглом столе размером с детскую карусель громоздился ворох тканей. Эрик раскручивал рулоны, подбрасывал вверх крепдешин, парчу и лен, мял их пальцами, прикладывал друг к другу, собирал в складки и перекидывал через плечо, чтобы посмотреть, как струится материя. Пол был усеян обрезками бумаги и кусками клетчатого твида, пуговицами, тесьмой и кружевом. Среди всего этого добра ползала миниатюрная девушка с длинной челкой, которую она постоянно сдувала с глаз. Большие портновские ножницы в ее руках плотоядно пощелкивали. Возле окна стрекотала швейная машинка, ей управляла дородная женщина с красивыми руками и вдохновенным лицом. Она была рыжей и такой лохматой, словно на полном ходу высунулась из окна поезда и некоторое время радовалась встречному ветру.

Сам Эрик выглядел, как мальчишка с приделанной бородой, который задумал поиграть в капитана дальнего плавания. К бороде совсем не подходили круглые погремушки щек и веселые глаза под белыми шелковыми бровками. Он был маленький, упитанный и шустрый, словно игрушечная машинка с перекрученным заводом.

Звонок в дверь не произвел на троицу никакого впечатления. Однако он продолжал заливаться и минуту, и две, подобно впавшей в любовный раж птичке, и в конце концов Эрику надоел.

— Надо открыть, — с сожалением сказал он и отправился в коридор.

Для порядка спросил «Кто там?», но ответа дожидаться не стал. Отворил дверь и радостно воскликнул:

— Кого я вижу! Какой человек! И с какой девушкой!

Он одарил Тагирова рукопожатием, а Дину сладко поцеловал в щечку, привычно привстав на цыпочки — знакомых моделей ростом с торшер у него было множество.

— Заходите, бесценные мои! — проворковал он и первым побежал в комнату, размахивая руками.

— Добрый вечер! — хором поздоровались с гостями девушка с ножницами и женщина за швейной машинкой.

Судя по всему, они смутно представляли себе, что за занавесками уже другое время суток, и продолжали доделывать вчерашнюю работу. Эрик не стал представлять гостей, а просто расчистил путь к дивану и предложил:

— Проходите.

— Это Дина, — сообщил Тагиров, подталкивая вперед свою пленницу.

Она сердито посмотрела на него, сделала несколько шагов и остановилась.

— Дина так Дина, — пробормотал Шелеп, отступая спиной в глубь комнаты.

— Дина, можно я примерю на вас платье? — не оборачиваясь, спросила лохматая женщина. — А то Муся для этого слишком низенькая.

— Ну, пожалуйста... — растерянно ответила Дина, подумав, что у швеи, вероятно, есть еще один глаз — на затылке. Иначе откуда ей знать, что она подходящего роста. — Если вас устроит моя фигура.

Тагиров тем временем схватил Эрика за плечо и с нажимом сказал:

— Не нальешь ли мне чашечку кофе? Просто кофе, без ничего.

В доме Шелепа водились только яблоки, листья салата и кофе. И было непонятно, отчего он такой круглый. Возможно, кофе влиял на вес — хозяин потреблял его в огромных количествах. Тем не менее на кухне царил художественный беспорядок, местами переходящий в хаос, как будто здесь с утра до ночи готовили сложные блюда.

— Ну-с, — сказал Эрик, усадив Тагирова как раз в

центре этого хаоса и ополоснув для него чашку. — Что там у тебя?

— Проблема, — ответил тот. — Ты же знаешь, что сюда я прихожу только в крайнем случае.

— Знаю, — кивнул хозяин дома, наклоняя кофейник.

Из носика потекла густая зернистая жижа устрашающе черного цвета. Тагиров не в первый раз подумал, что Шелеп не обжаривает, а собственноручно обугливает кофейные зерна. Впрочем, кофе все-таки получался вкусным, хотя сердце после него еще долго танцевало сиртаки.

— Я не могу тебе ничего рассказать, — Тагиров сделал маленький пробный глоток и зажмурился.

— А я ни о чем и не спрашиваю, — двинул бровками Эрик. — И не стану никогда. Я же не спрашивал, как тебе удалось вытащить меня из того дерьма... Новое имя, новый город, новая жизнь... Я тебе обязан. Твои проблемы — мои проблемы.

— У меня появился враг, — неожиданно признался Тагиров. — Личный враг. Я не знаю, кто он и чего добивается. Вообще ничего о нем не знаю. Боюсь, это не имеет никакого отношения к конторе. Меня нашли на второй квартире. Не то чтобы я особенно скрывал ее: например, приезжал туда на личной машине. Но все-таки и не афишировал. И вот мое убежище рассекретили — и дали мне об этом знать. Пока непонятно, зачем. Дина всего лишь орудие, пешка, и я пока хочу оставить ее у тебя. Ты можешь выдать ее за одну из своих моделей — она симпатичная.

— Симпатичная? — переспросил Эрик и опустошил свою крохотную чашку в два глотка. — Ты мастер осторожных формулировок. Да она красавица! Увидев Дину, Кэтрин Зета-Джонс попытается выцарапать ей глаза.

— Надеюсь, они никогда не встретятся, — пробормотал Тагиров. — Кстати, деньги за содержание девицы я тебе заплачу.

— Да ты мне уже за все заплатил, так что не беспокойся. Лучше скажи, какая еще помощь тебе понадобится. Ты ведь не станешь обращаться к своим?

— Не стану, потому что не знаю, кто на меня наезжает.

— Но ты не можешь действовать один! — Шелеп всерьез разволновался.

— Я и не собираюсь, — успокоил его Тагиров. — У меня есть люди. Особые люди! Они — порождение системы, но работают вне ее. Никаких открытых контактов и никаких следов. Общение только по телефону: на одном конце провода — они, на другом — я.

«Секретный» сотовый с одним-единственным номером, занесенным в память, находился при нем постоянно. Второй аппарат, на который поступали звонки, лежал в сумочке у руководителя некой группы «У», которая состояла из тех самых «особых людей». Вернее, у руководительницы — Лаймы Скалбе. «Интересно, — подумал Тагиров, — чем может заниматься вне службы умная, коварная и изворотливая женщина?»

* * *

Умная, коварная и изворотливая Лайма Скалбе сидела в подъезде на подоконнике между этажами и горько плакала. На полу возле нее стояли две сумки с

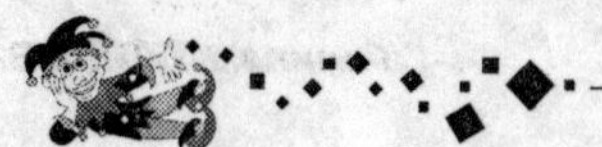

вещами. Кто бы мог подумать, что ее роман с Шаталовым закончится так безобразно, так унизительно! «Сначала я ненавидел только твою работу, — выкрикнул напоследок Геннадий. — А теперь ненавижу тебя!» Лайма прекрасно знала, что мужчины болезненно относятся к проблеме женской занятости. У ее трижды разведенной подруги-банкирши над рабочим столом висел лаконичный плакат: «Хочешь разрушить брак — сделай карьеру». Втайне она считала, что банкирша преувеличивает, просто ей попадались тираны и деспоты.

Однако Шаталов не был ни тираном, ни деспотом, а очень даже современным мужчиной, главой строительной фирмы, который высказывал прогрессивные взгляды и весьма ценил женщин-коллег. Но когда дело дошло до личной жизни, прогрессивность слетела с него, как фантик с шоколадки. Геннадий желал, чтобы Лайма встречала его дома после работы веселая и довольная, чтобы на кухне всегда вкусно пахло борщом и котлетами. И вечера они проводили бы вместе, обнявшись на диванчике перед телевизором. А по выходным ходили в кино, или ездили на дачу, или ужинали в ресторане, смеясь, попивая вино и целуясь по дороге домой. Конечно, в этом не было ничего плохого, но...

У Лаймы не было времени ни на борщ, ни на котлеты. На кино и рестораны тем более. Оставались одни только поцелуи, и те только поздно ночью. Через день. С перерывом на командировки. Редкие ссоры перешли в частые скандалы, и до поцелуев дело доходило все реже и реже. И вот — апогей. Апокалипсис. Он выгнал ее из своей квартиры, бросив в спину обидные слова. Даже их общего кота он оставил себе, заявив, что бедолага сдохнет, лишенный воды и пищи, потому что Лайма может исчезнуть на неопределенный срок, не думая о тех, кто ждет ее дома.

Ехать в собственную пустую квартиру не хотелось категорически. Лайма решила отправиться в какое-нибудь злачное место и вдрызг напиться. Спиртное действовало на нее радикальным образом — от одной рюмки водки шумело в голове, а жизнь представлялась сладкой сахарной ватой, надетой на палочку в руках ангела.

Она загрузила сумки в багажник автомобиля, выехала на шоссе и двинулась в центр города. Несмотря на поздний час, машин было много, и мимо нее то и дело со свистом проносились любители высоких скоростей. В конце концов Лайма остановилась у ресторанчика «Посидим вдвоем», возле которого обнаружилась платная стоянка, где можно было оставить машину до утра.

— А в вашем «Вдвоем» можно посидеть одной? — мрачно спросила она у молодого человека, встретившего ее на пороге. — Или для того, чтобы тут поужинать, нужно подвергнуться клонированию?

Молодой человек улыбнулся и пригласил ее в зал, подозвав официанта. Резвым конем тот подскакал к Лайме и выпалил, запыхавшись:

— Что будете есть? А пить? Могу порекомендовать фирменный коктейль «Веселый Роджер».

— Надеюсь, он не слишком веселый, — пробормотала она, принимая бокал. — Потому что я хочу всего лишь позабыть о неприятностях, а не попасть в вытрезвитель.

— Что вы! — воскликнул добрый официант. — Коктейль очень мягкий. Да и сколько там спиртного? Так, ерунда!

После первой «ерунды» Лайма заказала вторую, потом третью и к тому времени, как ей подали горячее, потеряла нравственный облик. Слезы потекли по ее щекам и оросили шашлык из осетрины.

Тем временем ресторан заполнился до краев, и во всем зале не осталось ни одного свободного места. Только стул напротив Лаймы стоял, распахнув объятия, готовый принять нового едока. Таковой не замедлил объявиться.

— А вот же у вас свободное место! — воскликнул кто-то прямо у нее над головой. — Вы не возражаете, девушка?

К ней наклонился какой-то тип и заглянул в лицо. Глаза у него были сердитые, воинственный подбородок обещал битву не на жизнь, а насмерть. Лайма ничего не ответила, и тогда тип сказал:

— Она не возражает.

И уселся напротив. Вокруг стоял гул голосов, сопровождаемый негромкой музыкой. Свет был приглушен, и медленно разматывающиеся ленты сигаретного дыма спутывались под потолком. Типу напротив принесли еду, он некоторое время аккуратно поглощал пищу, потом не выдержал и спросил:

— Почему вы не едите?

Лайма долго вращала языком во рту, потом все-таки задала контрвопрос:

— А почему вы едите?

— Я голоден, — коротко ответил тип.

У него были квадратные плечи, мощная шея, широко расставленные глаза и нос картошкой, как у Ивана-дурака в старых рисованных мультиках. Короткий чуб неопределенного цвета, который вежливые парикмахеры называют темно-русым, сбился на одну сторону и вопил о расческе. Впрочем, костюм и галстук вносили в его облик необходимое равновесие — благодаря им он не казался таким уж простофилей. Однако Лайме было глубоко наплевать на его внешность. Она выпила четвертый коктейль, и новая порция слез попала в рыбу.

— Вас бросил мужчина, — неожиданно сказал простофиля, придвинув к себе пепельницу и откинувшись на спинку стула. — Вы ему изменяли?

— Я?! — возмутилась Лайма, задетая ужасным предположением. — Моим моральным обликом... можно воспитывать детей! Глупец просто ревновал меня к моей работе.

— Да-а-а? — протянул тип. — И кем же вы работаете?

Лайма с опаской огляделась по сторонам, потом легла грудью в соус, чтобы оказаться поближе к своему визави, и жарким шепотом сообщила:

— Секретным агентом.

Мужчина хмыкнул, но она не обратила на это никакого внимания и светским тоном добавила:

— Погони, перестрелки, шифровки — для меня обычное дело.

— А где же вы учились на секретного агента?

— Нигде, — ответила Лайма и сложила губы цветочком. — Я самоучка. Можно мне тоже подымить?

Она долго не могла попасть сигаретой в поднесенный огонек, и ему пришлось встать, чтобы слу-

чайно не подпалить ей брови. Вообще-то он не любил пьяных женщин, но эта оказалась забавной. Действительно забавной. Он вытянул ноги под столом и расслабился. Ему страшно хотелось кофе. И надо было ждать, пока его принесут.

— Все получилось случайно, — сообщила Лайма, попытавшись закинуть ногу на ногу. Попытка окончилась неудачей, и тогда она положила подбородок на ладошку. — Видите ли, я владею многими странными языками...

— Странными — значит редкими? — уточнил ее собеседник.

— Ино... странными, — с усилием выговорила она. — И однажды мне пришлось переводить для спецслужб. Моя фамилия попала в их компьютер — и понеслось. Секретные задания, опасные поездки, то-се... Короче, меня завербовали. Кстати, как вас зовут?

— Юрий Репьев.

— А как меня зовут, я не скажу.

— Ясное дело! Конспирация.

Лайма не врала. Правда, она не так давно попала в Джеймсы Бонды и кое-чего сама о себе не знала. Подполковник Дубняк, привлекший ее к оперативной работе, оказался коррумпированным чиновником. В огромной базе данных «фирмы» он подыскал людей, которые когда-либо работали на спецслужбы, но не были настоящими агентами. Дубняк собирался поручить им важное задание, рассчитывая на то, что они его провалят. За провал он лично должен был получить крупную сумму денег со стороны. Так на свет появилась специальная «ударная» группа. Или, сокращенно, группа «У» — троица дилетантов, которые всерьез полагали, что служат родине.

Но Дубняк перехитрил сам себя — проклятая группа «У» во главе с Лаймой Скалбе с заданием справилась. Все ее члены вопреки расчетам остались живы, а сам он потерял над ними контроль, поскольку был пойман на «горяченьком» и сослан руководством на край света — в далекую африканскую страну. Выследил его глава отдела внутренних расследований Игорь Тагиров. Он-то и получил в наследство от Дубняка загадочное подразделение, которое ни за кем не было закреплено и нигде не числилось.

Тагиров полагал, что имеет дело со специалистами высочайшего уровня, с агентами класса «люкс», и пребывал в полной уверенности, что завладел настоящим сокровищем. Еще бы! Люди, подконтрольные лично ему. Их можно бросить на любое дело, поручить любую работу — и никто ни о чем не узнает. Потому что досье агентов уничтожены. Группа есть — и как будто бы ее нет.

Лайма и ее товарищи не знали Тагирова в лицо, только его позывной — Орех. Втайне Лайма надеялась, что этот Орех никогда больше не позвонит, и все забудется, как страшный сон.

Прежде она работала распорядителем в Независимом центре культуры, получала неплохую зарплату и строила матримониальные планы. Но потом в ее рабочем кабинете появился Дубняк, и вся жизнь полетела под откос, как сошедшая с рельсов вагонетка. Вместе с двумя другими членами группы «У» она участвовала в погонях, организовывала засады, устанав-

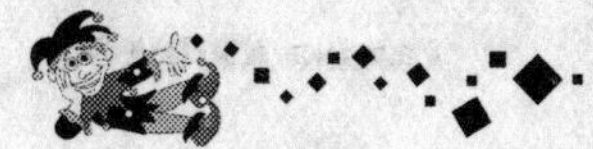

ливала слежку и в конце концов окончательно испортила свою личную жизнь.

Размышляя о своей несчастной женской доле, Лайма незаметно задремала над злосчастной осетриной, чем страшно развеселила собеседника и расстроила официанта. Пришел менеджер и попытался ее растолкать, но дело оказалось тухлым — Лайма мычала, рычала, всхлипывала и не хотела подниматься из-за стола. Когда ее попробовали поставить на ноги, она обмякла и кульком свалилась обратно. В конце концов ее оставили в покое, рассчитывая на то, что она проспится прямо здесь. Официант получил выговор и удалился, сердитый.

Юрию было немного жаль дурочку, и когда зазвонил телефон, он сдернул ее сумочку со спинки стула, добыл из ее недр трубку, прочитал имя «Гена», которое появилось на экранчике, и сказал:

— Здравствуйте, Гена.

— Кто это? — изумленным голосом спросила трубка после трагической паузы.

— Это Репьев, — весело ответил Юрий. — Хотел предложить вам приехать и забрать вашу девушку из ресторана. Она тут слегка перебрала и не может передвигаться самостоятельно. Так что запишите адрес.

Трубка задумчиво потрещала, после чего с чувством послала его далеко и надолго.

— Не повезло! — пожал плечами Репьев, обращаясь к ничего не соображающей Лайме. Ее подбородок упирался в грудь, а нижняя губа сползла вниз, как у старухи, прикорнувшей после обеда над вязанием.

Он рассмеялся, расплатился по счету и ушел, спросив напоследок у менеджера:

— И что вы будете с ней делать?

— Ничего, — пожал плечами тот. — Мы работаем круглосуточно.

Пьяные иногда спят в автобусах, которые возят их по круговому маршруту снова и снова. «Почему бы не подремать в круглосуточном ресторане?» — подумал Репьев. Он жил поблизости, но сюда раньше никогда не заглядывал. А местечко-то оказалось уютным.

Утром, приняв душ и побрившись, он первым делом вспомнил о вчерашней девице и прыснул в чашку, расплескав кофе. Секретный агент! Надо же, чего только не приходит в голову подвыпившим женщинам!

Насвистывая, он спустился вниз, покачивая в руке портфель, и отправился на стоянку за машиной. И тут увидел ее. Она стояла рядом с запыленными «Жигулями», опираясь правой рукой о дверцу, и была похожа на бандероль, долго блуждавшую по городам и весям — растерзанная и помятая, с опухшей физиономией и затуманенными глазами.

— Салют, — сказал Репьев и остановился напротив. — Как спали?

— Кто вы? — спросила Лайма замогильным голосом.

— Мы познакомились в ресторане, — сообщил он. И напомнил: — Юрий Репьев.

— Оч-приятно, — пробормотала она.

В этот момент в сумочке у нее загудел мобильный, она запустила туда руку, но найти его не смогла. Тогда, недолго думая, перевернула и вывалила ее содержи-

мое прямо на капот. Телефон оказался сверху, но никаких сигналов не подавал.

— Черт побери! — воскликнула Лайма, сообразив, что звонит не ее обычный, а другой, «шпионский» телефон. — Начинаются неприятности...

Репьев стоял и смотрел, как она действует. Координация движений еще не восстановилась окончательно, и дело продвигалось туго, но она все же добилась своего и ответила на звонок. И сразу спросила приглушенным голосом:

— Это Орех? Да, это Лайма Скалбе. — Помолчала, слушая собеседника, и браво закончила: — Есть. Так точно. Принято.

Отключила телефон и запрятала его в тот же самый кармашек на «молнии», из которого с таким трудом извлекла. Потом сгребла остальное свое добро и, встряхнув сумку, обратилась к Репьеву:

— А вы на машине?

— Да, — кивнул он, не трогаясь с места.

Он и сам не мог объяснить, что его удерживало. Конечно, у девицы была замечательная фигурка. Но все остальное ни чуточки не радовало. Светлые волосы, собранные в нелепый пук, ее отнюдь не красили, а отекшая физиономия тем более. Кроме того, под глазами лежали разводы вчерашней туши, а остатки румян под ярким солнечным светом выглядели пошло. Но все же она его зацепила. Или, точнее сказать, заинтриговала.

— Вот что, Юрий Репьев, — между тем обратилась к нему Лайма. — Вы должны меня подвезти.

— Нет, я вам ничего не должен, — весело ответил

тот и подбросил на ладони заветный ключ. — Я спиртное не заказывал, и напились вы в одиночестве.

— Боюсь, что я не смогу вести машину.

— Поймайте «бомбилу», — предложил он, представляя себе, как вот прямо сейчас сядет за руль и уедет. Пожалуй, об этом эпизоде он будет долго вспоминать. И неожиданно для себя спросил: — А куда вам надо?

— К зоопарку.

— У-у! — протянул Репьев. — По пробкам придется ехать.

— Так вы меня подбросите? Плачу триста рублей.

— Щедро, — похвалил он и тут же решил, что сегодня можно опоздать на работу. Ведь вчера он сидел в офисе почти до полуночи. — Ладно, я отвезу вас так, и не вздумайте потом совать мне свои сотни. А вас действительно зовут Лайма?

— Да. Странный вы человек! В наше время мало кто отказывается подработать.

— На самом деле я рассчитываю на то, что вы дадите мне свой телефон.

В ответ на это Лайма удивленно спросила:

— Зачем?

Действительно, зачем? Придерживая для нее дверцу своего автомобиля, Репьев некоторое время размышлял и наконец ответил:

— Чтобы продолжить знакомство.

— Завязать знакомство мне по силам, — деловито заметила она. — А на остальное у меня времени нет.

— Понимаю... Секретные поручения?

Они уже влились в поток уличного движения и довольно резво двигались вперед. Репьев уверенно

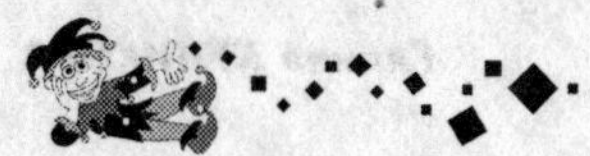

вел машину, но между делом успевал поворачивать голову и разглядывать Лайму. Если ее умыть и приодеть, она будет классно выглядеть. Вероятно.

— Господи, что я вам такого наговорила?

— Ничего особенного. Просто сообщили, что вы — секретный агент.

— Ха-ха-ха! — громко рассмеялась Лайма и демонстративно вытерла глаза мизинцем, словно от смеха у нее выступили слезы. — Наверное, вы мне понравились и я хотела вас... закадрить.

— Я так и понял. — Репьев хмыкнул, а про себя подумал: «Неужели и правда секретный агент? Может, завести с ней романчик? Ну да... А когда я ей надоем, она меня прикончит». Опасение осталось где-то внутри и всю дорогу щекотало ему нервы. И когда они наконец приехали, он спросил:

— А на самом деле — чем вы занимаетесь?

— Культурой, — поспешно ответила Лайма. — Я менеджер, организую всякие культурные мероприятия.

— А моя работа связана со строительством.

Она посмотрела на него дикими глазами и пробормотала:

— Еще один...

Репьев достал визитку и протянул ей, поинтересовавшись:

— А у вас есть визитка?

— Ну откуда?! — воскликнула она таким тоном, будто бы менеджеры занимаются исключительно ворошением мусора лопатами и не имеют надобности в визитных карточках. — Но я дам вам номер своего мобильного. Записывайте: пять-пять-пять, три-три, один-один.

— Похоже на телефон таксопарка, — мрачно заметил Репьев, поняв, что подвозил он эту девицу зря и больше никогда ее не увидит. И предпринял последнюю попытку: — Может быть, поужинаем вместе?

— Как-нибудь в другой раз, — улыбнулась Лайма, выбираясь из машины. — Мне еще после вчерашнего ужина надо прийти в себя.

Она помахала ему рукой и широким шагом направилась ко входу в зоопарк. Он некоторое время смотрел ей вслед, отметив и мятый серый костюмчик, и туфли на устойчивом каблуке. Подумал: «А на хрена мне это надо?» — и уехал, на ближайшем светофоре проскочив на желтый.

Лайма дождалась, пока его автомобиль скроется из виду, развернулась и потопала прочь от зоопарка. Ее интересовал старый жилой дом с большим чахлым кленом во дворе, расположенный неподалеку, а точнее — квартира номер пятнадцать на четвертом этаже. В этой квартире проживал Евгений Корнеев, второй член группы «У» — гениальный компьютерщик и одновременно красавец-мужчина, который проводил гораздо больше времени в виртуальном мире, чем в реальном. По этой причине Корнеев не всегда откликался на звонки, и в сумочке Лаймы лежала связка ключей, с помощью которых можно было проникнуть в его жилище.

Дверь подъезда запиралась на замок, и пока Лайма открывала ее специальным плоским ключом, к дому подъехала машина «Скорой помощи», и из распахнувшейся дверки вывалился на асфальт тощенький низкорослый дядька в халате такой невероятной белизны, что резало глаза. В руке он держал потертый чемоданчик.

— Не закрывайте, девушка! — крикнул он Лайме и ловко протиснулся мимо нее внутрь. Взбежал по ступенькам к лифту и громко воскликнул: — Ах, черт, не работает!

— А вы в какую квартиру? — почуяв неладное, спросила она.

Доктор уже схватился рукой за перила, поднял голову и цокал языком, предвкушая пешее восхождение. На вопрос Лаймы он ответил с такой обреченностью в голосе, как будто в конце пути ему предстояло сразиться с драконом:

— В пятнадцатую.

— Ой, я тоже туда! — воскликнула Лайма. — А что там случилось?! Ну, говорите же!

— Не орите на меня, — обиделся доктор, перешагнув сразу через две ступеньки и сердито обернувшись назад. — Я не понял, что там случилось — не то сердечный приступ, не то инсульт.

— А кто звонил? — Лайма побежала вслед за врачом, в прямом смысле слова наступая ему на пятки. — Это с мужчиной плохо?

— С мужчиной, — подтвердил тот, замедляя шаг.

У бедолаги была одышка, и Лайма, не церемонясь, оттерла его плечом и поскакала вверх, подгоняемая тревогой. Неужели Корнеев досиделся в Сети до мозгового удара? Она заранее наставила ключ, чтобы с первого захода попасть им в замочную скважину. Однако никаких манипуляций не потребовалось, потому что дверь оказалась не просто открытой, а распахнутой настежь, и внутри квартиры, в коридоре, стояла хорошенькая пергидрольная девушка с умоляюще сложенными руками.

— Что случилось? — спросила Лайма, остановившись напротив нее.

— Н-не знаю! — испуганно ответила девушка хрупким голоском. — А вы из «неотложки»?

— Да, дорогая, — неожиданно загустевшим тенором ответил вместо Лаймы подоспевший доктор. Его невеликая фигура неожиданно приобрела некую значительность, и он как будто даже сделался выше ростом. Отпихнув Лайму своим чемоданчиком, он подошел к девушке вплотную и похлопал ее по плечу.

— Ведите меня, голубушка. Как вас зовут?

— Катя, — пискнула та и, уверившись в том, что с нее сняли ответственность за происходящее, громко всхлипнула. — Он... Он не двигается, доктор!

— Ничего, ничего, сейчас зашевелится.

Друг за другом они потянулись в глубь квартиры, Лайма, не медля, последовала за ними. Корнеев сидел за компьютером с абсолютно прямой спиной и держал обе руки над клавиатурой, скрючив пальцы, словно собирался загребать ими невидимые сокровища. Вид у него был в самом деле пугающий, в основном из-за абсолютно бессмысленного выражения лица, с которым он смотрел на экран монитора. По экрану плавали разноцветные рыбки, косяя на Корнеева виртуальными глазами.

Лайма облегченно вздохнула. Задуматься и «зависнуть» было для Евгения обычным делом. Она сто раз заставала его в самых диких позах, которые он мог «держать» несколько часов, не испытывая не-

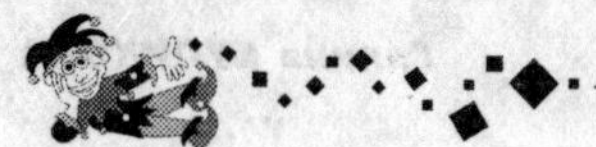

удобства. Со стороны это и в самом деле выглядело ужасно, особенно в глазах человека несведущего.

Успокоившись, она принялась собирать чашки с остатками чая, которыми была уставлена вся мебель — и столы, и стеллажи, и подоконники. Корнеев любил чай до невероятности, но никогда не допивал его до конца, потому что постоянно отвлекался на посторонние вещи.

— Так, — сказал доктор, не знакомый с особенностями поведения компьютерных гениев, и достал из кармана халата очки. Закрепил их на переносице и постучал Корнеева согнутым пальцем по плечу, как будто хотел уточнить, не он ли последний в очереди. К его великому изумлению, тот не рассыпался на кусочки и не рухнул на пол, хотя вид у него был соответствующий.

— И давно он вот так... остекленел? — задумчиво спросил врач, приблизив свое румяное лицо к восковой физиономии Корнеева.

«Вероятно, Евгений не гулял и плохо питался, — решила Лайма. — Катя не выглядит девушкой, способной приготовить что-нибудь съедобное. Возможно, они варили сосиски из вакуумной упаковки и ели чипсы».

— Пульс есть, — удивленно сказал врач, подержав Корнеева за запястье. — Не понимаю, почему он такой... оловянный. Разве что вирус?

— А если паралич? — жалобно спросила Катя.

По всему было видно, что Корнеева ей жалко. Еще бы! Такие красавчики рождаются раз в сто лет, и ей почти удалось покорить его сердце...

Доктор добыл из своего чемоданчика шприц и

взял его на изготовку, поделившись с присутствующими своими соображениями:

— Допускаю, что у него экзотическая болезнь. В последнее время он летал за границу? В жаркие страны?

— Никуда он не летал, — сердито сказала Лайма. — Он же не журавль. Перестаньте суетиться, сейчас я его оживлю.

— Как?! — воскликнула Катя с душевным надрывом.

Лайма сочувственно похлопала ее по плечу и приблизилась к мумии Корнеева. Обошла ее с другой стороны, поддела носком туфли толстый серый шнур и одним рывком выдернула его из розетки. Рыбки в последний раз блеснули виртуальной чешуей и исчезли. Экран компьютера мгновенно померк, превратившись в один большой мертвый глаз. Несколько секунд ничего не происходило, потом Корнеев пошевелил верхней губой, и его тонкие пижонские усы, наповал сражавшие женщин бальзаковского возраста, осторожно шевельнулись.

— Раз, два, три, Евгений, отомри, — пробормотала Лайма и наклонилась к нему. — У нас проблемы. *Он* позвонил.

Корнеев моргнул и ожил. Разогнул пальцы, отдернул руки от клавиатуры и, поднявшись на ноги, с противным хрустом потянулся.

— Ах! — воскликнула Катя. — Не могу поверить! Ты жив, Женечка!

Она бросилась ему на шею, и он рассеянно ее обнял, поглаживая по спине. Через ее плечо посмотрел на Лайму и тревожно спросил:

— Он позвонил? И что сказал?

Лайма уже раскрыла рот, но ее перебил доктор:

— Я хочу объяснений, и побыстрее.

Гнев выступил на его лбу крупинками пота. Эскулап упер руки в боки и, кажется, собирался устроить грандиозный бэмс. Лайма мгновенно сориентировалась и повела его в соседнюю комнату. Там достала из сумки и показала удостоверение с фотографией, на которой она была снята во френче и пилотке и где большими красивыми буквами было написано: «Федеральная Антитеррористическая Служба Безопасности».

Удостоверение было липовым. Такой службы не существовало. Но поскольку члены группы «У» считали, что действуют на благо страны, они решили, что имеют право на безобидный обман. Удостоверения не приносили им никакой выгоды, зато помогали справляться с чиновниками и развязывали языки свидетелям. Даже милиционеры опасались проявлять недружелюбие — с людьми из загадочной «ФАЭсБэ» никто не хотел связываться.

— Значит, с вами все в порядке, господин Корнеев? — хмуро спросил доктор, возвратившись обратно. Ему хотелось сохранить лицо. — А выглядели вы неважно.

— Он разрабатывал стратегический план, — шепнула ему на ухо Лайма. — Будьте осторожнее на лестнице.

Когда дверь за ним захлопнулась, Лайма вернулась в комнату. Катя совершенно раскисла и теперь утирала слезы бумажными платками. Корнеев по одному доставал их из пачки и протягивал ей.

— Ты ее здорово напугал, — заметила Лайма, недовольно хмуря лоб. — Если уж приводишь домой девушку, не отвлекайся от нее до тех пор, пока она не уйдет.

— Эта не хотела уходить, — сообщил Корнеев. — Не мог же я сидеть целый день просто так только потому, что ей приспичило остаться.

— Приспичило?! — вскинулась Катя. — Я думала, у нас завязались романтические отношения!

— С этим мужчиной невозможно завязать романтические отношения, — сообщила Лайма сочувственным тоном. — Он уже отдал свое сердце продуктам высоких технологий. Вот если бы вы были снабжены портами, тогда другое дело.

— Какими... портами? — изумилась та. — О чем это вы говорите?

— Дай я сам. — Корнеев оттолкнул Лайму и проникновенно сказал, взяв Катины руки в свои: — Дорогая, наша встреча была ошибкой. Нам нужно расстаться. Я тебя недостоин. Ты... Э-э-э... заслуживаешь лучшего. В твоей жизни еще будет мужчина, способный возвести тебя на вершину любви. Мое сердце обливается кровью, но я стискиваю зубы и говорю тебе — прощай!

Катя обернулась к Лайме и спросила:

— Что за ахинею он несет?

— Не знаю. Думаю, он выписал эту тираду из какого-нибудь любовного романа и заучил наизусть. Честное слово, милая, вам лучше уйти.

— А вы, значит, останетесь? — визгливым голосом уточнила та и заняла боевую стойку.

— Начинается, — пробормотал Корнеев. — Почему это все женщины любят меня по-разному, а скандалы устраивают до смешного одинаково?

— Все женщины? — ахнула Катя. — Так ты меня обманывал, когда говорил?..

— А что я говорил? — с любопытством спросил Корнеев. — Вчера вечером меня посетила одна идейка...

— Скотина.

Катя смерила его ненавидящим взором и удалилась, гордо цокая каблучками. Дверь хлопнула во второй раз.

— Слава богу! — обрадовался хозяин квартиры. — Ну, знаешь, вы и существа! Зовешь вас в гости, а вы приходите и начинаете вить гнездо.

— С тобой, Евгений, можно свить только веревку и на ней повеситься, — ответила Лайма, которой девицы Корнеева надоели до чертиков. Порой приходилось проводить настоящие спецоперации, чтобы освободить его от очередной Джульетты.

— Ты с Иваном уже связывалась? — спросил тот, ничуть не смущаясь ее раздражением. — Не знаешь, он сейчас в городе?

Иван был в городе. Корнеев с Лаймой нашли его в пивном баре возле дома, где он предавался чревоугодию. На огромном блюде перед ним лежали усатые креветки, а рядом стояли опустошенные пивные кружки с кружевами засохшей пены на ободках. Кружек было так много, будто бы пивом недавно тушили пожар. Увидев своих товарищей, которые шли к нему с деловыми лицами, Медведь оживился.

— Что? — спросил он, грузно поднимаясь со стула. — Опять начинается?

При своем немалом росте и устрашающей комплекции физиономией Медведь обладал симпатичной, был по-своему добр, уважал женщин и стариков, любил детей и собак и никогда не наступал на насекомых. Придушить же бандита ему ничего не стоило. У него была хорошая подготовка и два ранения, из-за которых он так и не успел набраться боевого опыта.

— Начинается, — подтвердил Корнеев, пожимая ему руку.

— Он позвонил, — пояснила Лайма. — Желает встретиться. Поэтому сегодня вечером мы идем в парк аттракционов. Он будет ждать нас в комнате страха.

— В комнате страха? — удивился Медведь. — Наверное, хочет провести что-то вроде аттестации. Проверить наши нервы.

— Думаешь, он собирается нас пугать?

— Не знаю. По правде сказать, я решил, что никогда не увижу его живьем.

— Вероятно, случилось что-нибудь из ряда вон выходящее, — предположила Лайма.

— Гениальный русский ученый изобрел новое оружие и продал его китайским экстремистам, — поддакнул Корнеев. — Стая ворон-мутантов насмерть заклевала депутата Государственной думы. Под видом водки «Русская надежда» подпольные дельцы продавали березовый сок, разбавленный перекисью водорода. Мало ли что могло случиться в этом сумасшедшем городе!

Они вышли на улицу и погрузились в автомобиль. Корнеев, который недавно окончил курсы экстре-

мального вождения, теперь никому не желал уступать место за рулем. После этих курсов он стал ездить как шизофреник, удирающий от группы дипломированных психоаналитиков. Особенно любил ракетой проноситься на красный свет и с визгом разворачиваться через две сплошные, ободряюще улыбаясь при этом помертвевшим пассажирам.

Стоял погожий вечер, и синее полотняное небо над Москвой постепенно темнело, превращаясь в бархат, который вскоре проткнут первые бриллиантовые гвоздики звезд. Нагулявшийся за день ветер гнал ленивое стадо туч с дневного выпаса, и Лайма то и дело задирала голову, чтобы полюбоваться всей этой красотищей. На ступеньках при входе в парк аттракционов она споткнулась и едва не загремела вниз.

— О чем ты только думаешь? — возмутился Корнеев, едва успев схватить ее за локоть. — О любви?

— Любовь выдумали мужчины, — мрачно заявила Лайма.

— Н-да? — удивился Корнеев и посмотрел на Медведя. Тот пожал плечами. — Почему?

— Потому что это дурацкое чувство. — Помолчала и добавила: — Дурацкие мужчины придумали дурацкую любовь.

— Ты ушла от Шаталова! — догадался Медведь, и лицо его просветлело.

Лайма посмотрела на него с упреком. Прежде чем отправиться на встречу с боссом, она приняла ванну, переоделась и привела себя в порядок, отчасти восстановив душевное равновесие. «Ореху она понравится», — с ревнивой гордостью подумал Медведь и попробовал посмотреть на Лайму чужими глазами. Увидел изысканную блондинку в деловом костюме и удобных туфлях, с гладкой прической и выразительными глазами. Пожалуй, немного холодновата и консервативна, но это даже хорошо. Не все мужчины замечают неброских женщин, а им и красавчика Жеки с его любовными похождениями хватает с головой.

— Комната страха там, — сообщил Корнеев, показав пальцем на схему парка, установленную на перекрестье пешеходных дорожек.

Аттракцион помещался в большом круглом здании, напоминавшем гигантскую консервную банку. Возле входа толпились взрослые с детишками, которые повизгивали и нетерпеливо подпрыгивали. Группа «У» пристроилась в хвост очереди, и какой-то малыш, восхищенный габаритами Медведя, задрал голову и спросил:

— Дядя, вы тоже поедете на паровозике?

— Да, мальчик, — ответил тот. — Я просто тащусь, когда меня пугают.

Тотчас получил от Лаймы тычок в печень и пряничным голосом повторил, улыбаясь:

— Да, мальчик, я тоже поеду на паровозике. Это так весело!

Папа мальчика посмотрел на него с подозрением, но ничего не сказал.

— Еще неизвестно, помещусь ли я в том паровозике, — проворчал Медведь. — Неужели нельзя было встретиться в каком-нибудь уединенном месте?

— Ты имеешь в виду — на кладбище? — съехидничал Корнеев.

Его внешность в стиле «latino lover» не осталась

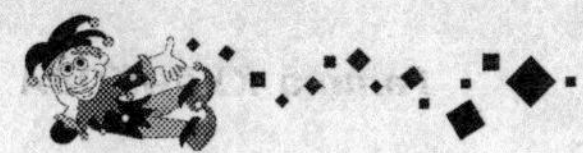

незамеченной. Молодые мамы, стоявшие впереди, заговорили томными голосами, стали преувеличенно громко общаться со своими детишками и визгливо смеяться. Примитивные папы ничего не замечали.

Когда подошла их очередь, члены группы «У» гуськом вошли под темные своды комнаты страха и заплатили за билеты хмурому типу, одетому в костюм летучей мыши.

— Вы сядете последним, — распорядился тип, придержав Медведя. — А то за вами никто ничего не увидит.

— Ладно, — покорно согласился тот. — Хотя я не очень люблю оставлять спину открытой. Особенно когда вокруг всякие ужасности.

Помещение было декорировано под пещеру со сталактитами. В глубоких нишах горели факелы, а с потолка свисала густая паутина с пузатыми резиновыми пауками размером с кофемолку. Втроем они уселись в хвост состава, в затылок друг другу, и Медведь глухо заворчал, потому что его подбородок практически уперся в колени.

— Знаешь, Жека, мне как-то не по себе, — признался он Корнееву, наклонившись к его уху. — Сердце что-то... подпрыгивает.

— Только после никому не рассказывай, что твой первый инфаркт случился в детском паровозике, — посоветовал тот.

— Не понимаю, как здесь можно с кем-то встретиться! — не сдавался Медведь. — Зачем босс заставил нас сюда прийти?

— Значит, так надо, — крикнула Лайма, обернувшись назад.

Паровозик громко лязгнул, как будто был настоящим большим составом, ощутимо вздрогнул и тронулся с места, сразу же углубившись в узкий тоннель. Потолок был таким низким, что запросто мог снести голову, и все стали пригибаться и ахать. Воспользовавшись маленькой скоростью, Медведь тотчас ткнул в него пальцем, уверившись, что над ними всего лишь резина. Впрочем, выглядело все довольно правдоподобно. Но вот тоннель закончился, и прямо на пути паровозика возникло огромное чудовище с алой разверстой пастью и желтыми клыками. Таинственный свет запрыгал по глянцевым чешуйкам, и дети завизжали. Чудовище медленно отъехало в сторону и закачало головой на длинной шее. Лайма против воли рассмеялась — ей совершенно точно нравилось приключение.

— Не хочется думать, что босс прыгнет на нас сверху, — пробормотал Медведь, который просто не мог держать в себе переживания.

Возможно, он предчувствовал неприятности, или, как сказала потом Лайма, сам их накаркал. Поначалу все шло хорошо, но вдруг свет в тоннеле померк, ход поезда замедлился, и вагончики через некоторое время остановились совсем. Повисла напряженная тишина, нарушаемая только выкриками самых маленьких ребятишек. Все ждали, когда появится привидение или, на худой конец, выдвинется на колесиках из тайного грота чучело леопарда, но ничего не происходило. Совсем ничего. Потом впереди вспыхнул фонарик. Служащий, который управлял поездом, встал в полный рост и крикнул:

— Не волнуйтесь, товарищи, просто небольшая

техническая неполадка. Вероятно, что-то с электричеством.

— Начинается, — громким шепотом сказал паникер Медведь. — Из-за нас пострадали бедные детишки.

— Да никто еще не пострадал! — одернула его Лайма.

Услышав ее слова, родители страшно разволновались. Мужчины потребовали немедленно вывести женщин и детей на улицу. Служащий спорить не стал. Он прошел вдоль всего поезда, помогая пассажирам выбраться наружу, выстроил их в колонну и велел следовать за ним. Сам пошел во главе отряда, освещая путь.

Лайма, Корнеев и Медведь остались сидеть в последнем вагончике, захлопнув рты на замок. Было тихо, темно и по-настоящему страшно. Без электричества, которое питало артерии аттракциона, все вокруг казалось мертвым. Как будто они забрались под огромное одеяло, куда не доносятся звуки домашней жизни. Прошло не меньше пяти минут, и Корнеев вполголоса спросил:

— Ну и чего мы ждем?

Не успел он договорить, как из-за поворота выпрыгнул сияющий круг, и луч фонаря мазнул по двум пустым вагончикам. Раздались хрустящие шаги, будто бы кто-то шел по целлофану, и в тоннеле прорисовалась темная фигура. Члены группы «У» тотчас решили, что явился их таинственный босс, и выбрались из поезда.

На самом деле это был один из здешних служащих по фамилии Лещина, который вызвался отыскать сумочку, потерянную пассажиркой. Встретить в тоннеле посторонних он не ожидал. И когда услышал возню и шепот, здорово испугался. И крикнул в ту сторону:

— Кто здесь?!

Поднял фонарь повыше и неожиданно для себя осветил Медведя. Поскольку Петр Сергеевич Лещина был невысок, тот показался ему огромным и ужасным. У бедняги немедленно затряслись поджилки.

— Вы Орех? — грубо спросил огромный и ужасный тип, похожий на ожившую гору.

— Откуда вы знаете? — глупо спросил Лещина, которого молоденькие кассирши как только не обзывали — и фундуком, и арахисом.

— Мы готовились к встрече с вами, — произнес зловещие слова человек-гора.

Петр Сергеевич едва не осел на землю. Они готовились! Это нападение! Его хотят взять в заложники... Ограбить кассу — ужас, ужас!

В этот момент как раз дали ток, отовсюду послышались щелчки и потрескивание, и где-то в глубине тоннеля загорелся жиденький свет. Но там, где остановился поезд, по-прежнему было темно, и кроме Медведя, бедолага Лещина ничего не мог различить вокруг себя. Он начал отступать назад, и тут невидимый Корнеев воскликнул:

— Эй, стойте! Здесь вся спецгруппа!

Объятый ужасом Петр Сергеевич его слова неправильно понял. Он решил, что какая-то спецгруппа подобралась к человеку-горе сзади и требует, чтобы тот стоял на месте и сдавался. Мысль о том, что сейчас бандит начнет отстреливаться, а он сам может по-

пасть под перекрестный огонь, придала бедолаге сил. Лещина сгруппировался, громко крякнул и совершил грандиозный прыжок в сторону поезда. Тараканом забрался в вагончик и бросился к пульту управления. Медведь скакнул за ним.

— Куда, куда?! — завопили в два голоса Лайма и Корнеев.

— Это ловушка! — крикнул в ответ их храбрый товарищ, преследуя Петра Сергеевича.

Лещина успел нажать на несколько кнопок, и поезд медленно тронулся с места. Но тут Медведь повалил отважного служащего на приборную доску и принялся душить. Тот начал вырываться, с испугу Медведя поцарапал и даже один раз укусил. Ивану показалось, что ему в руки попал озверевший кот. Завязалась нешуточная драка. Противники выли и перекатывались от левого борта вагончика к правому. Одновременно они успевали хвататься руками за провода и балки, идущие вдоль стен, и в конце концов сорвали какой-то рычаг, после чего поезд форменным образом обезумел. Он зарычал, загудел, заискрил даже и с неожиданной прытью помчался вперед. Лайма и Корнеев попытались броситься в погоню, но быстро поняли, что дело гиблое.

— Думаешь, это был не наш босс? — запыхавшаяся Лайма обернулась к Корнееву, чья физиономия смутно белела в сумраке тоннеля.

— Конечно, нет! Какой-нибудь стрелочник, явившийся проверить, все ли тут в порядке. А Иван хорош!

— Он был в жутком напряжении, — попыталась оправдать Медведя Лайма.

В этот момент послышался грохот, и они отпрыгнули к стене, прижавшись к чему-то большому и плюшевому. Поезд, стуча колесами, пронесся мимо них. Судя по доносившимся выкрикам, драка продолжалась.

— На второй круг пошли, — пробормотал Корнеев, ощупывая то мягкое, что грело ему бок. — Так, Лайма, лучше не пытайся рассмотреть эту штуку, ты расстроишься.

— Надо найти кого-нибудь, кто остановит поезд! Кто-то же отвечает за него!

Словно в ответ на ее призыв в пяти метрах впереди открылась незаметная дверь, и в тоннеле появился техник Петренко, который выпил на работе, не в первый уже раз заснул на посту, а вот теперь проснулся и добровольно шел получать выговор от начальника смены. Возможно, его даже уволят, и тогда жена поведет его к очередному целителю, чтобы делать уколы или пить специальный чай, отвращающий от алкоголя. Петренко твердо знал, что от алкоголя отвратить его не сможет ничто.

Не успел он пройти и нескольких шагов, как сзади на него набросились, схватили за горло и принялись мутузить, выкрикивая:

— Как остановить поезд, гад? Говори!

В ту же секунду на нападавшего кто-то налетел. Стал хватать его за руки и вопить:

— Нет, нет, не надо! Не надо!

Со свистом пронесся очумелый паровозик, из-под колес сыпались искры, а до слуха доносились матерные слова.

Петренко побежал к распределительному щиту, нажал на красную кнопку и услышал, как состав тор-

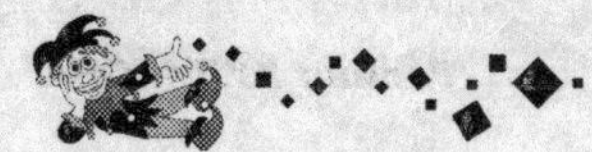

мозит за поворотом, скрежеща по рельсам. Потом техника схватили за шкирку и куда-то поволокли. От страха он почти сразу протрезвел и очень сильно зажмурился. А когда открыл глаза, то увидел, что находится в той самой «пещере», где продавались билеты. Вокруг было полно людей, все говорили разом, какая-то женщина всхлипывала. Сотрудники бросились к Петренко, начали обнимать его, хлопать по плечам и спрашивать, не нужна ли ему неотложная помощь.

— Спокойно, спокойно, граждане, — увещевала людей блондинка в деловом костюмчике, размахивая глянцевым удостоверением. — Служба безопасности. Антитеррористическая. Проблем больше нет.

Петренко мешком свалился на поднесенный стул и заскулил. Выходит, в тоннеле он столкнулся с террористами?!

— Вот он, морда! — злобно крикнул помятый и ободранный Петр Сергеевич Лещина, тыча пальцем в Медведя, которого Корнеев подталкивал к выходу. — Поймали гидру!

Гидра выглядела не лучшим образом и в настоящий момент испытывала чувство глубокого стыда.

— Аттракцион закрывается до утра! — крикнул начальник смены. — Граждане, подходите в порядке очереди за деньгами, мы все вам вернем — до копеечки.

Очутившись на улице, Лайма остановилась и глубоко-глубоко вздохнула. Обвела глазами мирный пейзаж с крутящимся на заднем фоне колесом обозрения и сказала:

— Такое чувство, что я совершила путешествие в преисподнюю.

— А какое у меня чувство, я даже говорить не стану, — злобно прошипел Корнеев, глядя на Медведя с негодованием.

И тут позади них раздался незнакомый голос:

— Лайма Скалбе? Иван Медведь? Евгений Корнеев?

Все трое разом обернулись и увидели перед собой статного мужчину с седеющими висками.

— Тагиров, — представился он и протянул руку. Золотая запонка блеснула в свете заходящего солнца и на секунду ослепила Корнеева.

Он первым ответил на рукопожатие.

— Босс? — на всякий случай уточнила Лайма.

Тагиров кивнул и ей тоже пожал руку — коротко и крепко. Женщина, возглавившая спецгруппу, заслуживала самого пристального внимания. Он считал ее личностью загадочной и опасной, эдакой пиковой дамой. Даже странно, что она не роковая брюнетка. И, в общем, выглядит довольно мирно. Как там однажды сказал Дубняк? «Никакая она не пиковая дама, а так — дамочка!» Впрочем, внешность бывает обманчивой.

Тагиров поздоровался с Медведем и пояснил:

— А я стоял вон там, возле входа, и все никак не мог понять, зачем вы отправились кататься. А вы, оказывается, заметили бандита.

— У него было оружие, — кивнул Медведь. — Под пиджаком. И он так быстро уселся в паровозик...

Лайма с Корнеевым повернули головы и задумчиво посмотрели на Ивана.

— Кстати, а где он? Я имею в виду — бандит? — спросил Тагиров.

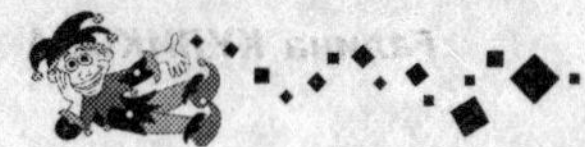

— Мы его прогнали, — ответил Медведь. Потом спохватился и быстро добавил: — То есть мы с ним разобрались. По-своему. Не стоит волноваться.

— Молодцы, — похвалил Тагиров, оглянулся назад и предложил: — А теперь пойдем отсюда. Не стоит привлекать к себе внимание.

Они отправились в кафе и устроились на открытой веранде под тентом. Все заказали себе кофе, а Медведь еще и два куска торта, чтобы снять стресс. Стресс он снял очень быстро, и когда облизал ложку, Тагиров решил приступить к делу. Он рассказал о своей секретной квартире, о Дине и о послании у нее на ноге, о том, что она ничего не помнит. А также о частном сыщике, который подобрал ее на дороге.

— Думаю, с этого самого частного сыщика вам и следует начать. Его имя — Арсений Кудесников.

* * *

— Ты с ума сошел! — громким шепотом завопила Маша Школьникова, когда открыла входную дверь и увидела за ней Кудесникова с котом на цепочке. Ее темно-янтарные глаза с влипшими внутрь мушками зрачков расширились в страхе. — Ты хочешь моей смерти?!

— Не хочу, — ободрил ее Кудесников. — Но и своей тоже не хочу, поэтому я здесь. Мы с тобой всегда так хорошо прятались, что о нашей связи не знает ни одна живая душа.

— Муж может прийти в любой момент! А внизу в машине бдит шофер. Что я им скажу?!

— Скажешь, что я твой кузен из Мариуполя.

— Ты не похож на кузена! — повысила голос Маша и растопырила руки, чтобы загородить вход в квартиру.

— Машка, пусти меня! — потребовал Кудесников. — Мне нужно переодеться женщиной, и только ты одна можешь мне помочь, потому что подходишь по комплекции.

Маша и в самом деле была высокой девушкой с широкими плечами и узкими бедрами. И даже стопа у нее была большой, хотя и с игривыми пальчиками. Некоторое время пассия Кудесникова молча смотрела на него, потом опустила руки и расхохоталась.

— Ну что, что? — рассердился тот, проскользнув в прихожую и потянув за собой Мерса, который уже устроился на коврике и лизал пузо. — Ты же знаешь, какая у меня опасная работа. Мне нужно спрятаться. Чего ты вдруг так развеселилась?

— Представила, как ты будешь брить ноги.

— Не буду я брить, — отшатнулся Кудесников. — Я надену колготки. Деловые девушки даже в жару ходят на работу в колготках. А сейчас конец лета, скоро похолодает.

Он привычно разулся возле зеркала, потому что в комнатах лежали светлые ковры, а возле комода валялась шкура белого медведя с головой. Эту голову Кудесников особенно не любил, потому что когда они с Машей предавались любви на полу, голова наблюдала за происходящим, улыбаясь во всю пасть.

— Объясни хотя бы, что происходит! — потребовала Маша, семеня за Арсением, который уверенным шагом проследовал в ее будуар и раздвинул дверцы встроенного шкафа.

Вдоль всей стены висели наряды, а под ними стояли подходящие по цвету туфельки. Шарфы и сумки помещались сверху на полках. Еще выше располагались шляпки и перчатки.

— Какой у тебя размер ноги? — спросил Кудесников, схватив лакированную туфлю с бантиком на носке и повертев перед носом.

— Сороковой.

— Ах, черт! — расстроился он. — На два размера меньше, чем нужно. Придется мне засветиться в магазине.

— Не бывает женского сорок второго размера, — озадачила его Маша. — Так что я не знаю, во что тебя можно будет переобуть. Разве что вот в эти босоножки. — Она наклонилась и достала подходящую пару. — Во-первых, они на маленьком каблуке, а во-вторых, у них нет ни мыска, ни пятки. Ой, Арсений, а что случилось-то? Кто за тобой охотится?

— Лучше тебе не знать, — мрачно ответил тот. — Дай мне колготки и какой-нибудь приличный костюм, в каком не стыдно будет прийти в офис.

Маша достала все, что требуется женщине, в том числе и нижнее белье.

— Нет, дорогая, эти фитюльки я надевать не буду! — воспротивился Кудесников. — Я знаком с девушками, у которых грудь меньше, чем у меня. Убери. А вон тот блондинистый паричок я примерю обязательно.

В самый разгар переодевания в дверь позвонили, и у бедной Маши из рук выскользнул шелковый пояс.

— Боже! — воскликнула она, задохнувшись от ужаса. — Сергей пришел!

Она заметалась по квартире, как курица, преследуемая собакой. В конце концов Сергей Школьников достал ключ и сам отпер дверь. И тут же завопил:

— Мария! Зачем ты притащила в дом такого огромного кота?! Я понимаю, прельстилась бы маленьким котеночком. Но такая скотина... Я об него споткнулся, и он, кажется, хотел откусить мне ногу.

— Это... Это не наш кот, — выдавила из себя пунцовая Маша.

Муж был замечательным во всех отношениях, но обладал одним недостатком — ревновал жену, оберегая ее, как горячий арабский шейх свой гарем.

— А чей тогда это кот?

Сергей выглядел, как норманн-завоеватель, высадившийся на английском побережье. Крепкий, самоуверенный, не признающий компромиссов. Наконец он обратил внимание на постороннюю пару обуви.

— Мужские ботинки? Отлично. И кто же у тебя тут?

Широким шагом он подошел к двери будуара и схватился за ручку. Маша, бежавшая за ним, едва успела притормозить.

— Кузен из Мариуполя, — выпалила она.

Сергей распахнул дверь и заглянул внутрь. Перед большим трюмо на пуфике сидел Кудесников — весь в розовом — и подкрашивал правый глаз. Блондинистый паричок плотно облегал его голову.

— Здрасьте, — сказал он высоким контральто и стыдливо сдвинул коленки. — Как дела?

— Нормально, — ответил хозяин дома, обернулся к жене и с иронией уточнил: — Кузен-трансвестит? Раньше ты мне о нем не рассказывала.

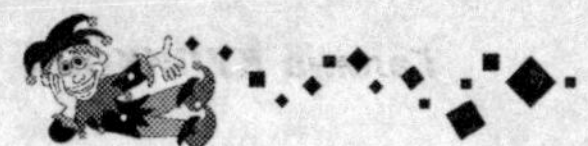

— Она стеснялась, — немедленно откликнулся Кудесников. — Кстати, можно одолжить у вас денег?

— Нет, — ответил Сергей.

Кудесникова его отказ очень расстроил. Машин муж был человеком состоятельным, и пару тысяч у него вполне можно было перехватить. Сама Маша распоряжалась суммами в пределах сотни баксов, на нее надежды не было никакой. «Придется заезжать в офис», — подумал Арсений. В офисе, в тайнике, у него хранилось приличное количество денег, убегать без которых было неразумно.

Перед тем как проститься с кузеном-трансвеститом, Маша напоила кота молоком, а его хозяину вручила дамскую сумочку, наполненную всякими пустяками. Побрызгала Кудесникова новыми духами фирмы «Лена Линн» и перекрестила на прощание.

— Я похож на женщину? — спросил он, обернувшись к ней на лестничной площадке.

— Похож, — кивнула Маша и добавила: — Только на очень странную женщину. И с белыми колготками мы, кажется, погорячились.

Пока не стемнело, Кудесников катал кота по городу. Иногда они выходили из машины и отдыхали в скверах, где Мерс совершал свои дела на ухоженных газонах. И лишь к полуночи сыщик решился наведаться в собственную контору. Располагалась она с некоторых пор на первом этаже большого старого дома рядом с кафе «Стрекоза», которое должно было закрыться еще час назад. У кафе и конторы Кудесникова был общий вход и общий маленький холл. Только чтобы попасть в кафе, нужно было повернуть направо, а к частному детективу — налево.

Впрочем, на двери было написано не просто «частный детектив». Там красовалось название, на котором настояла Людмила Суркова — «СТАРЫЙ СЛЕДОПЫТ». Название было претенциозным и даже каким-то нахальным, и Кудесников его стеснялся. Однако Людмила, которая вложила в фирму приличную сумму денег, настаивала на нем изо всех сил. Пришлось Арсению заказать в мастерской золотые буковки с нижним клеящимся слоем и присобачить их к двери.

Он надеялся проскользнуть к себе незамеченным, но встретил на пути неожиданное препятствие. Возле крыльца стоял усталый «пикап», из которого выгружали товары двое подвыпивших рабочих. Отдавая должное своему состоянию, они носили за ходку по одной коробке, и коммерческий директор Изя Кеплер орал на них откуда-то из подсобки. Если незнакомая женщина в белых колготках ночью полезет в офис соседа — частного детектива, наблюдательный Изя обязательно вызовет ментов. Сообщать же Кеплеру о том, что он переоделся женщиной, Арсений не собирался.

Пришлось рисковать. Сыщик дождался благоприятного момента, пулей влетел в холл, в два щелчка открыл замок и скрылся в своей конторе. Вытащил из тайника деньги и неожиданно подумал, что оставляет здесь слишком много личных вещей. Достал пакет и принялся бросать туда дорогие его сердцу мелочи. Потом вспомнил, что его юридический адрес не совпадает с фактическим. И если убрать с двери название, контору, возможно, даже не сразу найдут. А без обыска, без подробного знакомства с записями, с компьютерными файлами будет довольно трудно выйти на его след. Итак, буквы надо было от двери отодрать, и сделать это максимально быстро.

Рабочие между тем продолжали таскать коробки, переговариваясь между собой. Надпись на соседней двери их заинтересовала. Первым на нее обратил внимание коренастый и кулакастый Витя Машков.

— Интересно, — прокряхтел он, пересекая холл и поддерживая пузом дно коробки. — Чего это за заведение такое слева? Книжный магазин, что ли?

Его товарищ Митя Крошкин немного задержался внизу, подтягивая штаны. За эти несколько секунд Кудесников успел высунуться и отодрать от СЛЕДОПЫТА одну букву. Поэтому когда Митя добрался до холла, вывеска выглядела немного иначе: «СТАРЫЙ ЛЕДОПЫТ».

— А что значит это слово? — сгрузив коробку и отряхивая руки, поинтересовался Митя. Он никогда не стеснялся задать вопрос сведущему человеку. — Не понял я, старый кто?

— Это все равно что разведчик, — пояснил Витя, вытирая ладони о футболку. — Ух, что-то в горле пересохло.

Воспользовавшись тем, что Изя затих в подсобке, они быстрым шагом вернулись к машине, достали чекушку и выпили ее друг за другом прямо из горла, как воду. Водка легла на старую «подстилку», и Мите с Витей немедленно стало очень хорошо. Поэтому следующий ящик каждый из них поднял играючи. Витя тронулся первым. Медленно взошел по ступенькам, нырнул в прижатую камушком парадную дверь и бросил взгляд влево.

Надпись гласила: «СТАРЫЙ ДОПЫТ».

— Слушай! — крикнул он себе за спину. — Сначала-то мне показалось, что там написано другое слово! А сейчас смотрю — нет. Я тоже не знаю, что оно обозначает. — И глубокомысленно добавил: — В энциклопедии надо посмотреть.

Митя, ноги которого стали ватными, преодолевал каждую ступеньку с опаской. И по сторонам на этот раз не глядел. Когда же они вдвоем с Витей порожняком пошли обратно, то, конечно, не могли обойти вниманием дверь напротив.

Надпись никуда не делась, но явно стала лаконичнее и выглядела как «СТАРЫЙ ОПЫТ». Приятели некоторое время думали над этим превращением, потом решили спуститься к машине и выпить еще. В запасе у них было только пиво, и они по-быстрому покрыли им водку.

— Странно, — поделился с приятелем Витя своими сомнениями. — Всего лишь чекушка, а так забрало. Раньше у меня в голове никогда не путалось.

Он взял ящик и потащил его наверх, твердо решив на проклятую надпись не смотреть. Дождался Митю и только когда повел его назад, бросил взор в интересующую его сторону. Теперь на двери было написано: «СТАРЫЙ ПЫТ». Витя почесал в затылке, вернулся обратно и засунул голову в подсобку.

— Иззи Израилевич! — крикнул он в прохладную, аппетитно пахнущую глубину. — Не подскажете, что такое «пыт»?

— Пытка? — переспросил Изя.

— Нет, не пытка. А «пыт». Просто «пыт»?

— Вы опять напились?! — закричал тот вместо разъяснения. — Я вам головы отвинчу!

Витя вздохнул. Его тяга к знаниям была практически втоптана в грязь. Митя уже прибежал снизу с последними бутылками пива, и они добавили на старое, решив, что мозги время от времени нужно все же прочищать.

— Пойди посмотри, что там, — предложил Митя, махнув бутылкой в сторону холла. — Или нет, обожди, я сам посмотрю.

Он сходил, посмотрел и, вернувшись, сообщил:

— СТАРЫЙ Т.

— Может быть, СТАРТ? — предположил Витя. — Физкультурный кружок. Или фирма, которая шьет трусы.

— Нет, не СТАРТ, а СТАРЫЙ Т, — уперся Митя.

— Лучше я сам.

За время их беседы надпись изменилась радикальным образом. Она стала лаконичной и представляла собой одно загадочное слово АРЫЙ.

— Может, это армянский ресторан? — вслух подумал Витя. И задумчиво повторил: — Арый...

Тут из подсобки появился Кеплер, подписал грузчикам накладную, заплатил за работу и выпроводил из помещения. Холл они проскочили, глядя себе под ноги. Изя высунул вслед за ними голову, увидел на двери Кудесникова одинокую букву Й и крикнул в спину своим орлам:

— Это вы на двери частного детектива вывеску ободрали?! Когда я закрывал кафе, все было нормально!

— Частный детектив? — удивился Витя и, обернувшись, поинтересовался: — Иззи Израилевич, а почему ваш частный детектив — АРЫЙ?

— Чего?

— Он АРЫЙ! Почему?

— Алкоголики! — возмутился Кеплер. — Допились до полного бреда! Шоферу-то догадались не наливать?!

* * *

...Пели, кажется, птицы. Или не птицы, а как они там называются? Нет, точно птицы. И почему такой яркий свет, прямо в глаза? Забыл шторы задернуть? Но, пардон, я, кажется, не дома, а... А где?

Лежащий на красивой деревянной лавочке, одной из тех, что с недавних пор украшают один из старейших московских скверов, мужчина приподнял всклокоченную голову и с трудом приоткрыл налитые свинцом веки.

— Бабуль, а там пьяный лежит, — раздался восторженный детский крик, — давай подойдем, посмотрим на него!

— Нечего там смотреть, — донесся сварливый голос, принадлежащий, видимо, бабуле. — Пьяный и пьяный, а может, чего и похуже!

— Бабуль, а чего похуже, чего?

— Похуже, и все. Наркоман, может.

— Бабуль, можно я наркомана живого посмотрю? Я их только по телевизору видел.

— Господи, этого еще не хватало! Пойдем, тебе говорю!

— Бабуль, а он живой?

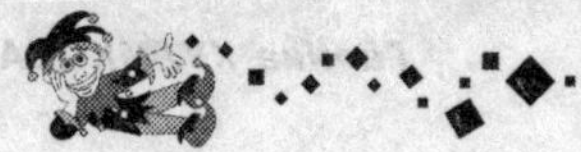

— Живой, живой, вон глаза свои бесстыжие таращит. Пошли!

Ситуация идиотская — как в кино, книжке или анекдоте. Но, к сожалению, это было наяву. Мужчина со стоном повалился на лавку — он уже понял, в каком оказался положении. Не только идиотском, но и опасном. Вот сейчас бдительная бабуля вызовет сюда наркологов с милицией — и доказывай, что ты не верблюд. А как доказывать, если он не в состоянии вспомнить не только, как попал сюда, но даже как его зовут. Мужчина еще раз интеллектуально напрягся, но так и не смог идентифицировать себя ни с кем из живущих на планете Земля. Громко застонав, он чудовищным усилием заставил себя подняться и сел, почти припав грудью к коленям и закрыв лицо ладонями.

Думать, — приказал он себе — думать. Не может такого быть, чтобы я не вспомнил ничего. Я, кто бы я ни был, должен вспомнить хоть что-то.

Однако шло время, а устроившая забастовку память отказывалась включаться в мучительную работу мозга. Он припомнил даже слово «амнезия», которое вроде бы обозначало его нынешнее состояние, однако это не помогло.

— Но что-то должно быть, — едва не плача повторял сидящий на красивой лавочке мужчина, — обязательно должно быть. — Ведь надо как-то жить дальше, куда-то идти, но как и куда, бедолага совершенно не понимал.

Идея проверить карманы пришла не сразу — просто безумно захотелось курить, и он стал лихорадочно ощупывать себя в поисках сигарет. Нашел связку каких-то ключей и подумал — а вдруг там есть еще что-то, что укажет правильный путь. И такая вещь нашлась — во внутреннем кармане лежал одинокий паспорт. Мужчина обрадовался ему, как пленник пустыни, увидевший долгожданный оазис. Дрожащими руками открыл книжечку. С фотографии на него глянул холеный нагловатый субъект. Возможно, это был он сам, однако вспомнить этого мужчина не смог, зеркала же, чтобы свериться с оригиналом, рядом не было.

Так, а что же тут написано? Фирсов Виталий Сергеевич. Виталик, значит. В душе на это имя ничто не откликнулось, но все равно — приятно познакомиться.

Главное — на следующей странице. Вот — «МЕСТО ЖИТЕЛЬСТВА», прописан... Так, есть! Ниточка найдена, теперь добраться до квартиры — и все. А может, не все? Может, лучше врача вызвать? Ладно, там посмотрим, перво-наперво — домой.

Как добраться по указанному в паспорте адресу на общественном транспорте, вновь обретший имя и отчество Виталий Сергеевич тоже не мог припомнить.

«Надо тормозить машину, — решил он, — так не доеду. Да, а ведь денег у меня... Ни на машину, ни на троллейбус».

«Что же это — я без денег хожу по городу?» — ужаснулся он. Еще раз, на всякий случай, обыскал все карманы. Пачка сигарет, зажигалка, ключи, паспорт. Все. Нет, не все. Со второго захода в брюках, в заднем кармашке обнаружилась мятая и немного влажная пятисотрублевка. Обрадованно зажав ее в кулаке, он почти бегом устремился из сквера к шумящей рядом автомагистрали.

Интеллигентный владелец «Жигулей», притормозивший взять клиента, с удивлением выслушал зачтенный по паспорту адрес, однако отказывать не стал — мужчина был прилично одет и на пьяного или сумасшедшего не похож, да и деньги предложил хорошие.

По утреннему времени доехали достаточно быстро. Дом долго искать не пришлось, а подъезд оказался единственным. Почти оклемавшись физически, Виталий бодро шагнул в лифт, прикидывая, на каком этаже может находиться его жилище. Начал с четвертого и угадал. Трудность представляли ключи, которых на связке было семь штук, но по сравнению с тем, что ему уже пришлось пережить, это казалось сущим пустяком.

Однако до ключей дело не дошло. Обе двери указанной в паспорте квартиры — и металлическая, и роскошная деревянная — оказались приоткрыты. Из-за них доносился гул мужских голосов и сильный запах табака.

«Этого еще не хватало, — замер на месте Виталий, — грабят, что ли?» Но, опережая его дальнейшие действия, из-за приоткрытой железной двери показался здоровенный мужик. Увидев Виталия, он издал короткий крик, схватил его в охапку и поволок за собой в квартиру.

Сумел оглядеться Виталий, лишь оказавшись посредине небольшой кухни, где стояли или сидели на табуретках двое мужчин, которые сразу же стали что-то одновременно взволнованно говорить и приветствовать его дружескими рукопожатиями.

При этом ни кухня, ни мужчины знакомыми ему не показались. Он стоял и растерянно озирался, пытаясь понять, что здесь происходит и как это связано с его утренними приключениями в сквере и потерей памяти.

— Вы кто? — произнес вконец растерявшийся Виталий.

Немедленно установилась неловкая тишина.

Один из мужчин, дорого и модно одетый блондин, поднялся, подошел почти вплотную и, тревожно глядя на него, спросил:

— Виталик, что с тобой? Это же мы, это же я — Коля.

— Какой Коля? — вежливо поинтересовался Виталий, скорее удивленный, нежели испуганный происходящим.

— Скогарев. Виталик, да ты что? — стал трясти его за плечи незнакомый Коля. — Совсем рехнулся? Мы тут сидим, думаем, как его спасать, а он шляется где-то сутки да еще и дурочку валяет! Заканчивай балаган, нам тебя вытаскивать надо!

— Откуда? — тупо спросил Виталий, так ничего и не поняв.

— Оттуда, — назвавший себя Колей продемонстрировал ему скрещенные в виде решетки пальцы рук.

Поняв, что так и с ума недолго сойти, Виталий решил объясниться с Колей детально, тем более что тот, похоже, был в курсе каких-то событий, о которых Виталий, очевидно, забыл одновременно с именем и адресом.

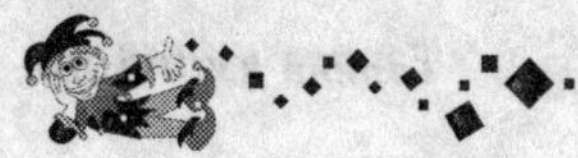

— Послушайте, Николай...

— Виталь, мы с каких пор на «вы»? — перебил его Коля.

— Ну, ты... Послушай, не сбивай меня, ладно? Я и так уже на грани.

— Ага, я и вижу, что на грани. А нам каково?

— Не знаю, каково вам, но вы должны меня выслушать. Тогда и подумаем, что дальше делать, ладно?

— О'кей. Но времени у нас — чуть, а если тебя заметут, то вытащить будет непросто, если вообще возможно...

— Ну послушай же!

Блондин плотно уселся на табуретку и пригласил Виталия сделать то же. Отослав остальных из кухни, он сделал приглашающий жест — слушаю.

Рассказ Виталия был недолгим и эмоциональным. Ключевым выражением, которое он повторял безостановочно, было «не помню».

Закончив, он вопросительно посмотрел на ставшего вдруг хмурым и задумчивым Колю.

— И вообще ничего не можешь вспомнить — ну, там, с кем был, пил или не пил и так далее...

Виталий грустно пожал плечами.

Николай помолчал немного, решительно загасил в пепельнице наполовину выкуренную сигарету и сказал:

— Я тебе сейчас кое-что расскажу. Пока мне непонятны только три вещи. Что именно с тобой сделали, кто сделал и с какой целью. Теперь слушай.

Как описать состояние человека, который пытается узнать о прожитой им жизни со слов незнакомца? Во время этого мучительного процесса Виталию казалось, что он то ли сам сходит с ума, то ли бредит его собеседник.

Однако в итоге ему пришлось смириться с мыслью, что рассказ Коли слишком подробен, чтобы быть дешевой выдумкой. К тому же, пока не вернулись воспоминания, ему ничего другого не оставалось, как слушать и верить (пока, во всяком случае) на слово.

Сначала он получил подтверждение, что действительно является Виталием Фирсовым и проживает в этой самой квартире. Затем последовали вещи более удивительные, а именно:

— что Николай Скогарев, он же Коля — друг детства, вместе куличики лепили, ходили в одну школу;

— что уже пять лет как друзья детства — партнеры по бизнесу, точнее — Фирсов является коммерческим директором Колиной фирмы «Скогарев и партнеры»;

— что Фирсова обвиняют в заключении липовых контрактов и уводе денег из госучреждений;

— что дело получило огласку и кто-то слил материалы проверок в прессу;

— что по факту публикаций уже возбуждено уголовное дело и Виталия ищут и милиция, и прокуратура.

— Правда, были статьи в газетах? — поинтересовался Виталий с такой живостью, словно речь шла не о нем, а о каком-то неизвестном прощелыге.

— Да уж были, сейчас принесу.

Николай поднялся, скрылся где-то в глубине квартиры, но через некоторое время вернулся, бросив на стол несколько газет, среди которых Виталий

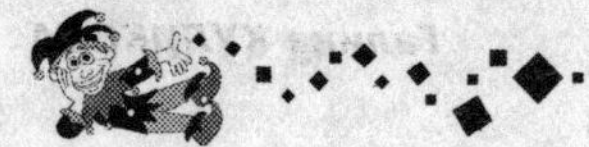

сразу выделил два весьма уважаемых деловых издания.

Быстро просмотрев статьи, Виталий уронил газеты на колени. Было непонятно, что делать дальше.

— Слушай, — спросил он у молчащего Коли, — а если меня похитили, делали какие-то уколы, чтобы я сказал правду или подписал нужный протокол...

— Зачем тогда отпустили? — резонно возразил Николай.

— Вообще странно, — продолжал задумчиво рассуждать Виталий, — я совершенно ничего не помню. Какие-то смутные ощущения, но — совершенно ничего. А ты не знаешь, куда я вчера мог поехать?

— Нет. Вчера появилась информация о возбуждении против тебя уголовного дела. Значит — задержание, арест и так далее. Я к тебе — у тебя дома никого. Телефон отключен, да и не знаю я — вдруг он уже на прослушке.

Искал тебя, искал — нет. До вечера ждал, потом вот ребят с фирмы подключил. И по кабакам ездили, и у баб твоих телефоны оборвали, в казино заезжали — ты как в воду канул. Утром собрались у тебя — сидим, думаем, что делать, может, тебя замели уже и передачи надо посылать. И тут ты, как снег на голову. И ничего не помнишь, что не прибавляет оптимизма.

— Да какой уж тут оптимизм! А что, я действительно мог все это украсть?

— Откуда я знаю, ты же со мной не советовался. Хотя, честно тебе признаюсь — не верю я во все это! — Николай с силой ударил себя кулаком по колену. — Слишком давно тебя знаю, потому и не верю. Не пошел бы ты на откровенное преступление. Но, видимо, все-таки что-то было, если смогли они тебя прицепить к этому делу.

— Может, меня похитили, накачали какой-нибудь дрянью, чтобы я во всем сознался и подписал показания?

— Ага, и потом, высосав твой мозг, отпустили погулять...

— Да, странно, — задумчиво произнес Виталий. — И что теперь делать?

— Ключевой вопрос, — оживился Коля. — Уже сутки думаем. Вот если бы ты вспомнил...

— А если я еще долго не вспомню? А если никогда ничего не вспомню?

— Ладно, не психуй. Надо тебя врачам показать. Ты же в норме, только память пропала, а это, скорее всего, поправимо. Понимаешь, если тебя сейчас передать следствию, они из тебя Джека-потрошителя сделают, а ты даже возразить ничего не сможешь. Как альтернатива — тюремная больница, вплоть до выздоровления. А дальше опять следствие...

— Ужас какой-то. Что делать будем, что вообще мы можем сделать? Вернее — что ты можешь?

Николай ненадолго замолчал, докуривая очередную сигарету и о чем-то напряженно думая. Потом сказал:

— Это дело сложное, но, я полагаю, не безнадежное. Есть связи, есть выходы к нужным людям, есть, в конечном счете, весьма ловкие адвокаты. Но все это следует провернуть быстро. Очень быстро. А тебя пока — спрятать, только подальше, не на даче у знакомых.

Тут Николай снова ударил себя кулаком по колену:

— Вот зараза, совсем забыл! Мне же в Германию завтра лететь, передачу акций подписывать. Ты небось этого тоже не помнишь?

— Каких акций?

— Мы передаем немцам часть нашего бизнеса, а они нам — часть своего. Для более тесного сотрудничества.

Виталий только растерянно развел руками.

— Понятно, — расстроился Коля, — ну да ладно, потом вспомнишь. — И вдруг радостно воскликнул: — Идея!

— Что за идея? — насторожился Виталий.

— Ты поедешь вместо меня, понял? Поедешь в Германию, подпишешь там бумаги. Вопрос чисто технический. Отдохнешь немного — я тебе сопровождающего дам, он тебе такие местечки там покажет! А я тут как раз спокойно твоими делами займусь, не опасаясь, что тебя арестуют.

— Слушай, но это незаконно. Через границу под чужим именем... И как я буду подписывать — от своего лица?

— От моего, меня там в глаза никто не видел.

— А подпись?

— Подпишешься, как я, — Скогарев. И все. Я же не буду к тебе претензии предъявлять.

— А документы? Вдруг меня на таможне задержат?

— Естественно, будут документы. На мое имя, с твоей фотографией. Мы же друзья! Я друга в беде не оставлю.

— Ладно, — сдался Виталий, — действуй, я уже так запутался, что сам ничего не смогу предпринять. К тому же по сравнению с тем, что я уже вроде как сделал, это кажется невинной забавой.

— Не дрейфь, — поддержал его Николай, — иди сейчас отдохни, ванну прими, поешь. А я пока кое-какие шаги предприму.

Вечером, когда чистый и отдохнувший, но так ничего и не вспомнивший о себе Фирсов лежал перед телевизором, пришел Коля с каким-то сумрачным субъектом. Субъект имел при себе аппаратуру для фотосъемки, хотя в его руках убедительнее выглядел бы автомат.

А уже наутро Николай приехал с новеньким заграничным паспортом на свою фамилию, но с фотографией Виталия. Он привез с собой шикарный чемодан и кучу всякого нужного в поездке барахла. Вещи они упаковывали вместе: Виталий был не столько рассеян, сколько испуган происходящим и сосредоточиться на сборах оказался не в состоянии.

Около девяти вечера приехала машина.

— Я провожу тебя, — сказал Николай, — мне так будет спокойнее.

— Знаешь, — Виталий растрогался, — я тебе так благодарен за все, так...

— Не надо сантиментов, нам еще много предстоит сделать, — строго заметил друг детства.

* * *

— Допустим, все происходило именно так, как рассказывает эта Дина, — высказал предположение Корнеев. — Она потеряла память, а частный сыщик

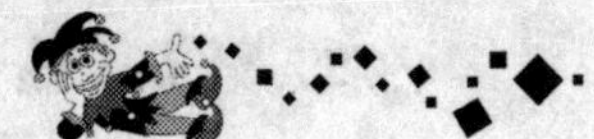

Кудесников подобрал ее на дороге из жалости. Тогда, по большому счету, этот Кудесников нам совсем не нужен.

— Но отчего-то же он подался в бега, — возразила Лайма. — Возможно, парочка в сговоре, а их рассказ — всего лишь легенда.

Троица сидела в своем штабе, где обсуждались текущие дела и принимались стратегические решения. Лайма как могла облагородила интерьер съемной квартирки, набросив на мягкую мебель цветные пледы и повесив веселые шторы. Возле дивана стоял массивный торшер со смешным абажуром в цветочек — самая уютная вещь в комнате. В настоящий момент журнальный столик был сервирован к чаю. Однако чашки так и стояли полные, потому что Лайма не любила глотать кипяток, Корнеев ел варенье, а Медведь грыз баранки, жмуря правый глаз.

— Нет, Дина не врет, — помотал головой Евгений, отправив в рот засахаренную вишню. — Ей даже босс верит.

— Не стоит равняться на босса, — возразил Медведь. — Он может кому-то там верить или не верить, а разгадать головоломку должны мы.

С потерявшей память женщиной они уже познакомились. Тагиров возил их к своему другу Шелепу, чтобы члены группы «У» своими глазами увидели надпись на ноге так называемой Дины. Заодно Корнеев сфотографировал красавицу-брюнетку, мотивировав это тем, что в ходе следствия им, возможно, удастся идентифицировать ее личность.

— У кого какие идеи? — спросила Лайма, отняв у Ивана последнюю баранку и бросив ее в чай. —

Я, например, даже не представляю, с чего можно начать. У нас нет отправной точки. Если бы мы знали, кто такая Дина...

— Этим собираюсь заняться я, — сообщил Корнеев. — Попробую пошарить в Сети, подниму светскую хронику. Сдается мне, это не простая штучка.

— Согласна, — кивнула Лайма. — Я обратила внимание на ее руки. Домашней работой она не занимается.

— Ну еще бы! Такие женщины созданы для того, чтобы отращивать волосы и радовать мир своей красотой.

— Иван, теперь твоя очередь, — она обернулась к Медведю. — Выдвигай свои идеи.

— А я предлагаю дать объявление в газетах. И на радио. Пообещаем большое вознаграждение тому, кто такого-то числа видел женщину, соответствующую данному ниже описанию. Обрисуем Дину и подождем. Вдруг кто-то заметил, как ее выбросили на том шоссе? Практика показывает, что на всякое подлое дело всегда найдется свой свидетель.

— Итак, ты, Иван, — подвела итог Лайма, — сочиняешь объявление, помещаешь в прессе и потом начинаешь принимать звонки, идет? Для контактов оставь номер своего мобильного.

— А если объявлением заинтересуется тот, кто выбросил Дину на шоссе? И попытается узнать, кто мы?

— Он ничего не сможет узнать, — фыркнула Лайма. — Штаб-квартира снята на подставное лицо, твой мобильный тоже зарегистрирован на какую-то там старушку... А если он придет и начнет задавать вопросы, то сразу вызовет подозрения.

— А ты сама что будешь делать?

— Займусь поисками прыткого Кудесникова.

— У него была фора, — напомнил Корнеев, с удовольствием облизав ложку. — Он сейчас может быть где угодно. Хоть в Тайване, хоть на Камчатке. Или взбирается на одну из гор Тибета. Или нанялся официантом на корабль, совершающий кругосветные круизы. Белая форма, золотой поднос с бокалом ромового коктейля, девушки в бикини...

— Мужчины гораздо примитивнее, чем кажется на первый взгляд, — мстительно сказала Лайма, все еще переживавшая отвратительный разрыв с Шаталовым. — Они рабы стереотипов, и когда им грозит опасность, прячутся так же удачно, как...

— Как страусы, — подсказал Медведь.

— Нет, — с чувством возразила Лайма. — Как козлы.

— У-у-у... — протянул Корнеев. — Ты преувеличиваешь.

— Спорим, что ваш детектив никуда из Москвы не уезжал, — заявила Лайма, откинувшись на спинку кресла и забросив ногу на ногу. — Его спрятала какая-нибудь баба, у которой, как он полагает, его не будут искать. Вероятно, они не наследили. Это дает ему чувство уверенности в завтрашнем дне.

— А как ты собираешься проверить всех его баб? — поинтересовался Корнеев. — Особенно ту, с которой они не наследили?

— Маленькая женская тайна, — ответила Лайма. — Думаю, я справлюсь. Тем более что босс дал нам зеленый свет. Такое случается впервые! Не только финансовая поддержка, но и полное информационное обеспечение!

Медведь немедленно собрал на лбу озабоченные складочки:

— Ты полагаешь, что Тагиров выдаст тебе список всех любовниц сыщика? Но Кудесников не социально опасный тип, на него вряд ли есть досье. У нас же не собирают досье на всех граждан. — Он на минуту замолчал и добавил: — Я так думаю...

— Ладно, так и быть, скажу. Я вот-вот получу на руки список абонентов, с которыми частный сыщик разговаривал за последние полгода со своего мобильного. Выберу повторяющиеся телефоны, выброшу из списка тех, кто проходил у него по какому-нибудь делу. Так у меня в руках останутся личные звонки.

— А как ты узнаешь, кто проходил по делу? — поинтересовался Корнеев. — Проникнешь к нему в офис и станешь копаться в бумагах? У тебя уйдет на это месяца два.

— Я же не спрашиваю, как ты собираешься искать Дину в Интернете — сличать ее снимок со всеми брюнетками, попадающимися на всех сайтах?

Они еще некоторое время препирались, а Медведь тем временем сочинял текст объявления.

— Вот, — заявил он, потрясая бумажкой, обляпанной жирными пятнами. — По-моему, звучит ужасно заманчиво. «Огромное вознаграждение получит тот, кто двадцатого августа видел женщину, соответствующую следующему описанию. Брюнетка, рост 168 см, вес 58 кг, стройная. Возраст — 25 лет. Волосы прямые, ниже плеч, глаза карие. Женщина чрезвычайно красива, особых примет нет. Была одета во все черное. Анонимность свидетеля гарантируется. Звонить по телефону». Ну как?

— Хорошо, — похвалил Корнеев. — Думаю, от свидетелей отбоя не будет. Огромное вознаграждение — это круто.

А Лайма потребовала:

— Дай-ка сюда. — Протянула руку за бумажкой и требовательно пошевелила пальцами.

— Зачем?

— Нужно кое-что подправить.

Медведь безропотно отдал свое детище, а Корнеев протянул папку, чтобы было удобнее писать. Лайма положила ее на колени и схватила карандаш. Зачеркнула слова «огромное вознаграждение» и написала сверху «Тысячу долларов».

— Курс падает, — напомнил Корнеев, вновь принимаясь за варенье.

— Хорошо-хорошо, — пробормотала она и перевела доллары в рубли.

Медведь внимательно наблюдал, сопя от напряжения. Тонко усмехнувшись, Лайма зачеркнула его наивные «25 лет» и уверенно исправила их на тридцать. «Особых примет нет» тоже было зачеркнуто. Вместо этого она указала: «Особые приметы — родинка в уголке правого глаза, на предплечье левой руки — шрам в виде полумесяца. Носит коричневые контактные линзы».

— Разве она не была одета во все черное? — обиженно спросил Медведь, когда командир принялась за следующую фразу.

— Вместо «все черное» следует написать «черное

коктейльное платье, на шее кулон в виде ромба с бриллиантами, на безымянном пальце кольцо в пару кулону — тоже ромб с бриллиантами. Нет, пожалуй, бриллианты надо вычеркнуть, — передумала она.

— И что у тебя получилось?

— Подожди, я еще не разобралась с анонимностью. Ага. Итак, объявление будет таким: «Тридцать тысяч рублей наличными получит тот, кто двадцатого августа видел женщину, соответствующую следующему описанию. Брюнетка, рост 168 см, вес 58 кг, стройная. Возраст — 30 лет. Волосы прямые, ниже плеч, носит коричневые контактные линзы. Женщина чрезвычайно красива. Особые приметы: родинка в уголке правого глаза, на предплечье левой руки — шрам в виде полумесяца. Была одета в черное коктейльное платье, украшенное кулоном в виде ромба. На безымянном пальце — кольцо в пару кулону. Свидетелю гарантируется почет, уважение и участие в популярной телевизионной передаче».

— Ты это серьезно? — удивился Корнеев.

— Более чем. Кто сейчас купится на вашу анонимность? Мы ведь не свидетеля на процесс против мафии пытаемся выманить. Людям нужна слава! Хоть на пару минут. В последнее время мы все превратились в абонентов, рядовых пользователей и носителей ИНН.

— В конце концов, чем мы рискуем? — пробормотал Корнеев. — Я согласен.

— Я тоже, — поддакнул покладистый Медведь.

Они назначили время следующего совещания, и Лайма отправилась за теми самыми распечатками телефонных переговоров Кудесникова, которые пообещал передать Тагиров. Наконец-то она перестала

бояться своего «шпионского» мобильного телефона. Прежде, когда на другом конце провода обретался нахрапистый Дубняк, который то и дело исчезал из поля зрения, а потом вдруг выскакивал с очередным невероятным заданием, Лайме казалось, что она носит в сумочке бомбу с часовым механизмом. Другое дело сейчас! Легко представлять себе Тагирова — такого приятного, уверенного в себе, умного и рассудительного.

Она оставила свою машину в двух кварталах от назначенного места и пешком пошла вдоль по улице, разглядывая витрины, пестревшие порой интересными, а порой совершенно дикими рекламными текстами. Например, магазин эксклюзивной итальянской обуви зазывал покупателей следующей частушкой: «Крутые тапки за смешные бабки!» Внутри магазина прохаживались высохшие от скуки продавцы-консультанты в количестве четырех человек и с тоской глядели на дверь — не хлопнет ли. В витрине булочной угнездился написанный на куске ватмана стихотворный шедевр: «Когда в желудке гулко, ешь пирожки и булки». А над киоском-коптильней висела сногсшибательная вывеска: «Тех, у кого губа не дура, здесь ждет свежайшая гриль-кура!»

В кафе, где должна была состояться конспиративная встреча, Лайма пришла на пятнадцать минут раньше оговоренного срока. Села за столик возле окна и огляделась. Ни одного человека, похожего на ее связного. Посетители с суровыми лицами вьются вокруг «шведского стола», бряцая большими ложками, потом разбегаются по местам и озабоченно едят. Усталая девушка в переднике остановилась возле Лаймы и сказала:

— Вам принести меню или вы предпочитаете шведский стол?

— А кофе у вас есть?

— Есть, — кивнула девушка. — Летние предложения все здесь, на карточке.

Она глазами показала на укрепленную пластиком компьютерную страничку, стоявшую возле пепельницы. Лайма взяла ее в руки и прочитала: «Кофе по-восточному, кофе по-американски, чай пакетированный». Далее следовало загадочное обещание: «После трех часов ночи скидки на люля-кебаб». Интересно, находятся ли люди, пожирающие ночами люля-кебаб по сходной цене?

— А что такое «кофе по-американски»? — спросила Лайма.

— С молоком и сахаром.

— А-а! — протянула Лайма, подумав с неудовольствием, что проклятые американцы все прибрали к рукам — даже кофе с молоком. — Тогда мне пакетированный чай.

Девушка ушла, и тут в кафе появился шустрый старичок с папкой под мышкой. Он был одет в красивый льняной костюм и светлые ботинки. Встретившись глазами с Лаймой, модник подмигнул, и она немедленно выпрямилась в ожидании. Вот и связной! А в папке у него — распечатки. Когда старичок двинулся по проходу, она тоже ему подмигнула и показала на соседний стул. Он подошел, улыбаясь во весь рот.

— Здрасьте! — поприветствовала его Лайма. — Рада, что вы пришли. Время — деньги.

— Согласен, — кивнул тот и начал суетливо устраиваться. Потом передумал садиться, положил папку на край стола и отправился к шведскому столу за пищей.

Лайма решила, что это своего рода знак. Протянула руку и потянула папку на себя. Она показалась Лайме слишком тонкой. По ее расчетам, телефонов должно было набраться видимо-невидимо. Девушка принесла чашку и поставила на стол. Рядом положила чек на маленьком блюдечке. Пакетированный чай выкрасил кипяток в мрачный темно-желтый цвет. Пах он мокрым бельем, которое на ночь оставили в тазу. Лайма содрогнулась, оплатила счет и, взяв папку под мышку, направилась к выходу. Помахала старичку рукой и еще раз подмигнула. «Какой славный агент!» — подумала она, закрывая за собой дверь.

Дошла до ближайшего скверика, опустилась на лавку, открыла папку и увидела, что никаких распечаток в ней нет. А лежит там свеженькое свидетельство о разводе и брачный договор, заключенный между гражданином Кобищановым Леонидом Александровичем, 1929 года рождения, и гражданкой Хренихиной Людмилой Николаевной, 1975 года рождения. В правом верхнем углу брачного договора черным фломастером начертано: «Хрен она получит!»

Не успела Лайма изумиться, как услышала топот. Она подняла голову и увидела старичка — по всей видимости, того самого жадного Кобищанова, который обещал хрен своей молодой жене Хренихиной после развода. Заметив похитительницу папки, старичок увеличил скорость и в два прыжка оказался возле скамейки.

— Учтите, это копии! — воскликнул он. — Оригиналы я храню в другом месте.

— Я очень рада, — ответила Лайма. — И вообще — я вашу папку по ошибке взяла.

Тут снова раздался топот, и к лавке подскочила официантка, которая приносила Лайме чай. Глаза выпучены, раскрытый рот жадно хватает воздух.

— Говорила мне мама, чтобы я не курила сигарет с ментолом, — пытаясь отдышаться, с трудом выговорила она. — Что же вы, дама, убежали так неожиданно?

— Я заплатила за вашу пакетированную гадость, — гордо возразила Лайма, привстав со своего места. — Деньги положила прямо в блюдечко. Возможно, их украл какой-нибудь нечистый на руку ценитель шведского стола. Они у вас там бегают, как мыши в подвале.

— Ваши двенадцать рублей в целости и сохранности, — успокоила ее официантка. — Просто вам конверт просили передать, а я и глазом моргнуть не успела, как вы удрали...

Она протянула большой белый конверт размером со стандартный лист — такой толстый, как будто в него засунули биг-мак.

— Вот видите! — обернулась Лайма к старичку. — Я просто перепутала вашу папку со своим конвертом. Думала — вы ее для меня положили.

— Это мне наука, — пробормотал старичок. — В другой раз буду бдительнее.

Официантка ушла, сгибаясь, как пловчиха после заплыва — все никак не могла восстановить дыхание. А старичок подал Лайме свою визитную карточку и представился:

— Моя фамилия Сомов. Если будут неприятности — милости прошу.

Лайма взяла визитку и прочла: «Сомов Игнат Петрович. Частное сыскное агентство».

— Боже мой! — воскликнула Лайма, схватив Сомова за лацканы пиджака. Глаза у нее загорелись, как у деревенской девушки, завидевшей в окошко гармониста. — Это провидение вас мне послало!

— Да ну? — удивился тот. — Неужто вы нуждаетесь в моих услугах?

— Еще как нуждаюсь! — воскликнула Лайма и потрясла конвертом. — Но это конфиденциальная информация.

— А вы знаете, какие у нас ставки? — вкрадчиво поинтересовался Сомов, беря новую знакомую под руку и подводя обратно к скамейке.

— Деньги — не вопрос, — ответила та и широким жестом показала, как легко относится к финансовой стороне дела. — Мне нужно много-много квалифицированных сотрудников, которые начнут работать прямо сейчас!

— Мне нравится ваш подход, — просиял Сомов. — Расчет наличный?

— Да.

— А я могу узнать наконец, с кем имею дело?

— Конечно! — ответила Лайма и достала из сумочки фальшивое удостоверение. — Надеюсь, вы все поймете правильно и будете держать язык за зубами.

— Я потрясен, — признался Сомов, увидев на фотографии Лайму в пилотке и френче.

— Мне тоже кажется, что я тут хорошо получилась, — игриво ответила она.

* * *

По личному звонку Нелли Ираклиевны под именем Розы Мамаевой Кудесников был принят на работу в небольшое туристическое агентство «Пляжный бум» на должность секретарши директора. Хотя и не просто так, а с испытательным сроком. Директор, Алексей Петрович Базаров, оказался симпатичным мужчиной «под полтинник» — слегка полноватым, но обаятельным. У него был маленький вздернутый нос, но вовсе не он портил внешность Базарова, а хмурое выражение лица. Казалось, директор чрезмерно чем-то озабочен и не желает, чтобы его трогали. На приветствия он отвечал коротким кивком и стремился как можно скорее пройти в свой кабинет.

Первый рабочий день прошел замечательно. Кудесников понравился всему персоналу, потому что купил в честь знакомства торт и несколько литров сока. За чаем рассказал душещипательную историю о разводе с «новым русским», польстил всем мужчинам вместе и каждому в отдельности, сделал правильный комплимент старухе Пескаревой и сильно порадовал девушек, которые на фоне новой секретарши почувствовали себя невозможными красавицами.

В течение дня два раза появлялась трагическая необходимость выбора туалета — мужской или женский? В женском постоянно кто-то отирался — там курили, наводили красоту и обменивались маленькими тайнами. Еще там поправляли чулки, лифчики и делали всякие другие вещи, о которых Кудесников не желал знать. С другой стороны, в малопосещаемом мужском туалете, по закону подлости, в «момент истины» можно было на кого-нибудь напороться.

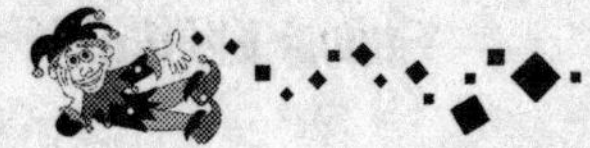

Он долго мучился сомнениями и все-таки пошел в женский. И наткнулся там на кассиршу Люсю Никитину, которая подвизалась худеть на глазах всей страны под надзором корреспондентов глянцевого журнала. Корреспонденты то и дело Люсю фотографировали и помещали самые свежие ее фотографии на страницах журнала. Люся сообщала им, сколько граммов она потеряла на прошлой неделе, сколько на этой, однако на внешнем виде эти граммы никак не отражались, и Люся нечеловечески страдала. От этого в ней просыпался зверский аппетит, и она бегала в туалет, чтобы съесть шоколадку. В присутствии коллег есть сладкое было стыдно. Старуха Пескарева смотрела на Люсю с таким ужасом и с такой брезгливостью, как будто та на ее глазах ловила и разжевывала мух.

— Ты когда-нибудь сидела на диете? — спросила Люся новую секретаршу, втайне наслаждаясь тем, что у той фигура еще хуже, чем у нее. Эти широченные плечи... А ноги!

— Мне не надо, — честно ответил Кудесников. — Ничто и никогда не превращается во мне в жир.

— Неужели ты не испытываешь угрызений совести, когда ешь мучное?! — не поверила Люся.

— Нет, — твердо ответил Кудесников, глухонемая совесть которого давно уже оставила попытки вступить с ним в диалог. — Если я постоянно буду думать о том, что ем, масса важных вопросов останется без внимания.

— Ну, если бы ты толстела, то изменила бы точку зрения.

— Ты толстеешь от однообразия, — заявил Кудесников со знанием дела. — Как только ты начнешь жить в полную силу, килограммы слезут с тебя, как кожура с сосиски.

— А как это — жить в полную силу? — спросила Люся, глядя на него во все глаза.

— Сделай что-нибудь для души. Например, заведи роман с женатым мужчиной, — посоветовал тот. — Вон у вас директор — совершенно неустроенная личность. Не знаю, какая у него жена, но по лицу видно, что бедняга несчастлив.

— Полагаешь, я могу заинтересовать нашего директора?! Как я могу предлагать себя такому человеку?

— А ты предложи, и увидишь, что будет.

И он удалился, по давней холостяцкой привычке хлопнув изумленную Люсю по круглой попе.

Незадолго до конца рабочего дня Кудесникова вызвал к себе Базаров.

— Значит, если я верно понял, Роза, вы забыли принести документы, зато захватили с собой кота, — произнес он, сидя за своим столом и с тревогой глядя на Кудесникова, облаченного в парик и белые колготки. Юбка была недостаточно длинной, чтобы скрыть квадратные коленки. Тонкие ноги, вызывавшие чувство острой жалости, были обуты в босоножки не по размеру — пятка откровенно свисала, а пальцы лезли из вырезанного мыска, как фарш из мясорубки.

— Ну да, — согласился Кудесников без тени беспокойства. — Это вас расстроило?

— Вы правда принесли кота?

— Он сам пришел, лапами, — ответил тот. — На руках его, пожалуй, и не дотащишь.

— Безобразие, — неуверенно сказал Базаров.

У директора сложились трудные отношения со служащими. Он изо всех сил пытался исправить положение, но у него ничего не получалось. Глядя на равнодушную физиономию новой секретарши, Алексей Петрович испугался, что она будет завербована противоположным лагерем и тоже примется его активно не любить. Чтобы хоть как-то противодействовать этому процессу, он сходил в приемную и погладил Мерседеса. Тот в ответ зажмурился и зарокотал, как река, готовящаяся прорвать плотину.

— Вы уже познакомились... со всеми? — нервничая, спросил Базаров и поспешно убрал руки за спину.

— Да, конечно. Очень милые люди.

— И с Журбиной познакомились?

— И с Журбиной, — подтвердил Кудесников, пытливо глядя на начальника.

Начальник пожевал губами и неожиданно сказал:

— Она меня терпеть не может. — В его голосе сквозила горечь полководца, чью армию разбил недостойный противник. — И всех против меня настраивает.

— Ничего удивительного, — откликнулся Кудесников, разглядывая свои ногти, которые Маша Школьникова собственноручно покрыла розовым лаком. — Она мать-одиночка, и у нее маленький ребенок, которого она не успевает забирать из детского сада. Журбина приходила к вам с заявлением, просила отпускать ее на час раньше, но вы ей отказали.

— Отказал?

— Ну да. И теперь ей приходится на несколько часов брать няню, а это дорого. Денег и так не хватает.

Базаров ужасно разволновался. Сел на стул для посетителей, потер лоб и спросил:

— Почему же я ей отказал?

— Вы высказались в том духе, что дисциплина одна на всех. И если из правил делать исключения, они перестанут быть правилами. — Кудесников немного помолчал, давая Базарову прочувствовать мысль, а потом добавил: — Поэтому Журбина считает, что вы бесчувственный чурбан.

— Боже мой! — Директор вскочил на ноги и принялся бегать по приемной — из конца в конец.

Почувствовав душевный отклик на свои слова, Кудесников решил резать правду-матку и дальше.

— У того молодого человека с рыжей шевелюрой, у Ласкина, кажется, творческий подход к работе. Он так и фонтанирует идеями! А вы подрезаете ему крылья.

— Я?! — изумился Базаров.

— Конечно! Парень придумал новый способ привлечения клиентов, а вы что?

— Что?

— Вы не дали ему проявить фантазию, задушили инициативу.

— Но он ничего не излагал!

— Вы просто не дослушали.

Совестливый Базаров, которого прошиб пот, достал из кармана большой платок и принялся возить им по лбу, словно пытался втереть в голову новые конструктивные мысли.

— А старуха Пескарева? — наступал на него Кудесников, сообразив, что останется безнаказанным.

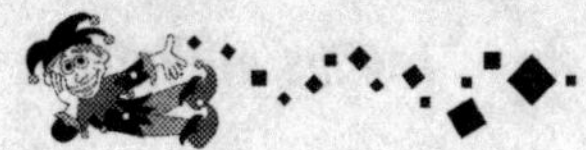

— Я ей тоже что-то сделал? — удивился директор.

— Вы *не* сделали! Пескарева — это специалист с огромным стажем работы! Когда о заграницах еще никто не помышлял, кого она только не отправляла на курорты Краснодарского края! И что? Разве вы оценили ее вклад в общее дело?

— Ей нужно было дать грамоту? — удивился Базаров.

— Что такое грамота в век материальных поощрений? Она получает такую же зарплату, как и сопливые девчонки, которые пришли к вам прямо после школьной скамьи. Разве это честно?

— Что еще? — мрачно спросил Базаров.

— Много чего, — загадочно ответил Кудесников. — Например, Люся Никитина в вас давно влюблена. Безответно.

Директор покраснел до корней волос, покашлял, прошелся по комнате, потом приблизился к Кудесникову вплотную и с интересом заглянул в его лицо:

— И все это вам удалось узнать за один день? Да-а... Вы необыкновенная женщина!

Тот неопределенно хмыкнул и пробормотал:

— Вы даже не представляете себе, до какой степени.

— Я сразу почувствовал, что в вас есть что-то особенное! — распалился Базаров. — Некая изюминка.

— Ну уж это — будьте уверены. Изюминка действительно есть. Но вам я ее не покажу.

— Такие секретарши ценятся на вес золота! Добро пожаловать в коллектив! — воскликнул директор, обращаясь теперь уже непосредственно к коту, как будто давал понять, что ему тоже можно ходить на работу.

Мерседес делал вид, что пламенная речь не произвела на него никакого впечатления.

Кудесников удалился в приемную, а Базаров некоторое время собирался с духом, после чего направился в общий зал, к народу. Кудесников за ним не пошел, а придвинул к себе пепельницу, судя по внешнему виду, еще не тронутую рукой человека, и, пользуясь внезапно обретенным положением директорского любимца или, вернее сказать, любимицы, без спросу закурил. Положил ноги на соседний стул и полюбовался белыми колготками.

— Отсюда вывод, — сообщил он Мерседесу после серии коротких затяжек. — Отсутствие бюста не всегда отрицательно влияет на отношения с начальством.

Базаров вернулся обратно через четверть часа, потный, словно агитатор после митинга. Остановился на пороге своего кабинета и, прежде чем захлопнуть дверь, с чувством сказал:

— Большое спасибо!

Кроме укрепления директорского авторитета Кудесников не сделал за сегодняшний день ничего путного. И начинать уже не хотелось. Он сходил «в народ», вернулся обратно и съел шоколадный батончик «Пиноккио», начиненный стружкой непонятного происхождения. По его расчетам, директор, наделавший разом много хороших дел, должен был наконец выйти и поинтересоваться итогами своей бархатной революции.

Тот вышел через полчаса.

— Ну что? — спросил он тоном заговорщика, который стрелял в царя и убежал с места происшествия, не узнав о результате страшного деяния. — Как там Пескарева?

— Расчувствовалась, — признался Кудесников.

— А Журбина?

— Заперлась в туалете и рыдает. Сегодня вы стали их героем.

— Это все благодаря вам! У вас по-настоящему государственный ум, и я не удивлюсь, если...

Он не успел договорить, когда дверь приемной отворилась, и на пороге появилась молодая женщина, одетая в деловой костюм. Глаза ее были ясными и холодными, как вода в проруби. Гладко зачесанные волосы лишь подчеркивали красивый овал лица.

— Здравствуйте, — поздоровалась женщина, войдя внутрь. Пристально посмотрела на розовую секретаршу и воскликнула: — Кудесни...

Тот закатил глаза и замахал руками.

— Что-что? — удивился директор.

— Какой кудесный сегодня день! — воскликнула посетительница. — То есть я хотела сказать: какой чудесный сегодня день!

— Знаете, вы абсолютно правы, — с чувством сказал директор. — Кстати, а вы кто?

— Лайма Скалбе, — представилась та и показала удостоверение, которое уже держала в руке. — ФАЭсБэ.

Кудесников так сильно струхнул, что побелела даже крем-пудра на его лице. Провал! Бежать не удастся.

— Вот как? — изумился Базаров. — Чем, так сказать, обязаны?

Он тоже испугался. Еще бы! Непонятно, что ей

надо, этой блондинке. Добро бы, она была из налоговой — и разговоров нет. А то явилась из такого неподходящего ведомства...

— Вы директор? — уточнила тем временем агентша. Базаров кивнул. — А это?..

Она подбородком указала на Кудесникова, и глаза ее усмехнулись.

— А это моя новая сотрудница Роза Мамаева, — поспешил сообщить тот.

— Роза, значит, — округлив рот на букве «о», повторила Лайма. — Мамаева... Ну вот что, Роза Мамаева. Придется вам продолжить свою карьеру в другом месте.

Лайма повернулась к опешившему директору и пояснила специально для него:

— Ваша сотрудница нужна стране для выполнения важного задания. Поэтому я ее забираю. Безвозвратно. О'кей?

— Ничего не поделаешь, — пробормотал обалдевший Базаров. — Если Родина, так сказать, просит...

— Родина не просит, а жестко требует, — отрезала Лайма. — Так что, дорогуша, забирайте кота и пойдем.

Она приоткрыла сумочку и показала Кудесникову пистолет. Тот молча кивнул и пристегнул цепочку к ошейнику Мерседеса, который, радостно мякнув, спрыгнул со стола.

— Думаешь, я поведу тебя в парк? — шепотом спросил безутешный хозяин. — Нет, друг, всю оставшуюся жизнь мы проведем в застенках. Или еще хуже. Я окажусь в застенках, а ты — на помойке. Кажется, пришло время учиться ловить мышей.

* * *

У Медведя был вид самозванца, вскарабкавшегося таки на престол. Он сидел в кресле очень прямо, приподняв подбородок, словно готовился к возложению короны на свою буйную голову. Напротив него на примятом до самых досок диванчике примостился коренастый дядька с густыми черными усищами, из которых можно было наделать целую дюжину тонких корнеевских усиков. Дядька совершенно точно нервничал и отчаянно мял в руках бейсболку.

— Вот, — гордо сказал Медведь, указывая на посетителя пальцем. — Это товарищ Ямщицкий.

— Андрей Викторович, — подсказал вышеозначенный гражданин. — Пришел по вашему объявлению.

Он сказал это с точно такой же интонацией, как почтальон Печкин из мультика, и Лайма улыбнулась. Плененный Кудесников молча сидел на стуле в самом углу. Мерседес не пожелал сиротливо жаться к его ногам. Он примерился к телевизору на тумбочке, некоторое время вертел хвостом, потом все-таки запрыгнул на него. Телевизор затрясся, но устоял.

— Ну и киса! — удивился Ямщицкий. — Наверное, много жрет.

— Это не суть, — подал голос Корнеев, устраиваясь на соседнем с Арсением стуле. Он все никак не мог поверить, что Лайма так быстро отыскала частного сыщика, и как будто бы сомневался в его подлинности. — Расскажите, пожалуйста, все с самого начала.

— Опять? — удивился Ямщицкий. — Да я уже вроде как...

Корнеев молча достал из ящика стола пачку денег, несколько раз обернутую резинкой, и протянул ему.

— Ваше вознаграждение.

В глазах вознагражденного промелькнуло законное опасение.

— Вообще-то меня жена ждет, — на всякий случай предупредил он, потискав деньги в руке. — И ребятам из таксопарка я сказал, куда иду... И сменщик мой меня внизу караулит...

Лайма решила разрядить обстановку и полезла за удостоверением.

— Не беспокойтесь, — ободрила она Ямщицкого, показав «корочки». — Вы расскажете свою историю и спокойно уйдете. Мы хорошо относимся к помощникам.

Он немного расслабился и почесал макушку:

— В общем, так. Было это часов около одиннадцати вечера двадцатого августа. Я стоял в Северном проезде возле дома номер пятнадцать.

— Он не стоял, а сидел в машине, — поправил Медведь, который не мог справиться со своей горделивой улыбкой. Ведь это он придумал дать объявление! И он нашел свидетеля! — Верно, Викторыч?

— Ну да, я и говорю. Я клиента, значит, ждал. А он задерживался уже на полчаса. Я, значит, собираюсь звонить в диспетчерскую, чтобы доложить обстановку, как вдруг появляется она. Эта ваша брюнетка.

Лайма с Корнеевым переглянулись, а Кудесников, который до этого момента грустно смотрел в пол, удивленно вскинул голову.

— И вид у нее, прямо скажу, малахольный. Глаза — во! Как два колпака для колес. Волосы развеваются... И так дышит, как будто воздуху ей не хватает.

— А откуда она появилась? — благожелательно уточнила Лайма.

— Из-за угла выскочила. Я подумал — из магазина дамочка летит. Там за углом как раз магазин большой одежный. Правда, в руках у нее ничего не было. Никаких, значит, покупок. Увидела такси — и ко мне. Подлетает и давай дверцу дергать. Я ей кричу, что, мол, на заказе я, пассажиров не беру. А она тогда так на меня посмотрела, словно я ее ножом пырнул. Неприятная история!

— Ну, — нетерпеливо спросил Корнеев со своего стула. — И куда она потом делась?

— На дорогу выскочила и давай руками, значит, махать. Ну и тут же остановился один... на «девятке». Девятке той самое место на свалке.

— Какого цвета была «девятка»? — уточнила Лайма.

Медведь, который уже слышал всю историю от начала и до конца, не встревал в разговор, предоставляя товарищам задавать вопросы.

— Раньше, вероятно, белая, — ухмыльнулся Ямщицкий, и под усами на миг мелькнули зубы заядлого курильщика. — А теперь серо-буро-малиновая. И немытая к тому же.

Ему нравилось, что вот он ухаживает за своей машиной, а другие — нет.

— А номер? Может, обратили внимание?

— Да не, — смутился шофер. — На номер я вообще не смотрел. Я на женщину смотрел. Красивая она, значит, была. Ух, такая красивая! Подвез бы ее, если б можно было. Но клиент есть клиент, от него, как от простуды, никуда не денешься.

На лице Ямщицкого появилось мечтательное выражение. Корнеев посмотрел на Лайму разочарованным взглядом. Мол, все равно зацепки нет. Но Медведь сказал:

— Да это еще не все! Дальше интереснее будет.

— Ну-ну, — оживился Евгений. Протянул руку и погладил Мерседеса по загривку. Тот приоткрыл глазищи и несколько раз ударил жирным хвостом по экрану. Ему не нравилось, когда с ним нежничали посторонние мужчины.

Их свидетель между тем продолжал:

— И только красотка, значит, уехала на этой развалюхе, как вдруг выскакивает из-за того же самого угла мужик. Мужчина, значит. Туда-сюда, как будто кого ищет. Потом ко мне. Не видел, спрашивает, тут женщину с длинными черными волосами? Сам спрашивает, и сам глазами по сторонам шарит. И вид у него такой... нехороший.

— Что значит — нехороший? — вкрадчивым голосом поинтересовался Корнеев. Когда ему было выгодно, он умел быть таким душкой, что Лайма диву давалась.

Шофер немного подумал, потом поморщился и пояснил:

— Ну-у-у, не понравился он мне, и весь сказ.

— Ладно, идем дальше.

— Я ему и отвечаю: не видел я, мол, никакой женщины. Тут он разозлился дико, даже плюнул на асфальт. И побежал к телефону-автомату возле аптеки. Трубку схватил, потряс, да ничего не добился. Я за этим мужиком все время наблюдал и понял, что телефон-то не работает. Тут он головой повертел, увидел кафе и бросился туда.

— Что за кафе? — немедленно приняла подачу Лайма.

— Не помню точно. Что-то такое морское. И дельфин нарисован синий. Если надо, я подъеду и покажу.

— Посмотрим, — неопределенно сказал Корнеев. — А скоро ли он вышел из кафе?

— А вот этого я уже не видел, — сообщил Ямщицкий с таким удовольствием, как будто выпутаться из этой истории было для него высшим наслаждением. — Клиент спустился, и мы, значит, поехали.

— Ну хорошо. А как выглядел тот мужик? — задал следующий вопрос Корнеев, покосившись на частного сыщика, который весь обратился в слух.

— Как выглядел? — Ямщицкий завел глаза, вспоминая детали. — Нормально выглядел. Обыкновенно. Не толстый, не тонкий. Средний. Волосы тоже средние — не темные и не светлые. А лицо такое, значит, злое. Да! Нос у него длинный, как у Гоголя.

— А во что он был одет?

— В синие джинсы и футболку — тоже синюю.

Повисла задумчивая тишина. Стало слышно, как Мерседес помуркивает в полудреме.

— И последнее, — приподнятым тоном сказал Корнеев. — Узнаете ли вы ту брюнетку на фотографии?

— Думаю, что да, — осторожно признал шофер и положил пачку денег в несчастную бейсболку, а ту прижал к себе. — А у вас фотография найдется?

— Найдется, — пообещал Корнеев и достал из сумки ноутбук. Поставил его на журнальный столик, немного поколдовал над клавиатурой и пригласил: — Подойдите поближе.

Ямщицкий встал и протиснулся мимо Лаймы. Кудесников, не спрашивая, тоже придвинул стул, царапнув ножками по полу. На экране появилось полдюжины снимков очень красивых брюнеток. «И где он их только откопал?» — про себя удивилась Лайма.

— А ее здесь нет! — разочарованно протянул Ямщицкий.

— А здесь? — спросил Корнеев, открывая новую страничку. — Посмотрите повнимательнее.

— Да чего смотреть? — радостно воскликнул шофер. — Вот же она!

Кудесников вытянул шею и увидел Дину, в лоб которой упирался уверенный шоферский палец.

* * *

Эрик Шелеп впустил Тагирова в свою мастерскую и озабоченно спросил:

— У тебя все в порядке?

— Ну да. Я принес вам конфеты.

Эрик понимающе усмехнулся и сказал:

— Она не ест сладкого.

— Все женщины едят сладкое, дорогой друг. Только не все в этом признаются.

Сегодня Тагиров был одет в брюки и светлую рубашку и напоминал конторского служащего, улизнувшего из офиса. Впрочем, впечатление оказалось мимолетным. Взгляд выдавал в нем человека властного, привыкшего отдавать команды. Женщины влюбляются в таких мужчин крепко и страстно, часто с гибельными для себя последствиями.

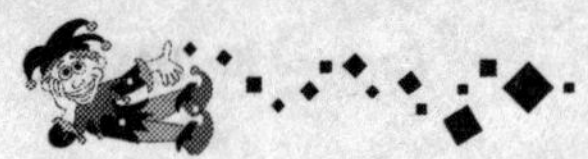

Впрочем, Дина не казалась влюбленной. Каждое утро она просыпалась с тайной надеждой, что сегодня наконец вспомнит о себе что-нибудь важное. Что-нибудь, что поможет ей вернуться домой. Где он, ее дом?

Несмотря на то что Эрик был милейшим созданием и относился к ней необыкновенно внимательно, она чувствовала себя здесь, словно в тюрьме. Впрочем, можно было попытаться сбежать... Но куда она побежит? Про Кудесникова она все выболтала, так что путь обратно закрыт, там ее будут искать в первую очередь. На самом деле ей хотелось его увидеть. Арсений вместе с котом прочно закрепился в ее сознании как нечто безопасное. Тогда как Тагиров...

Сколько он потом ни убеждал, что верит ей и относится к ней... лояльно, она в этом сомневалась. И побаивалась его.

Впрочем, каждого его прихода она ждала. Надеялась, что он явится с новостями. Не сидит же он, в самом деле, сложа руки! Раз уж ему так важно узнать, кто ее прислал...

Когда Тагиров вошел в комнату, Дина как раз заканчивала подшивать подол шелкового платья с юбкой-клеш.

— Используешь рабский труд? — с усмешкой спросил он у Эрика.

— Это моя инициатива, — вмешалась Дина. — А то я тут просто с ума сойду. Ну, как дела? Есть новости? Хоть что-нибудь прояснилось?

— Познакомился с вашим Арсением, — сообщил Тагиров и улыбнулся. Улыбка у него была странная — будто он так устал от жизни, что даже не может радоваться в полную силу. — Такой фрукт, доложу я вам!

— Ну да? — невнимательно переспросил Эрик, который уже притащил из кухни поднос и разливал по чашечкам свой невообразимый кофе.

Дина перестала шить и подняла заблестевшие глаза.

— А обо мне он что-нибудь говорил?

— Я спросил, почему он решил дать вам такое имя — Дина. Пусть даже и во временное пользование.

— И что он ответил? — заинтересовалась она.

— Он ответил, что так звали любимую свинью его бабушки. Я спросил, не стыдно ли было называть женщину именем свиньи. На что он тотчас возразил, что сохранил об этой свинье самые теплые воспоминания.

Дина ухмыльнулась. Потом опорожнила свою чашечку длинным глотком и пробормотала:

— Хотелось бы мне знать, как меня зовут на самом деле.

— Мы обязательно узнаем, — пообещал Тагиров и удивленно повернулся к хозяину дома.

Потому что Эрик вдруг повел себя странно. Он выпрямился, держа чашку с блюдцем перед грудью, и теперь переводил изумленный взгляд с Тагирова на Дину и обратно.

— Не понял, — наконец произнес он. — Я думал — это ваша игра. И принял условия этой игры. Я думал, вам так надо...

— Какая игра? — нахмурился Тагиров. Взял из рук Эрика чашку и поставил ее на стол. — О чем ты говоришь?

Шелеп пожевал губами, словно старик, собирающийся огласить условия своего завещания недружелюбно настроенным родственникам, потом потер переносицу и сказал:

— Видишь ли, Игорь... В прошлый раз, когда ты привозил сюда эту женщину, ты называл ее Эллой.

* * *

Над кафе мигала вывеска: «Морячок». Ее и в самом деле украшал дельфин, издали похожий на баклажан с хвостиком. Когда выезжали на место, Кудесникова решили взять с собой.

— Клянусь мамой, я тут ни при чем, — уговаривал тот членов группы «У». — Я случайно влез в эту историю. По дурости! Дину я впервые увидел на шоссе той злополучной ночью. Мы не были знакомы! Я подумал, что для меня расставили ловушку, и даже не хотел ее подбирать...

— Прекрати тарахтеть, — потребовал Медведь, которому словоохотливость Кудесникова действовала на нервы. — И как только твой кот выдерживает такую собачью жизнь?

Мерс всю дорогу пролежал на хозяйских коленях, расставив лапы, чтобы его удобнее было почесывать. На самом-то деле жизнь кота-странника ему нравилась.

— Здесь нам не стоит светить свои удостоверения, — предупредил Корнеев. — Птичка свистнет, и наш «Гоголь» насторожится. Попробуем действовать по-другому.

— Как? — заинтересовался Медведь.

— В нашем распоряжении есть деньги и наш командир. Командир, изобрази что-нибудь эдакое. Соблазнительное.

Лайма тяжко вздохнула и полезла в сумочку за пудреницей.

— Чем чаще я это делаю, — призналась она, распустив волосы и мазнув по губам алой помадой, — тем труднее мне относиться к мужчинам как к личностям.

Она выбралась из машины и, виляя попой, отправилась в кафе. Заведение оказалось малюсеньким, с пятком кукольных столиков, тесно прижавшихся друг к другу. «Ивану сюда путь заказан, — мимоходом подумала Лайма, дефилируя через зал. — Он тут все снесет». За стойкой перетирал посуду угрюмый бармен. На вновь прибывшую дамочку он посмотрел неприязненно и от своего занятия не оторвался.

Лайма подошла к барной стойке, тут же, на месте, заказала чашку кофе и попыталась завести с барменом доверительный разговор, но он подвигал квадратной нижней челюстью и заявил, что про своих посетителей ничего не знает, за ними не наблюдает и вспомнить про человека, который просил разрешения позвонить, ничего не может.

Лайма достала зеленую сотню, но бармен на нее даже не посмотрел. Тогда она присовокупила к бумажке еще две такие же. Бармен демонстративно отвернулся. Она попыталась сунуться к официантке, но он шикнул, и бедная девица шарахнулась в сторону. Тогда Лайма взяла свой кофе, перебралась за столик и позвонила Корнееву, прошептав:

— Ничего не выходит.

— Ничего не выходит, — вслух повторил тот расстроенным тоном и стукнул телефоном по ладони.

— Придется дождаться конца смены, — немедленно отреагировал Медведь, — и потрясти этого типа как следует. Ноу проблем. Только времени жалко.

— То есть вы хотите сказать, — встрял Кудесников, сняв кота с коленок и уложив на место Лаймы, — что ваша цыпочка в нулях.

— Но-но! — обернулся к нему Медведь. — Кто это тебе цыпочка?

— Ладно-ладно, — примирительно махнул рукой тот. — Не цыпочка, а командир. У нее ничего не вышло... А дайте я попробую?

Корнеев пожал плечами, и Арсений поспешно распахнул дверцу. Почти до самого входа в кафе он бежал бегом, но потом вдруг походка его резко изменилась. Движения стали томными, растянутыми, голова откинулась назад, а руки разлетелись в стороны, словно крылья птицы. Виляя попой не хуже Лаймы, сыщик вошел в кафе, кашлянул и стрельнул глазками, вызвав неподдельный интерес бармена.

— Эй, морячок! — обратился к нему Кудесников игривым голосом «тетушки Чарли». — А кто у вас тут самый-самый главный?

— Это я, — рисуясь, ответил мордоворот. От его былой угрюмости остались только воспоминания.

— Тогда у меня к вам очень-очень важное дело.

Кудесников взгромоздился на высокий табурет и лег животом на стойку, чтобы разговор получился интимным. Бармен наклонился к нему и что-то зашептал. Потом показал глазами на Лайму. Кудесников обернулся и посмотрел на нее, выгнув бровь. Лайма заерзала на своем низеньком стульчике. О таком повороте дела она не подумала. Мужчины, симпатизирующие друг другу, стали попадаться все чаще. Поистине, нравы меняются быстрее, чем индекс Доу—Джонса! Нужно это учитывать, а то так можно потерять уверенность в себе.

Она заплатила за кофе и ушла, громко хлопнув дверью.

Через пять минут появился Кудесников, помахивающий листком, вырванным из блокнота.

— Я с уловом, — сообщил он без намека на бахвальство. Голос у него был деловым и серьезным. Медведь его за это сразу зауважал.

— Что за улов? — поинтересовался Корнеев.

— Бармен отлично запомнил того типа, который так не понравился шоферу такси. У него действительно длинный нос с широкими ноздрями, на который нельзя не обратить внимания. Тип ворвался в кафе и попросил позвонить: дескать, его жене плохо. Но в районе как раз в тот день проверяли линию, и телефоны не работали нигде — ни у них, ни в аптеке, ни в соседнем магазине. Тогда тип предложил бармену деньги и попросил у него мобильный. За один короткий звонок выложил двести рублей.

— Однако свой телефон бармен ему не дал. Дал чужой. Какой-то мужик не смог расплатиться за выпивку и оставил в залог свой сотовый. Тип позвонил по нему и ушел.

— А где сотовый? — спросила Лайма.

— Он все еще там и даже не до конца разрядился. Я посмотрел последний номер, по которому звонили. Вот он, тут. — Сыщик помахал в воздухе листочком.

— А бармен не слышал, о чем шла речь? — заинтересовался Корнеев.

— Только одну фразу: «Сделай что-нибудь».

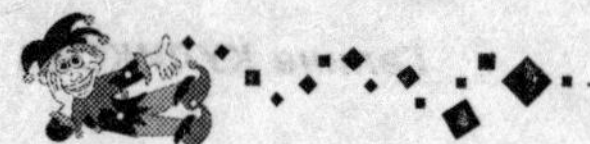

— Предлагаю позвонить по этому телефону, — выдвинула предложение Лайма. — В конце концов, мы ничем не рискуем. Может быть, это казино или билетная касса.

Никто не стал возражать, и она выхватила у сыщика бумажку с номером. Пробежала по кнопочкам и пропела:

— Алло!

Ей что-то ответили, и она немедленно сориентировалась:

— Скажите, а у вас есть кожаные диваны? Нет? А чем вы торгуете? Без выходных? А как к вам проехать? Благодарю. — Отключила связь и сообщила притихшим товарищам: — Это магазин, который называется «Уютная квартирка». Там продают всякие вещицы, которые могут украсить дом. Находится он недалеко от Никитских ворот.

Корнеев потер руки и радостно сказал:

— Итак, у нас наконец появилась отправная точка. Этот самый «Гоголь» гнался за Диной, но ей удалось улизнуть. Когда он понял, что дело швах, связался со своими и потребовал «сделать что-нибудь». Телефон, по которому он звонил, принадлежит не частному лицу, а магазину «Уютная квартирка». Значит, там работает кто-то, имеющий отношение к проблемам Дины.

* * *

Тагиров и Дина смотрели на Эрика во все глаза.

— Да вы что?! — изумился он, вертя головой, словно попугай в зоомагазине, которого со всех сторон обступили покупатели. — Вы меня разыгрываете, да?

Вы же были здесь неделю назад! Дина ночевала в маленькой комнате... А ты притащил еду из марокканского ресторана, и мы два дня питались деликатесами...

Дина повернулась к Тагирову и воскликнула:

— Послушайте, я потеряла память. Но вы! С вами ведь все в порядке! Почему же вы не говорили, что мы были знакомы раньше?! Что вы от меня скрываете?

— Так, — сказал Тагиров. По всему выходило, что это его любимое слово. Как только он попадал в затруднительное положение, из него сразу выскакивало это «так».

— Что «так»?! — не утерпела она.

— Тут какая-то путаница. Никогда прежде мы с вами не встречались. И сюда я вас до сего момента никогда не привозил, уж за это я ручаюсь. — Повернулся к Шелепу и спросил: — Эрик? Что все это значит?

— Откуда я знаю? — воскликнул тот, всплеснув короткими ручками. Его борода встала торчком, словно он собирался лезть в драку. — Можешь говорить что угодно, но мои девочки тоже вас видели. Дина мерила платье из коллекции «Цветок лилии». Да что же я, по-вашему, совсем спятил?

— Тогда получается, что спятил я, — ответил Тагиров вполголоса.

Взгляд его впервые сделался растерянным, как у подростка, который потерялся в метро, но не желает в этом признаться.

— Выходит, у вас тоже — провал в памяти, — сделала заключение Дина, покусав нижнюю губу. — Мы ведь все здесь друг другу доверяем, верно?

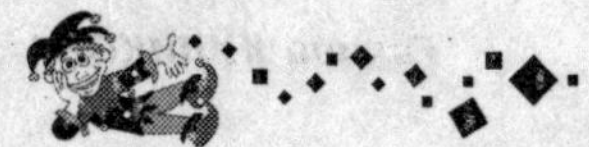

Эрик активно закивал головой — он точно всем доверял, иначе и быть не могло. Тагиров, наоборот, привык никому не доверять. Но как не доверять? Как не верить? Он твердо знал, что не видел Дину до той ночи, когда она заявилась к нему в тайную квартиру. Или ему только казалось, что не видел? А на самом деле? Кто-то и из его памяти вырвал кусок?!

— Вот что, Эрик, — сказал он. — Раз пошли такие пляски, тебе придется в деталях вспомнить все, что я тогда делал. Что говорил. Слышал ли ты, о чем мы разговаривали с Диной?

— С Эллой, — поправил Шелеп и воздел руки: — Боже мой! А я-то все никак не мог понять, с какой стати ты стал называть Эллу Диной!

— Значит, на самом деле я — Элла? Элла... А фамилия?

— Ну нет, про фамилию я ничего не знаю. — Эрик повернулся к Тагирову и повторил: — Ты не называл ее по фамилии.

— Допустим. А чем я был занят? Может быть, мы что-то обсуждали?

— Ты все носился с какими-то органическими чернилами и рисовал у меня на руке закорючки — я до сих пор их смыть не могу.

— Несмываемые чернила! — хором воскликнули Тагиров с Эллой.

Она тотчас выставила ногу и подняла платье, показав дизайнеру написанный прямо на коже адрес, из-за которого и разгорелся весь сыр-бор.

— Вы когда-нибудь это видели?

И Эрик быстро кивнул:

— Конечно, видел! Вы сидели вот на этом самом

стуле и собственноручно выводили буквы. А Игорь держал склянку с чернилами.

— Я должен был догадаться, что это ваш собственный автограф! — хлопнул себя по коленке Тагиров, глядя на Эллу. — Если бы писал кто-то другой, буквы были бы перевернуты. Понимаете? Писать кверху ногами неудобно.

— Действительно... — согласилась та. — Получается какая-то ерунда. — Она-то думала, что некие злые силы вмешались в ее жизнь и все в ней перевернули! А оказалось, что она сама во всем этом участвовала! Только забыла, почему.

— А с какой целью мы написали адрес моей квартиры в таком... хм... экстравагантном месте? — Тагиров сверлил Эрика глазами.

— Чтобы она знала, куда надо идти, — уверенно ответил тот. — Впрочем, я не слишком хорошо понял. Да я и не прислушивался! Меня постоянно дергали мои девочки.

— Ну хоть что-то ты помнишь? — не отставал Тагиров. — Давай сосредоточься, это важно.

Эрик сосредоточился и так при этом покраснел, что Элла невольно вспомнила Страшилу Мудрого, у которого в момент мозгового штурма из головы лезли булавки.

— Ты все время повторял вот что, — наконец выдал тот. — «Запомни, Элла, у тебя в запасе только двадцать минут». Ты повторял и повторял. Видно, боялся, что она не успеет.

Элла неожиданно усмехнулась и спросила у Тагирова с любопытством:

— Может быть, мы провернули с вами ограбление

века? Вы не в курсе, не случилось ли чего-нибудь экстраординарного в городе за последние дни?

— Ерунда! — отмел ее предположение Тагиров. — Я бы никогда не пошел на преступление — будь я в твердой памяти или нет. Кстати, Эрик, в прошлый раз, когда я оставил здесь Дину... То есть Эллу... Я ничего не говорил тебе про своего... врага?

— Не-а, — помотал головой тот. — Ничего. Со мной ты практически не общался. У тебя были другие дела.

Он глазами показал на свою гостью. На ней сегодня не было того умопомрачительного платья, которое произвело на Тагирова сильное впечатление в их первую встречу. Шелеп одел ее во что-то летящее и многослойное — дразнящее, одним словом. Волосы она собрала в высокий «хвост» и стала еще красивее.

— Но что-то же мы делали все время, пока Игорь был тут! — воскликнула Элла и требовательно посмотрела на дизайнера.

Тот сложил губки бантиком, пошевелил бровями и признался:

— По правде сказать, вы почти все время целовались.

* * *

В самолете он побыстрее постарался задремать, так как летать боялся. Сопровождающий, которому Николай строго приказал всячески содействовать Виталию и оберегать его, сразу же заснул младенческим сном. А Виталию снилась какая-то галиматья, фоном которой служил тихий металлический звон. В какой-то момент ему показалось, что звон этот он слышит наяву. Виталий открыл глаза и вздрогнул — прямо на него в упор смотрел стоящий в проходе маленький человечек. Сначала показалось — ребенок, но приглядевшись, Виталий с содроганием понял, что это карлик с некрасивым злым лицом и маленькими колокольчиками в руках. Они-то и издавали звон. Увидев, что на него обратили внимание, карлик ринулся вперед по проходу. И тут же вслед за ним, буквально накрыв карлика своей тенью, мимо прошагала высоченная темнокожая, но не черная девица атлетического сложения. Она шла, покачивая могучими бедрами, и в такт ее движению звенели колокольчики, видимо, прикрепленные к одежде.

«Ну и публика», — подумал Виталий. Закрыл глаза и вновь попытался заснуть. Проснулся он, когда самолет уже приземлялся. Дальше был отель, тревожный сон и — яркое солнечное утро на чужой земле. «Гутен морген, герр Скогарефф».

Процесс подписания прошел не просто быстро — стремительно. Бумаги, подготовленные юристами, Виталий едва начал читать, как наклонившийся к нему сопровождающий (его звали Гена) прошептал:

— Не тяните резину, там все нормально. Сейчас может появиться человек, который реально знает шефа, нам надо быстренько сматываться.

Вздрогнув, Виталий вывел неверной рукой «Скогарев» в том месте, куда ему указал юрист.

— И вот здесь, — протянул юрист еще какой-то документ, который Виталий с ходу подписал.

— Все, — заторопился сопровождающий, — дело сделали, пора отдыхать.

— А как же протокол, принимающая сторона? — удивился такой поспешности Виталий.

— Да ничего, здесь все свои, привыкли к нашему ритму, — ответил находчивый Гена. И дальше для Фирсова-Скогарева начался какой-то пестрый безумный карнавал, который длился несколько дней и закончился лишь в ночь вылета на родину. Рыжий нахальный Гена куролесил по маленькой и беззащитной перед его диким славянским напором Германии так, что дым стоял коромыслом, умудряясь при этом не нарушать законов и находить общий язык с суровыми стражами порядка. Виталий предавался разгулу самозабвенно, втайне надеясь, что организм под влиянием таких стрессов вернет ему воспоминания о прошлом.

Рестораны, бары, казино, дискотеки, подозрительные заведения с громкой музыкой и танцующими голыми женщинами... В какие-то минуты Виталию казалось, что остаток своей, теперь уже совершенно непонятной, жизни он проведет вот так же пьянствуя, танцуя с кем попало, с кем попало засыпая и просыпаясь, а если вдруг умрет от перенапряжения сил или общего отравления организма алкоголем, то заботливый и всезнающий Гена не бросит его одинокий труп на улице, а с почестями захоронит на чистеньком немецком кладбище под какой-нибудь пристойной аристократической фамилией с обязательной приставкой «фон».

О том, что ждет его в Москве, он старался не задумываться, сосредоточившись на заграничных похождениях. Настоящее целиком вытеснило прошлое, тем более что прошлое для Виталия исчислялось лишь несколькими последними днями.

Безоблачное настроение было омрачено лишь однажды, когда в очередном пивном ресторане он увидел у стойки атлетически сложенную девицу шоколадного цвета, которая перебирала в руках маленькие колокольчики. Виталий даже не услышал, а скорее почувствовал их неприятный звон. Он сразу вспомнил, что видел ее в самолете, однако не слишком удивился — страна маленькая, не Россия. «Интересно, а карлик тоже здесь? — лениво потягивая темное пиво, подумал Виталий. — Может, они с этой «шоколадкой» любовники?» Усмехнулся своим дурацким мыслям... и чуть не смахнул кружку со стола.

Потому что в этот самый момент к мулатке шариком подкатился невесть откуда возникший мерзкий маленький мужичок — тот самый, Виталий его сразу узнал. Цепко ухватив девицу своей коротколапой лапкой, потянул ее к двери, и эта тренированная дылда покорно, как домашняя корова, отправилась за ним, тихо позванивая своими дурацкими колокольчиками.

— Слушай, Ген, — зашептал Виталий, наклонившись к конопатому уху. — Видишь ту парочку?

— Ага, — мотнул головой Гена. — Баба какая, а? Хочешь — догоню, попробую договориться.

— Да ты дослушай! Видишь, там с ней карлик?

— Ну у тебя и вкусы, мой друг... Не знал, что тебе нравятся карлики. Это просто какое-то извращение...

— Ты что, спятил? При чем здесь это? Просто парочка странная, а я их еще в самолете видел, ты-то дрых, а этот карлик зачем-то смотрел на меня. И колокольчики у них...

— Слава тебе господи, я уж думал, у тебя на почве пьянства отклонения от нормы начались. А баба хороша! Такая поцелует — до утра не отдышишься. Хочешь, догоню?

Догонять они, конечно, никого не стали, а сняли двух милых девчушек, отдыхавших за соседним столиком, и поехали, как выразился Гена, заниматься страноведением.

В общем, когда Гена сообщил Виталию, что в их распоряжении всего лишь один вечер, а ночью они вылетают в Москву, Виталий ужасно огорчился. Возвращение домой сулило лишь неприятности и хлопоты с отнюдь не очевидными последствиями. Справится с ситуацией друг детства Коля или не справится — неизвестно. Виталий же может запросто оказаться в тюрьме. К тому же пришел запоздалый страх за содеянное — подписал деловые бумаги чужой фамилией. Хорошо, если не всплывет, а если тот же Коля потом предъявит претензии... В общем, лучше было ни о чем не думать, а покориться судьбе — вдруг кривая вывезет?

...В здании аэропорта пассажиров в этот час было немного. Миновав все кордоны, Гена с Виталием быстро шли через зал, направляясь к стоянке, когда дорогу перед ними едва ли не бегом пересекла экзотическая парочка, чье движение сопровождало мерное звяканье колокольцев.

Виталий испуганно отшатнулся и быстро перекрестился, глядя им вслед. Гена, казалось, ничего не заметил, продолжив уверенное движение к поджидавшей их на стоянке машине.

* * *

Вход в магазин «Уютная квартирка» казался уголком игрушечной страны — веселое крылечко с резными перилами и бронзовый колокольчик с золотым шнурком над дверью. Темное ребристое стекло не позволяло разглядеть, что там внутри. Зато мимо витрины невозможно было пройти, не замедлив шага. Тут были выставлены такие прелестные вещицы, от которых у женщин кружилась голова — гобеленовые подушки, симпатичные мишки Тедди, настольные лампы, свечи в роскошных подсвечниках, шкатулки ручной работы, рамки для фотографий, вазочки и деревянные статуэтки.

— Обожаю такие магазины! — воскликнула Лайма, вытягивая шею, чтобы получше рассмотреть всю эту красоту.

Вчетвером — а если считать кота, то впятером — они сидели внутри микроавтобуса, который арендовал Медведь специально для слежки за магазином. Набитая людьми легковушка, припаркованная неподалеку от входа, могла вызвать подозрения у людей с нечистой совестью. А у группы «У» были все основания полагать, что кто-то из работников магазина — человек из стана врагов. Врагами были те, кто охотился за их боссом или вынашивал в отношении него злодейские планы.

Полупустой же микроавтобус, в каких чаще всего ездят сотрудники разнообразных фирм на конференции или в филиалы, мог стоять здесь до второго пришествия, и никто бы не стал по этому поводу беспокоиться. По крайней мере, им всем хотелось на это надеяться.

— Первым в магазин пойду я, — вызвался Медведь. — Сыграю роль глуповатого мужа, который хочет доставить жене радость, но не знает точно, что для этого купить.

— Иван, ты не прав, — ухмыльнулся Корнеев. — Если муж сообразил, что жене нужно что-то *купить*, он совсем не глупый парень.

Лайма пересела поближе к Ивану, заботливо поправила ему воротник рубашки и посоветовала:

— Только не напрягайся, пожалуйста. Напряженный человек обязательно привлечет к себе внимание.

— Ладно, — сказал Медведь, которому забота Лаймы совершенно точно пришлась по душе. — Я постараюсь не ударить лицом в грязь.

Он выбрался из микроавтобуса и пошел для начала в другую сторону. Но через некоторое время вернулся обратно и прямым ходом направился к двери «Уютной квартирки». День выдался славным, и курчавые деревья, рассаженные вдоль улицы, весело шелестели листвой, переговариваясь друг с другом.

Началось томительное ожидание. Чтобы отвлечься, Лайма принялась расспрашивать Кудесникова о его работе, а Корнеев открыл ноутбук и с головой ушел в компьютерное подпространство. Мерседес занял самое большое сиденье и теперь валялся там кверху лапами, время от времени вздрагивая во сне.

Прошло немного времени, и Евгений неожиданно высунулся из-за крышки ноутбука.

— Пришло послание. Сверху, — сообщил он деловым тоном.

Боссу уже доложили о ходе расследования, и он

обещал прислать по магазину «Уютная квартирка» все, что только удастся найти.

«На многое не рассчитывайте, — заранее предупредил Тагиров. — Я могу пользоваться любыми сведениями, которые есть в базе данных. Но давать указания разрабатывать магазин, который не проходит ни по одному делу, не рискну. По крайней мере, пока не узнаю, с кем я столкнулся».

— Прочти, что там, — попросила Лайма, которая любила получать новости своевременно.

Корнеев пробежал глазами текст, потом вернулся к началу и сказал:

— Магазин частный, принадлежит некоему Олегу Ефимовичу Червецову. Ему тридцать два года, по образованию юрист. Работал в крупных коммерческих структурах, имеет хорошую репутацию. Уволен по собственному желанию, и это не просто формулировка.

— Ого! — воскликнула Лайма. — Странно, что юрист открыл не юридическую контору, а магазин.

— Действительно, странно, — поддакнул Кудесников, который тоже слушал с напряженным вниманием.

— Был трижды женат, в настоящий момент разведен, — продолжал чтение Евгений. — Есть один ребенок от первого брака. Червецов проживает в Химках, имеет личный автомобиль, регистрационный номер прилагается. Деньги на открытие магазина получены честным путем — продал квартиру на Кутузовском, доставшуюся в наследство от родителей, а также дачу в престижном районе Подмосковья, доставшуюся от них же. У налоговиков претензий к магазину нет. Червецов не только владеет, но и управляет магазином, занимая должность директора. Главный бухгалтер — старинный друг Червецова еще со школьной скамьи — человек с широкой фамилией Разгуляев. Максим Николаевич, если полностью. Тоже тридцать два, женат, двое детей, со всех сторон чистенький. После получения диплома сразу начал работать по специальности, делал карьеру в продовольственных магазинах столицы. Вот, по большому счету, и все.

— Теперь хорошо бы выяснить, как они оба выглядят, — заметила Лайма. — Дождемся Ивана, он расскажет нам о своих первых впечатлениях.

Однако Ивана все не было и не было. Появился он только через сорок пять минут, просто переполненный этими самыми впечатлениями. В руках у него была деревянная ширма, обтянутая китайским шелком, и выточенная из дерева фигура американского индейца. Индеец был размером с бадминтонную ракетку и примерно такой же тощий.

Когда Медведь втащил свое добро в микроавтобус, Корнеев не удержался и ехидно спросил:

— А кованый сундук для своей тетушки ты не приобрел?

— Ой, ребята! — ответил тот, свалив покупки на сиденье рядом с котом. — Тамошние менеджеры как напали на меня, так и не отпускали до тех пор, пока я не раскошелился.

— Сколько же их там? — полюбопытствовал Кудесников. Он как-то незаметно раскрепостился и тоже начал задавать вопросы по существу дела.

Отчего-то никто из членов группы «У» не спешил

отпускать его совсем, и сыщик смирился с положением вещей. «Все лучше, — шепнул он однажды Мерседесу на ухо, — чем скрываться под видом женщины в туристическом агентстве. И так, и так — не жизнь». В конце концов он решил, что ребятам «из конторы» нужно помочь раскрутить дело, разгадать загадку с Диной, понять, кто и зачем украл у нее память, и уж тогда возвращаться к себе.

Боже, как он, оказывается, любит свою квартиру! Со старым зеленым диваном, у которого шатается спинка и плохо выдвигается ящик для белья. С маминым торшером (для него она собственноручно связала абажур из шелковых ниток), с ворчливым холодильником, где набегавшийся хозяин всегда отыщет корочку сыра или пачку замороженных котлет. И офис свой он тоже любит. И свою работу. И все у него, если разобраться, идет в жизни отлично... Просто он этого как-то не замечал.

— Ну и странное местечко этот магазин, доложу я вам! — рассказывал Медведь, вскидывая брови, чтобы еще нагляднее продемонстрировать свое удивление. — Зал большой и весь забит барахлом. Там не просто полки, все сделано потрясающе, прямо как в Париже!

В Париже Иван никогда не был, но по давней русской традиции считал столицу Франции высшим шиком. Кроме того, его бывшая жена покупала себе исключительно французскую косметику, а сестра — французские духи и белье. Обе говорили, что настоящие женщины ценят товары исключительно «Made in France».

— Прямо как будто ты в квартире, — продолжал

заливаться Медведь. — Тут тебе и стол, и кровать, и стеллажи. И все так украшено — зашибись! Прямо глаза разбегаются. Я вошел и обомлел. Не успел я появиться, как ко мне подбежали консультанты, и давай мозги втирать! Кстати, их там двое, — ответил он на вопрос Кудесникова. — Тощая девица в квадратных очках и парень — такой языкатый, что твоя теща. Он со мной минут двадцать поговорил, и я прямо почувствовал, что китайская ширма — это самая важная на сегодняшний день для меня вещь.

— По-научному это называется — развести на бабки, — хмыкнула Лайма.

— Индейца отнесем в штаб-квартиру, — неожиданно заявил Медведь. — Он там будет хорошо смотреться. Украсит наши трудовые будни.

— А что-нибудь еще кроме интерьеров и менеджеров вы заметили? — поинтересовался Кудесников, внимательно слушавший его повествование.

— Естественно. Чего бы я там столько времени торчал? — обиделся Иван. — Значит, так. В зале, кроме входной, две двери. Одна ведет в подсобные помещения, вторая — в кабинеты. Не знаю, сколько их там. Директорский точно. Ну, еще бухгалтерия — наверняка. Время от времени из этой самой двери в зал выходит мужик в костюмчике. Осматривается, перебрасывается парой слов со служащими и удаляется. Кроме двух продавцов-консультантов, о которых я рассказал, в магазине еще сидит кассир. Весьма примечательная личность! Было так трудно на него не пялиться...

— Наверняка это женщина, — съехидничал Корнеев. — Иначе чего пялиться?

— Вот и не угадал! — обрадовался Иван. — Это карлик.

— Карлик? — не поверила Лайма. — В смысле — лилипут?

— Я не знаю, чем они отличаются, — смутился Медведь. — Просто маленькие люди.

Он не любил обижать людей, какими бы они ни были — толстяками или лилипутами. И вообще всегда мечтал об идеальном обществе. Но зато к убийцам относился, как к мухам, и считал, что стране нужна служба неотложной смертной казни, чтобы садисты и мучители не занимали место в тюрьме. Бандитов и шпионов готов был ловить без устали, хотя вряд ли признался бы, что это и есть цель его жизни.

— Впрочем, — помедлив, все-таки рискнул добавить он, — карлик какой-то неприятный. У него один глаз не до конца открывается, и кажется, будто бы он целится в тебя из винтовки. И еще у него большие зубы.

— Он улыбался тебе, когда пробивал чек? — невинно поинтересовался Корнеев.

— Да нет, — Иван не понял юмора. — Вот мужик из начальства, который выходил в зал, — тот постоянно улыбался. Как будто ему вечером предстоит свидание с какой-нибудь Кейт Уинслет и он его уже предвкушает. Да, еще на кассе, рядом с карликом, сидит живая кошка. Ее зовут Маруся.

— Это все? — спросила Лайма.

— Пока да.

— Более подробную информацию придется добывать ножками, — вздохнула она. — Разделим пер-

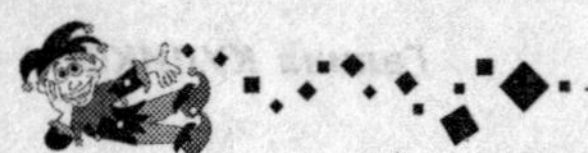

сонал на всех и установим слежку. Чур, я слежу за девицей-консультантом.

— Но их же там наверняка не четверо, а больше, — засомневался Корнеев. — Придется следить не один день. Время угрохаем... И еще неизвестно, чего добьемся.

— А можно мне внести предложение? — подал голос Арсений, поигрывая цепочкой, на которой водил кота. — У меня тоже накопился некоторый оперативный опыт. И, опять же, интуиция...

— Ну-ну, — подбодрил его Корнеев.

Он искренне считал, что интуиция, которую нельзя вывесить в Сети для общего пользования, никакой ценности не имеет.

— Когда мне нужно быстро выяснить что-нибудь о человеке, я его провоцирую.

— Затеваете драку? — уточнил Медведь, который не прочь был помахать кулаками, если дело того заслуживало.

— Или драку, или скандал. Короче, делаю людям бяку, тут они и раскрываются во всей красе.

Корнеев взял пальцами свою нижнюю губу и потянул ее вниз, что, по всей видимости, означало глубокие раздумья. Проделал он это несколько раз, ничего не надумал и повернулся к Лайме.

— Ты как, командир?

— Я — за.

Она всегда очень сильно волновалась, когда приходилось посылать их с Медведем выполнять какое-то задание. Причем не столько опасалась за их жизнь, сколько за то, что они что-нибудь эдакое вычудят. Кудесников еще не стал для нее другом. Кроме того, он по уши погряз в этом деле, и Тагиров велел держать его под присмотром. Они и держали. Пока даже с выгодой для себя.

— Пусть попытается. В конце концов, именно Арсений раздобыл телефон «Уютной квартирки», — добавила она справедливости ради.

— Значит — решено! — хлопнул себя по коленкам Медведь. — Идете в логово врага. А что вы собираетесь там делать конкретно?

— Импровизировать, — пожал плечами тот. — И давайте перейдем на «ты», а то я чувствую себя, как в школе этикета.

Все согласились, и Кудесников начал готовиться к операции. Первым делом он выгрузил из карманов все личные вещи, кроме паспорта и визитки, которую выбрал из целой стопки себе подобных. Потом пристегнул цепочку к ошейнику Мерседеса и легонько за нее дернул:

— Пойдем, Мерс!

Кот нехотя встал и потянулся, сладко зевнув. Мелькнули острые клыки, дрогнули усищи. Вместо того чтобы спрыгнуть на пол и отправиться на задание, кот неожиданно сел на задницу и принялся вылизываться.

— Молодец! — похвалила кота Лайма. — Настоящий боевой товарищ.

— Он демонстрирует независимость, — защитил Мерса Кудесников. — Для него это важно.

Тот и в самом деле много времени на туалет тратить не стал — быстро завершил дело и сверзился вниз. Посмотрел на хозяина равнодушно: пойдем — значит, пойдем, а нет — так и переживать не стану.

Лайма с товарищами прильнули к окну, наблюдая за тем, как Арсений — весь в белом — вальяжной походкой двигался к магазину. Мерс, размерами не уступавший собаке, натянув цепочку, шествовал впереди. Прохожие оборачивались им вслед, а женщины останавливались и с улыбкой провожали кота глазами.

— Отличная мысль — водить по улицам этакое чудовище, — заметил Корнеев. — Для частного сыщика — просто находка века. Все смотрят на кота, а хозяина никто не замечает.

Хозяин между тем переступил порог магазина, и бронзовый колокольчик негромко звякнул у него над головой. Здесь действительно было невероятно красиво, а в воздухе витал запах сухих цветов и благовоний. Сотни изящных вещиц, собранных вместе, возбудили в Кудесникове чувство прекрасного, и он некоторое время просто стоял на пороге, наслаждаясь обстановкой. Кроме карлика, сидящего за кассой, и его белой кошки, не обратившей на вновь прибывшего кота, а тем более на его хозяина, своего драгоценного внимания, в зале больше никого из персонала не было. Несколько покупателей, как зачарованные, бродили между козетками и конторками, трогая руками эбонитовые статуэтки, расшитые бисером футляры для очков, лоточки с индийской бумагой, шкатулки с сандаловыми палочками, шелковые скатерти, гобеленовые салфетки и прочие «интересности», которые, собственно, и придают жилищу настоящую прелесть.

Карлик действительно производил неприятное впечатление. У него было хмурое выражение лица, и, окинув нового посетителя равнодушным взором, он демонстративно уткнулся в какой-то журнал. Кудесников некоторое время побродил по залу, разглядывая безделушки, и стал свидетелем того, как кассир отвечает на телефонный звонок. Сначала он поднял трубку и ответил:

— Магазин «Уютная квартирка». — И потом — другим голосом: — Хорошо, хорошо, уже кладу, Олег Ефимович.

Арсений заметил, что стойка с открытками удачно закрывает от кассира вход в подсобные помещения, и немедленно воспользовался этим обстоятельством. Не тратя времени на раздумья, он подошел к двери, на которой не висело никаких предупреждающих табличек, толкнул ее и проскользнул внутрь, взяв кота под мышку.

Взгляду его открылся небольшой коридор, в который выходили еще четыре двери без опознавательных знаков. Поскольку диверсанту было абсолютно все равно, где его поймают — в кабинете директора или в бухгалтерии, — он без стука распахнул первую попавшуюся дверь и перешагнул порог. Это был маленький склад, и вдоль стен на стеллажах стояли разномастные коробки, на которых фломастером были написаны цифры — вероятно, учетные номера. Опустив Мерседеса на пол, Арсений принялся вскрывать упаковки, однако натыкался все на те же товары — пепельницы, чашки, сигаретницы и иже с ними.

Вероятно, он слишком громко шуршал бумагой, потому что его довольно быстро обнаружили.

— Что вы здесь делаете? — раздался у него за спиной грубый мужской голос. В голосе звучала неприкрытая угроза.

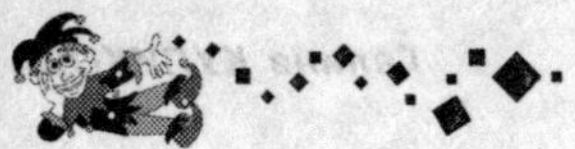

Сыщик проворно обернулся и увидел перед собой крупного парня — румяного и чубатого, с полными, слегка вывернутыми губами, которые показались Арсению похожими на двух напившихся крови пиявок.

— А вы кто такой, чтобы вопросы задавать? — развязно спросил Кудесников и выставил одну ногу вперед, словно собирался позировать для памятника.

— Я главный бухгалтер магазина, — сбавил обороты тот.

— А, Максим Николаевич! Приятно познакомиться.

Кудесников специально назвал его по имени и отчеству, рассчитывая на то, что тот насторожится. Вместо этого главбух решил, что Арсений явился с какой-то проверкой, и повел его к директору. Тот охотно пошел, представив Разгуляеву по дороге своего домашнего любимца.

Для того чтобы попасть в кабинет директора, нужно было пройти всего несколько шагов, и на то, чтобы разговорить главбуха, не хватило времени.

— Олег, это к тебе, — сказал тот, трижды ударив согнутым пальцем в косяк.

— Входи! — позвали из-за двери, и через секунду Кудесников оказался перед столом Олега Ефимовича Червецова. Он ни за что не дал бы ему тех тридцати двух лет, о которых говорилось в досье. Червецов чем-то напоминал Илью Лагутенко, взятого в более крупном масштабе: узкое лицо и глаза лукавого ангела, но самое главное — несмываемая не улыбка даже, а улыбочка, которая никак от себя не отпускала. Довольно длинные вьющиеся волосы лежали поверх воротника, образуя красивую волну.

Владелец магазина сидел за лакированным столом, на котором лежали деловые папки с золотыми застежками и шариковая ручка из эксклюзивной коллекции знаменитой немецкой фирмы. Пижон Кудесников мгновенно оценил и костюмчик, и обстановку. Во всем чувствовался вкус, а еще явственнее — деньги. На стенах висели картины, написанные маслом, мебель скорее всего антикварная.

Впрочем, рассмотреть обстановку в подробностях ему не удалось.

— Добрый день, — неожиданно высоким подслащенным голосом обратился к нему Червецов. — Вы ко мне?

— К вам, — с чувством ответил Кудесников.

— По какому же вопросу?

Разгуляев все еще стоял сзади, как будто был не бухгалтером, а вышибалой, и следил за хозяином, чтобы по первому его слову навести порядок.

— Видите ли, — сказал Кудесников, затаскивая Мерседеса поглубже в святая святых. — Зайдя в ваш магазин, я увидел белую кошку...

— Ну и что? — уже совершенно другим, жестким голосом спросил Червецов. Несмотря на то что губы его по-прежнему улыбались, в кабинете ощутимо похолодало.

— Как что? — тоном коробейника переспросил сыщик. — У вас кошка — у меня кот. У вас — товар, у меня — купец. Я, видите ли, специалист по спариванию. Кошки не всегда могут найти себе достойную пару, и я им в этом помогаю. Я, так сказать, глава кошачьего брачного агентства. У меня выставочный

жених, так что вы не пожалеете. Котята пополам. А если не нужны — я всех заберу.

Не переставая улыбаться, Червецов протянул руку к переговорному устройству, нажал на большую клавишу и сказал:

— Диму ко мне.

— Что это вы, Олег Ефимович, такой неласковый! — развел руками Кудесников. — Я вам такое многообещающее мероприятие предлагаю...

Разгуляев, по-прежнему охранявший подступы к кабинету, громко доложил:

— Обрати внимание, что ты ему не представлялся. Он и меня сразу по имени-отчеству назвал. Что будем делать?

— Сейчас придет Дима, и поглядим.

— Что это вы задумали? — насупился Кудесников, оглядываясь на главбуха. — Если вам мое предложение не по нраву, я пойду...

— Стой где стоишь, — снова тем же тощим голоском приказал Червецов. — Мне твое лицо не нравится. А уж про кота я и не говорю.

Тут как раз появился Дима — по описанию Медведя, тот самый продавец-консультант, который всучил ему китайскую ширму. Дима не производил впечатления натренированного парня, однако сразу же кинулся в бой. Вдвоем с Разгуляевым они усадили Кудесникова на стул и обыскали его карманы. Нашли паспорт и отдали директору. Тот внимательно его изучил, вытряхнув на стол визитную карточку, застрявшую между страницами.

— Кто? — сам себя переспросил он и потряс головой, словно не верил своим глазам. — Так вы нам соврали, господин... как вас там? Кудесников. Да еще как соврали! Вы, оказывается, никакой не любитель кошек, а, прости меня господи, живодер.

— Скорняк, — поправил его Кудесников.

Разгуляев, стоя над ним, сморщился и сказал:

— Фу, какая гадость!

— Полагаю, вы шьете шапки из маленьких котят, верно?

Если он ожидал услышать гневную отповедь, то он ее не дождался.

— Не только шапки, — охотно пояснил Кудесников. — Но еще и жилеты. Пользуются очень хорошим спросом. Особенно у тех, кто занят сидячей работой. Например, у бухгалтеров, — он с улыбкой поглядел на Разгуляева. — Не хотите отовариться? Продам задешево.

— Откуда вы узнали наши имена?

— А чего узнавать? Я тут некоторое время отирался в вашем районе, заходил в магазин, слышал, как вы друг к другу обращаетесь. Живые ж люди.

— Выгоните его, — приказал Червецов с брезгливым выражением на лице. — И скажите Саше, чтобы он убрал эту свою кошку к чертовой матери.

Сашей, по всей видимости, звали того самого карлика, который работал здесь кассиром. Однако Кудесников еще не готов был уйти. На подоконнике он заприметил развернутый номер какой-то газеты. Одна заметка была обведена красным фломастером, и ему страстно хотелось узнать — какая. Конечно, это мог оказаться материал, рассказывающий об экономической нестабильности в Кавказском регионе, но Кудесников хотел удостовериться в том, что не

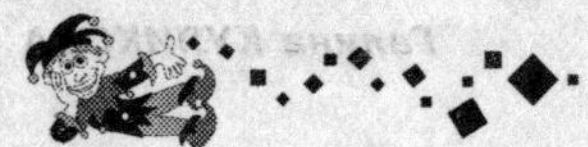

пропустил ничего важного. Для того чтобы сунуть нос в газету, ему нужно было подойти к окну. Но как это сделать, когда над тобой нависают два агрессивно настроенных мужика?

— Послушайте, директор, — развязно сказал он и встал, демонстративно отпихнув Диму плечом. — Вы ведь деловой человек. Не хотите заработать немного денег?

— Не с вами, — отрезал Червецов.

— Ну и зря. Сдали бы мне задний дворик на летне-осенний период — у кошек самый высокий уровень рождаемости именно в эти благословенные месяцы. Я бы там поставил с десяток клеток, а деньги поделили бы по-честному. Вон какой у вас простор! Подвинем мусорные баки, так, может, и дюжину клеток вместим.

Он приблизился к окну и бросил взгляд на газету. Это оказался «Московский курьер», развернутый на четвертой странице. Заметка была в самом низу. Запомнив дату, проставленную на газете, Кудесников позволил вывести себя из кабинета и даже чуточку поупирался для порядка.

— Уходите, отвратительный тип, — сказал ему вслед Разгуляев. — И больше не возвращайтесь. Ясно?

— Не очень-то я буду переживать! — ответил Кудесников. — Тем более что кошка ваша наверняка фригидная. Мой кот на нее даже не посмотрел.

Кастрированный Мерседес с презрительным выражением на плоской морде вышел из магазина и потряс задней лапой.

— Так их! — похвалил Кудесников. — Кстати, я

прошу у тебя прощения за все, что наговорил в кабинете. Но ты ведь понимаешь, что это была работа.

Мерседес все понимал и не держал обиды на хозяина. К микроавтобусу они подходить не стали, а двинулись вниз по бульвару к большому перекрестку, где всегда было много машин. Кудесников на всякий случай свернул за угол, чтобы никто не смог отследить, в какой автомобиль он сядет.

Корнеев все понял и, постояв еще немного на месте, поехал вслед за ним.

— Ну как? — хором спросили члены группы «У», глядя на своего разведчика блестящими глазами.

— Неплохо, — сказал тот. — Из тех, кто сейчас там находится, главным, несомненно, является сам Червецов. Он отдает приказания, и его слушаются и главбух, и менеджер, и кассир. Девицу я не видел, так что о ней ничего сказать не могу. В кабинете есть пожарная сигнализация, а также селекторная связь. Телефонный аппарат стоит рядом с кассой. Думаю, у них один номер с директором. Дело в том, что когда зазвонил телефон, карлик сначала ответил, а потом тут же положил трубку, потому что услышал директора. Выходит, когда человек, который проходит у нас под кличкой Гоголь, охотился за Диной и звонил в «Уютный уголок», в сущности, он мог разговаривать с кем угодно. Здесь мы пока с мертвой точки не сдвинулись.

Он хотел рассказать про газету, но в последнюю минуту удержался. Это была старая сыщицкая привычка — придерживать информацию. Они ничего не знают про эту статью и вряд ли что-нибудь узнают. А для него она может стать козырной картой. Мало

ли как в будущем сложатся его отношения с Тагировым? Надо иметь что-нибудь в запасе, чем можно... торговать.

У Кудесникова был нюх на стоящие детали. Он всегда знал, на что следует обратить внимание, а на что нет.

— В общем, мои рекомендации таковы. Девицу-продавщицу приберечь на потом, а слежку установить за самим хозяином, за его главным бухгалтером, за карликом и за Димой. Возможно, весь персонал магазина — это одна шайка.

— А почему девицу приберечь? — спросила Лайма, которой легче было бы наблюдать как раз за девицей.

Кудесников пожал плечами:

— Вряд ли в критической ситуации «Гоголь» стал бы звонить девушке. Мне так кажется.

— За кем ты хочешь следить, Лайма? — спросил заботливый Медведь.

— За Димой, — не задумываясь, ответила она. Несмотря на то что именно Диму вызвали для того, чтобы разобраться с незваным гостем, он все же был простым исполнителем чужой воли. А исполнители управляемы, они редко принимают решения.

— Хорошо, есть еще какие-то пожелания?

— Пока мы тут раздаем подарки, они все могут разбежаться, — напомнил Кудесников. — Закроют магазин, и ку-ку. Это ведь частная лавочка.

— Действительно, — спохватился Корнеев. — Зря я так далеко уехал. К счастью, здесь легко развернуться.

Они снова заняли удобную наблюдательную позицию. Судя по всему, магазин по-прежнему работал, и признаков паники заметно не было.

— До закрытия осталось пять минут, — сообщил Медведь, поглядев на свои часы, точностью которых он постоянно восхищался.

Не успел он договорить, как дверь отворилась, и на пороге появился Дима с папочкой под мышкой.

— Номер раз, — пробормотал Кудесников.

Лайма вскочила с места и сказала:

— Пока, ребята. Встречаемся в полночь в штабквартире. Если что — я на связи.

* * *

...Птицы пели отчетливо и громко. Почему такой яркий свет, прямо в лицо? Забыл шторы задернуть? Но, пардон, я, кажется, не дома?

Виталий открыл глаза и убедился — он дома. Именно сюда его привез неугомонный Гена, пожелав на прощанье как можно быстрее оклематься после трудной и ответственной зарубежной командировки.

Приняв душ и побрившись, Виталий сварил кофе и сел за стол привести мысли и чувства в порядок, а заодно понять, как ему жить дальше. С тех пор как он утратил прошлое, он едва ли несколько часов был один. Странно, но все, что случилось после его пробуждения, он помнил отчетливо (разве что кроме моментов, когда был беспробудно пьян). Все привычки, все навыки остались при нем. Он цивилизован, он все умеет. Но что же стало с его прошлым, почему оно пропало? Что вообще могло произойти?

Взяв чашку в руки, он принялся разгуливать по комнате, затем подошел к распахнутому окну, выхо-

дящему в густо засаженный деревьями двор, вдохнул свежего летнего воздуха... И не смог выдохнуть. Внизу на лавочке сидел, болтая своими короткими ножками, мерзкий маленький мужчина, ставший для Виталия каким-то наваждением. Случайностью это быть не могло — Виталия «пасли», причем делали это нарочито грубо, явно намекая на что-то. Только вот на что?

Первой его мыслью было спуститься вниз и, скрутив карлика, выбить из него какие-нибудь сведения. Потом Виталий сообразил, что рядом может находиться мощная мулатка, а с ней он вряд ли сумеет совладать, учитывая рост и выпуклые бицепсы.

«Надо срочно связаться со Скогаревым, тем более он должен мне рассказать, что тут происходило без меня», — решил Виталий. Однако звонить из дома не стал — вдруг телефон уже на прослушке? Быстро собрался, пешком спустился вниз и вышел, не особо скрываясь, из подъезда, миновал скамейку с карликом и с трудом удержался, чтобы не помахать ему рукой.

Почти бегом он пересек двор, вышел на проезжую часть и поднял руку. Тут же, резко скрипнув тормозами, остановилась «Волга», и Виталий попросил отвезти его в центр. «Там найду, как уйти от погони», — подумал он, оглядываясь. Но погони не было видно. Никто не бежал вслед за ним по двору, никакая машина их не преследовала.

Выйдя на Пушкинской площади, он позвонил из автомата Скогареву на мобильный. Тот, как показалось Виталию, обрадовался, сказал, что сам к нему подъедет и все подробно расскажет, и намекнул —

есть, мол, хорошие новости. Определили место встречи — кафе неподалеку, на бульваре.

Кафе было маленькое и очень уютное. Посетителей мало — какая-то парочка, похоже студенты, толстый дядька с кружкой пива и газетой, да еще миниатюрная брюнетка с глазами, устремленными в коктейль.

Виталий заказал эспрессо и сел за столик у окна. До встречи оставалось около получаса. Опустошив маленькую чашечку, Виталий жестом подозвал официанта: «Еще одну и пачку сигарет, легких только». За короткий промежуток между двумя чашками за барной стойкой, видимо, успела поменяться смена — вместо приветливой девушки там стоял странный субъект с бритой головой и бегающими глазами.

«Руки он хоть помыл?» — рассеянно подумал Виталий, отпивая из вновь принесенной чашки крепкий кофе.

Это была последняя отчетливая мысль перед тем, как сознание начало покидать его. Он успел услышать чей-то неприятный дребезжащий голос: «Мой друг сегодня перебрал, я отправлю его домой, только машину поймаю». Потом, на секунду очнувшись, уже, видимо, в автомобиле, услышал тот же голос, назвавший неизвестный адрес. После этого наступила тьма.

* * *

— Господи, где мы? — спросила Элла, втягивая голову в плечи.

Вокруг было так темно, что, казалось, не существует электричества, а луна разбилась на мелкие осколки, которые утонули в глубоких лужах — черных,

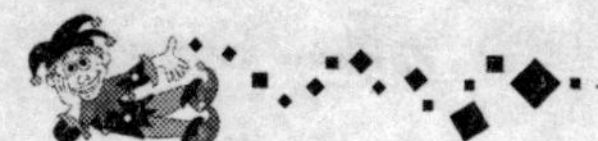

как нефтяные колодцы. Дома стояли очень близко друг к другу. Слишком близко. Хотелось оттолкнуть их, раздвинуть руками эту улочку, на которой чужакам не встретилось ни одного человека. Казалось, все ее обитатели сидят по квартирам, а за углом, держа ножи на изготовку, их поджидают плохие парни.

Элла не могла поверить, что Тагиров когда-нибудь бывал на этой улице. Он шел так уверенно, как будто путь ему знаком во всех подробностях. Сама себе она казалась пришельцем с другой планеты — из центра города, где даже ночью случались автомобильные пробки и водились блюстители порядка.

— Куда ты меня привел?!

Они кое-как свыклись с мыслью, что раньше питали друг к другу нежные чувства, и перестали «выкать». Элла не могла представить себе, как это можно любить человека, а потом насмерть про это забыть. Может быть, смешной дизайнер действительно все придумал, и Тагирову не стоило так уж доверять ему?

Однако подсознательно она понимала, что зря надеется на чудо — Шелеп тут совершенно ни при чем. Она с Тагировым затеяла какое-то ДЕЛО. А потом что-то с ними обоими случилось. Что-то такое, что они ПРЕДВИДЕЛИ. И подготовились к ЭТОМУ. Впрочем, не так уж и хорошо подготовились. Нужно было оставить дневник или записку, которые могли все прояснить. Или они оставили ее? Но тогда где она?

— Ты не спрашивал у своего друга про записку? — шепотом спросила Элла, только чтобы не молчать.

— Какую?

— Записку, которую мы могли написать сами себе.

— Такой записки не существует, — ответил он и тут же подумал, что Элла права. Надо обыскать свою квартиру. Вернее, обе квартиры. Кто знает? Может быть, он устроил какой-то тайник, о котором тоже забыл...

— Думаю, мы предполагали, что ты потеряешь память. Но то, что это случится и со мной тоже, оказалось, по-видимому, большим сюрпризом.

Вот интересно, если она понравилась ему тогда, до всех событий, то должна была понравиться и во второй раз... Ее задевало, что Тагиров не проявляет никаких эмоций. Сейчас ей особенно не хватало заботы и искреннего участия. Он же занимался делом, исходя из собственных интересов. И это все. Пожалуй, когда он узнает, кто она такая, он просто подвезет ее к дому, высадит и уедет, коротко простившись.

Тем временем они подошли к нужному подъезду, и Тагиров первым вошел внутрь, помедлив перед тем как переступить порог. Он прислушивался. Его слух мог уловить малейший шорох или дыхание того, кто притаился за дверью. Однако их никто не подстерегал, и они двинулись по лестнице вверх, переступая через скомканные газеты и консервные банки. Пахло тленом — казалось, что здесь разлагаются не только живые ткани, но и чьи-то души. Гнилостно-сладкий воздух забирался в ноздри и хозяйничал в голове.

Ступеньки неожиданно закончились, и они оказались перед одинокой дверью, обивка которой была продырявлена в нескольких местах. Оттуда торчала вата, и Элла не удивилась бы, узнав, что внутри живут крысы. Вспомнив о существовании этих тварей, она непроизвольно напряглась, и Тагиров взял ее за руку, решив, что она боится входить.

— Не бойся, здесь нас ждет друг.

— Друг?!

— Человек, который готов ради меня кое-чем поступиться.

Элла подняла голову, но в темноте не смогла рассмотреть его лица.

— Тебе ведь многие обязаны, верно?

— Не делай из меня главу тайного ордена, — отмахнулся он. — Я занимаюсь такой работой, которая обязывает меня быть чертовски осторожным.

— И у тебя, как у бронепоезда, всегда найдется запасной путь.

— Ты что-то имеешь против?

Элла помолчала и, хотя он ее не видел, пожала плечами:

— Как я могу?

Тагиров протянул руку, нащупал звонок и несколько раз нажал на кнопку. Раздался дребезжащий звук. «Здесь даже дверные звонки ущербные», — подумала Элла, не в силах представить обстоятельства, которые заставили скатиться на дно такое количество людей. Они прошли целую улицу, и каждый дом был заселен под завязку. Она чувствовала, как все эти люди дышат и шевелятся за стенами. На секунду ей стало так страшно, что она едва не бросилась бежать.

— Кто там? — спросил из-за двери скрипучий голос. — У меня пистолет.

— У меня тоже, — ответил Тагиров и пнул дверь ногой. — Открывай, Самик, это я.

Предполагаемое обиталище крыс распахнулось, и в глаза гостям ударил свет. Все было бы здорово, только свет этот был отчего-то ярко-голубым, и казалось, что они попали в аквариум.

— Женщина! — с удивлением воскликнул Самик, которого Элла не могла рассмотреть после темноты. — Красивая!

— Не раскатывай губы, — грубовато посоветовал Тагиров. — Она здесь не затем, чтобы скрашивать твое одиночество.

— А зачем? — с любопытством спросил тот, спиной отступая в глубину квартиры.

Тагиров шел за ним и тянул Эллу за руку. Попав из темноты на свет, она поморгала и едва не вскрикнула от удивления. Самик оказался совсем молодым человеком — почти мальчишкой. На голове у него торчал вихор, ногти были обкусаны до мяса, а глаза оказались глубокими и мудрыми. Как будто этому парнишке лет сто и он знает тайны, о которых даже страшно расспрашивать.

— Можешь доверять этому парню, — сказал Элле Тагиров. — Я ему доверяю.

Было непонятно, то ли это реверанс в сторону хозяина, то ли и в самом деле руководство к действию. Элла хотела спросить, чем занимается Самик, но он ее опередил.

— Она будет первая или ты?

— Я, — быстро ответил Тагиров. — Но ей смотреть не обязательно.

— Ладно, — согласился тот и неожиданно хихикнул: — Поверить не могу, что тебе прочистили мозги!

— Очень смешно, — проворчал Тагиров, повер-

нулся к Элле и совершенно неожиданно вывалил на нее правду: — Этот человек умеет копаться в голове, не касаясь ее руками... Ты ничего не почувствуешь. Просто ненадолго отключишься.

— Гипнотизер? — Элла почувствовала, что ее загнали в ловушку. — Ты хочешь, чтобы нас загипнотизировали?

— Знаешь, как тестируют компьютеры? — вместо ответа спросил Тагиров. — Специальный человек проверяет, как работают все системы, нет ли вирусов и все такое... Так вот, Самик умеет точно так же тестировать людей. Он посмотрит и скажет, не подвергались ли мы с тобой какому-то внешнему воздействию.

Элла огляделась по сторонам, где в голубом свете, словно в воде, плавала мебель, и, стараясь скрыть беспокойство, сказала:

— Мне кажется, что все это... ненаучно.

— Отнюдь, — рассмеялся Самик. — Наступает новая эра, и общество уже не отвергает парапсихологию. Невозможно отрицать, что некоторые люди имеют прямой доступ к информационным ресурсам планеты.

— Я не могу с вами тягаться, — ответила Элла, которую по-прежнему пугали лампы из голубого стекла. Ей казалось, что лица Самика и Тагирова принадлежат не людям, а призракам. — Я боюсь думать о том, что человека можно заставить делать то, о чем он даже и не помышлял. Это... так страшно!

— Вы правы, — кивнул Самик, потирая руки, будто бы чужой страх ему нравился. — Психотронное воздействие можно считать оружием. Недаром многие страны тратят бешеные деньги на разработки в этой области. На попытки не только научиться самим влиять, но и защищаться от чужого влияния. Это не всегда удается. Сознание человека — это определенное состояние информации. Как, впрочем, и его память...

— Вы хотите сказать, что уже есть приборы...

— Дело не в приборах. В психотронике самое главное — человеческий фактор. Необходимо найти «правильного» человека... — Он прервал себя и хмыкнул: — Что-то я разболтался. Начал читать лекцию... А у нас не так много времени.

— Он что, академик? — шепотом спросила Элла у Тагирова, когда Самик ушел в другую комнату.

— Почти что.

— Тогда почему он живет в таком... таком...

— Дерьме? — засмеялся Тагиров. Наклонился к ее уху и шепотом сказал: — А он тут и не живет. Он пришел сюда специально, чтобы встретиться с нами. Можешь мне не верить, но этот дом — самый лучший в смысле тайных свиданий. Экранированные стены, звукоизоляция, потайной выход, еще масса всего. Но главное — маскировка.

Когда Самик вернулся, лицо его было сосредоточенным. Он усадил Тагирова и Эллу на диван, и они сели рядком, как два школьника, вызванные к директору на собеседование.

— Посмотрите сюда, — он постучал себя по переносице указательным пальцем.

Из-за смуглой кожи палец казался грязным. Заусенцы торчали в разные стороны, как деревянные стружки. Элла не могла отвести от них взгляд. Потом ей показалось, что в глаза попала ресница или просто соринка, она моргнула, чтобы прогнать ее, моргнула еще раз и спросила:

— Что я должна делать?

— Уже ничего, — ответил Самик весело. Таким голосом разговаривают дантисты после того, как удалят зуб. — Все уже позади.

— Что — все?

Тагиров, который почему-то уже не сидел рядом с ней, а стоял неподалеку, держа руки в карманах, посчитал своим долгом объяснить:

— Самик уже посмотрел и тебя, и меня.

Значит, вот как это бывает! Тебе кажется, что под веко попала ресничка, а оказывается, что между тем как ты закрыл и открыл глаз, прошла целая вечность. Впрочем, у нее все равно не было выбора. Она все еще неполноценная личность, и ею распоряжается Тагиров.

— И что же с нами такое? — не удержалась она. Наверняка от нее ждали этого вопроса.

— С тобой — ничего. Вернее, я выразился неверно, — ответил ее опекун. — В твою голову, образно говоря, никто не лазил. Ты потеряла память из-за чего-то другого, а не потому, что тебя заставили забыть прошлое. А вот у меня кто-то отгрыз кусочек жизни совершенно сознательно.

— Что это значит? — испугалась она. Слово «отгрыз» напомнило ей стаю бездомных собак, одну из тех, что бродяжничают в городе. Она боялась их до умопомрачения.

— Меня загипнотизировали и, как бы это сказать, поставили в сознание блок.

— Несколько блоков, — подсказал Самик, глаза которого продолжали жадно поглощать свет, как черные дыры. Казалось, что ты стоишь рядом с пульсирующим сгустком энергии. — Я смог лишь определить, что они есть. Снять их мне не по силам. Это чудовищно долгая и кропотливая работа. Кроме того, она потребует сил не только от меня, но и от тебя. И результата я не гарантирую.

— Выходит, тот, кто мной занимался, сильнее тебя? — уточнил Тагиров.

— Ты же сам видишь.

Элла, которая то и дело теряла нить разговора, переспросила:

— Кто — он? О ком вы сейчас говорите?

— Мы говорим о том человеке, который влез в мои мозги и кое-что там подчистил. — Тагиров старался придерживаться легкого тона, но у него плохо получалось. Она чувствовала, что он расстроен. Даже рассержен. — А я не знаю, когда и где это случилось. Может быть, в поликлинике, когда мне делали УЗИ? Или в кинотеатре? Мне казалось, что я только на секунду закрыл глаза, а проснулся уже в самом конце, когда герой трижды спас героиню от ужасной смерти.

— Если я правильно понимаю, в тебя могли вложить любую программу, — тихо сказала Элла.

— Вот именно. И если завтра я уеду на Кубань собирать урожай кукурузы, ты не должна удивляться.

— И что же нам теперь делать?

— Попытаться найти тех, кто заинтересован не в нашей смерти, но в нашем беспамятстве.

* * *

Такси, вызванные загодя, сгруппировались возле книжного магазина. Медведь открыл дверцу ближайшей к нему машины и плюхнулся на переднее сиденье. Шофер посмотрел на него с неудовольствием.

— Будем следить вон за тем маленьким человечком, — сообщил Иван, показав подбородком на карлика, который медленно шел вниз по улице.

Вероятно, карлик привык к тому, что привлекает к себе внимание, и не глядел по сторонам. Хотя многие, на взгляд Ивана, бестактные люди оборачивались и провожали его глазами. Молодые дурные девицы закрывали рты ладошками и хихикали.

— Поехали, поехали, — поторопил он.

— А чегой-то? — спросил обиженный таксист.

Слежка не входила в его профессиональные обязанности, и он уже собрался протестовать. Медведь это понял и достал удостоверение. На фотографии, где он был снят во френче и пилотке, лицо его выглядело особенно суровым. Маленькие уши, прижатые к голове, вносили в облик дополнительную угрожающую ноту.

— Вот, — сказал он, развернув документ перед носом у водителя. — Или мы едем, или...

Он не смог придумать угрозы, достойной работника Федеральной Антитеррористической Службы Безопасности, и оставил предложение неоконченным. Впрочем, таксисту и этого хватило с головой. Он так резво тронулся с места, что обогнал объект слежки на полквартала.

— Не гони лошадей, — попросил Медведь, оглядываясь.

Карлик как раз зашел в какую-то дверь, и он едва успел засечь — куда именно.

— Стой здесь, — велел он шоферу. — И следи за входом. И если я вдруг пойду пешком, поезжай за мной. Ясно?

— А вы мне деньги заплатите? — поинтересовался тот мрачно. Было ясно, что на деньги он не надеется.

— Заплачу, — твердо пообещал Медведь. — Прямо сейчас и заплачу, на всякий случай. Только сделай все как следует.

Он сунул таксисту пятьсот рублей, выбрался из машины и широким шагом двинулся в обратную сторону, боясь пропустить нужное место. Не хватало еще потерять объект! Если он опростоволосится, Лайма, конечно, ничего не скажет, но посмотрит сочувственно. Этот ее сочувственный взгляд иногда доводил его до умоисступления. Будто он ее младший братишка, который катался на самокате и разбил коленку. Гораздо приятнее, когда она гордится им. Медведь сам застеснялся своих мыслей. Тоже мне — детсад, второй отряд. Никогда, никогда не посмотрит она на него так, как смотрела на своего Шаталова. И этот засранец ей даже не звонит! Подумаешь — поругались. Он вспомнил свою короткую женитьбу и искреннюю нежность к супруге. Они тоже ругались, ну и что? Но разрывать отношения... Если бы жена не изменяла ему направо и налево, он бы не развелся.

По улице шел торопливый люд, и Ивану то и дело доставалось. В основном от женщин, которые задевали его своими сумочками. Женские сумочки вообще имеют особенность задевать мало-мальски коло-

ритных мужчин. Прямолинейный Иван этого не понимал и страшно огорчался.

В конце концов он все-таки нашел ту дверь, за которой исчез карлик. Это оказался вход в подъезд старого дома, втиснутый в узкое пространство между магазинами. Может быть, кассир «Уютной квартирки» здесь живет? Если он уже успел дойти до своей двери и захлопнуть ее, не удастся узнать даже его точный адрес. Только дом и подъезд. Впрочем, есть вероятность того, что его подопечный прописан совсем в другом месте. Допустим, он здесь в гостях. Или зашел проведать маму.

Медведь протиснулся в узкую дверь и попал в большой гулкий подъезд. Постоял, прислушиваясь, но ничего не услышал. Бесшумно достиг лестницы и так же бесшумно начал подниматься по ступенькам. Единственное, пожалуй, что он делал действительно мастерски, так это неслышно передвигался. И обувь тут не имела значения.

Карлик стоял на лестничной площадке между этажами лицом к окну и подавал кому-то знаки обеими руками. Иван вытянул шею, чтобы попытаться рассмотреть все как следует, но понял, что для него все эти скрещивания пальцев — слишком мудреная азбука. Можно было попытаться снова выйти на улицу и отыскать того, кто принимает сигнал, но он не рискнул. Его точно заметят, если, разинув рот, он начнет озираться по сторонам.

Карлик между тем закончил размахивать руками, полез в карман и достал оттуда колокольчик. Поднял его повыше и легонько качнул туда и обратно. Раздался мелодичный звон, словно кто-то потряс хрустальную вазу, в которой лежал маленький ключик. Потом сжал колокольчик в кулаке и злобно захихикал. От этого смеха у Медведя сделалось нехорошо на душе. Как будто кто-то открыл в его сердце потайную дверку и впустил туда ядовитую змею страха.

Поскольку карлик мог в любой момент повернуться и пойти назад, Ивану пришлось отступать. Он попятился и так же тихо, как пришел, спустился вниз, к двери подъезда. Осторожно толкнул ее и очутился на улице. На шоссе, прямо напротив подъезда, верхом на рокочущем мопеде сидел огромный лысый негр и беззвучно хохотал. Он хохотал, глядя прямо на Медведя, и прохожие в страхе прибавляли шаг. Розовый язык вываливался из-за белых зубов и дрожал от хохота.

Иван и глазом не успел моргнуть, как негр сделал быстрый короткий мах рукой. Блеснул клинок, и нож, перелетев тротуар, вонзился в дверь в миллиметре от его правого уха. Негр захохотал в полный голос, мотор заревел, и мопед, влившись в поток уличного движения, исчез за отошедшим от остановки троллейбусом. Обалдевший Медведь потянулся, чтобы выдернуть и рассмотреть нож, но тут позади него снова заревело, и второй клинок вонзился в дерево прямо возле его пальцев.

— Ай! — вскрикнул Иван, обернулся и увидел второго негра — тоже на мопеде, который удирал вслед за первым. Не удержался, потряс ему вслед кулаком и крикнул: — Ну ты, «Бони М»! Догоню — так накостыляю, что мало не покажется!

И тут сообразил, что карлик до сих пор не вышел на улицу. Чертыхнувшись, он ворвался в подъезд,

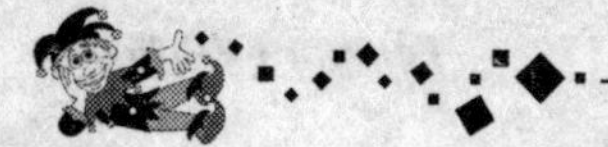

взбежал по ступенькам к лифтам и увидел еще одну дверь, которая выходила на противоположную сторону дома. Дверь оказалась приоткрытой, и Иван бросился к ней. Выскочил на улицу и очутился в большом дворе с детской площадкой, гаражами, натыканными где попало, со стоянкой машин и несколькими выходами в тесные переулки.

Он метнулся в одну сторону, в другую и тут увидел его. Карлик неторопливо шел к невысокой пристройке, прилепившейся к одному из домов в коротком тупике. На пристройке висела вполне цивильная вывеска: «Магазин необыкновенных товаров». Медведь дождался, пока карлик войдет внутрь, добежал до большого дерева, росшего неподалеку, и спрятался за ним, словно охотник, подкарауливающий зайца. Выйти из тупика можно было только тем же самым путем, каким они сюда вошли. Слева и справа теснились старые дома, а позади магазинчика высилась кирпичная стена метра в два высотой. «Не уйдет!» — удовлетворенно подумал Медведь, и в ту же минуту карлик вышел из магазина. Лицо его озаряла плутовская улыбка, которая Ивану не понравилась.

Между тем вышел он не один: вслед за ним семенил суетливый человечек в клетчатой рубашке и спортивных штанах, который нес под мышкой довольно большой предмет, издали напоминающий детский манеж. Подойдя вплотную к стене, человек поставил предмет на землю и отошел в сторону. Карлик неожиданно разбежался, высоко подпрыгнул, сиганул в центр натянутой сетки, взлетел вертикально вверх, потом снова вниз и на этот раз, получив невероятное ускорение, ласточкой перемахнул через стену.

Человек в клетчатой рубашке наклонился, сложил мини-батут, который стал похож на обруч, размахнулся и одним ловким движением перебросил его через стену вслед за улетевшим карликом.

— Стой, стрелять буду! — закричал Медведь, выскочил из-за дерева и в один миг оказался возле клетчатого. Надвинулся на него и, сунув в нос удостоверение, прорычал:

— Куда улетел этот тип, ну?!

— Ничего я не видел, — залопотал клетчатый, который на поверку оказался изрядно выпившим, — господин заплатил за «прыг-скок», а уж куда он улетел, я не знаю.

— У тебя есть еще одна такая хрень? — грозно спросил Медведь.

— «Прыг-скок» — это вещь для профессионалов. У нее очень маленькая сетка, и попасть снова в то же место бывает трудно, народ все время промахивается... Так что детям мы не продаем...

— Я что, похож на детей? — рявкнул Медведь. — Так есть или нет?

— Она дорогая.

Медведь протянул ручищи к его шее, и тот быстро добавил:

— Есть.

— Она меня выдержит?

— Если в вас не больше двухсот килограммов, то да.

— Ну вот что. Взвешиваться мне некогда, так что тащи сюда свой «прыг-скок», да поживее.

Он нырнул за клетчатым в магазин и бросил на прилавок купюру, которая должна была покрыть стоимость батута. Магазин, словно склад, оказался набит всевозможными вещами неизвестного назначения. Любопытствовать было некогда — карлик и так уже получил фору.

Медведь выскочил со своим приобретением на улицу, подбежал к стене и поставил батут вплотную к ней. Клетчатый, который оказался сзади, шумно дышал от волнения.

— Что там, за стеной? — спросил Иван, отойдя на подходящее для разбега расстояние.

Клетчатый икнул, развел руками и признался:

— Понятия не имею!

Как выяснилось через минуту, за стеной находился ресторан «Клементина» — весьма популярное местечко, куда посетители попадали через арку с небольшой улочки, вливавшейся в проспект. Летом ресторан занимал весь дворик, выставляя столы на улицу и растягивая над ними тенты. За одним из столиков сидели два писателя, попивая вино и обсуждая свои творческие проблемы — Голубев и Риньков. Один писал детективы, а другой — крутые политические триллеры в духе Роберта Ладлэма.

— Знаешь, где твое слабое место? — спрашивал Риньков — невысокий крепыш, любивший носить белые костюмы, широкополые шляпы и длинные пыльники. — Ты не насыщаешь сюжет подлинными деталями. У тебя все безликое, и текст поэтому безвкусный, пресный. В тексте должна быть фактура! Названия улиц, вывески на вокзалах, маршруты трамваев, кинотеатры, казино — все это создает колорит, Миша! Дыхание времени, понимаешь? Тогда будет настоящая, живая проза, успех!

— По-моему, дело совсем не в этом, — отвечал

долговязый Голубев, прятавший за квадратными очками выпуклые жабьи глаза, — а в эмоциональной достоверности. Меня, например, просто убивают некоторые твои фантазии. Откуда ты их только берешь?

— Какие фантазии? Нет у меня никаких фантазий. Есть художественный вымысел.

Официант принес им закуски, и они взялись за приборы, продолжая спор.

— Ничего себе — вымысел! — не сдавался Голубев. — Героя прямо в центре Москвы окружает дюжина турок с кривыми кинжалами, но тут откуда ни возьмись появляется вертолет с его верными друзьями. Герой лезет вверх, и тут один турок отстреливает веревочную лестницу из пистолета. Бедолага камнем летит вниз, но не разбивается, потому что ровнехонько под его задницей оказывается тент перед магазином. Тент пружинит, как спасательная сетка, он благополучно приземляется, вскакивает и бежит дальше.

— Ну и что?

— Ничего. Просто это нежизненно, вот и все. Несмотря на свою потрясающую фактуру, ты как барон Мюнхгаузен погряз в недостоверности. Вот мы с тобой тут сидим, пьем вино, едим пармезан с виноградом, и никто, заметь, по воздуху не летает, никакие секретные агенты.

Не успел он договорить, как вдруг увидел летящего по воздуху карлика. Карлик сделал кульбит, спланировал на ближайший тент и, поскольку был довольно легок, никакого вреда ему не причинил. Оттолкнулся от него, скатился на землю, вскочил на ноги и огляделся по сторонам. Голубев перестал жевать и замер с вилкой в руке. Над столиками пронесся изумленный

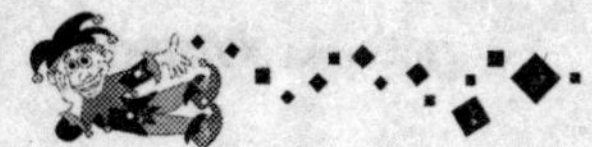

ропот. В тот же миг из-за стены вылетел сдвоенный обруч и шмякнулся на газон. Карлик подбежал к нему, схватил свою добычу, захихикал и очень быстро скрылся, смешно переставляя короткие ножки и волоча обруч за собой.

— Ну давай, давай, чего ты замолчал? — сердито спросил Риньков, закидывая в рот оливку. Он сидел спиной и ничего не видел. — Секретные агенты по воздуху не летают, верно? А если вдруг откуда-нибудь срываются, то обязательно промахиваются и ломают себе шею!

Он выплюнул косточку в тарелку и наклонился к Голубеву:

— Как это ни прискорбно, в жизни, мой друг, случается и не такое...

— Уже верю, — дрогнувшим голосом ответил тот.

В этот миг из-за забора вылетел огромный мужик с выпученными глазами и разинутым ртом и с криками: «Мать твою! Мать твою!» обрушился прямо им на голову.

— Мать твою! — вслед за ним крикнул Голубев, отшвыривая стул.

Мужик тем временем приземлился в самую середину натянутого над их столиком тента, на несколько секунд задержался наверху, провиснув, словно в гамаке, а потом начал медленно проваливаться внутрь. Материя с оглушительным треском рвалась, и в дырке появился сначала мощный зад, затем выпростались ноги, потом туловище и наконец тело рухнуло на уставленный закусками стол. Все разломало и разбило, скатилось на землю и, кряхтя, встало на ноги.

Тотчас к нему подбежал молоденький милиционер, дежуривший возле соседнего банка, которого позвал метрдотель, пытавшийся догнать карлика.

— Ваши документы! — потребовал милиционер, подступая к Медведю. Его тощенькая шейка жалобно торчала из уставного воротника.

— Я секретный агент, — сообщил тот, показав ему свое удостоверение. — И мне нужна срочная помощь.

Он наклонился и что-то горячо зашептал милиционеру на ухо. Но едва успел выпрямиться, как из-за забора вылетел сложенный батут, пущенный с завидною силой, шарахнул Медведя точнехонько по затылку, отскочил далеко в сторону и ускакал в неизвестном направлении. Словно подкошенный, секретный агент свалился на землю, закатил глаза и затих.

Оба писателя наклонились над ним с невероятно задумчивыми лицами. Милиционер между тем достал рацию и, проверив связь, сообщил:

— Сергеев? Тут у меня агент из антитеррористической группы. Он, значит, прилетел и просит помощи. Говорит, что мы должны поймать двух лысых негров на мопедах и летающего карлика. Сошел с ума? Но он совсем не похож на сумасшедшего. И документы у него есть. Откуда он взялся? Был заброшен через забор в ресторан «Клементина». Я сошел с ума? Да нет, спасибо, я хорошо себя чувствую. Нет, он не может говорить, он без сознания. Его ударило по голове такой большой круглой штукой. Не знаю... Просто с неба свалилась.

— Господь послал нам знак, — глубокомысленно

заметил Риньков, — который невозможно игнорировать.

В ответ на его слова «знак господень» открыл глаза и издал протяжный стон.

* * *

У Кудесникова не было удостоверения, благодаря которому он мог укротить шофера такси, поэтому ему достался микроавтобус.

— Если тебя остановят, — ободрила его на прощание Лайма, — мы придем на помощь. Так что рули спокойно.

И он рулил, стараясь не нарушать правила дорожного движения. Как было бы здорово всегда работать под такой «крышей». А не под той, с которой приходится иметь дело сейчас. Крыша эта, конечно, его вовсе не прикрывает, а лишь производит ежемесячный отъем денег.

В отличие от Медведя, который не прочь был пройтись по улице пешочком, Кудесников молил бога, чтобы не пришлось выходить из машины на улицу. Червецов узнает его мгновенно, стоит только кинуть взгляд в нужную сторону.

— Что, Мерс, тяжелый сегодня выдался денек! — сказал он коту просто для того, чтобы пообщаться.

Он был уверен, что мохнатое существо очень даже любит общение, хотя и не может этого подтвердить. Мерс вообще был сдержанной скотиной и даже о хозяйские ноги терся раз в год по обещанию, и то с большою неохотой. Когда, допустим, у него заканчивалась вода в миске, а Кудесников этого не замечал. Необходимо было как-то пробудить интерес к себе, напомнить о своем существовании, и он — так и быть! — изображал из себя милое животное, о котором хозяину следует позаботиться.

Когда все до одного служащие покинули рабочее помещение, Червецов лично закрыл магазин, поставил его на сигнализацию и отбыл ужинать. Ужин проходил в ресторане «Миланские встречи», куда отвратительный тип отправился сразу же, нигде не задерживаясь.

— Он будет жрать испанские деликатесы, а мы с тобой пускать слюни и нюхать резиновые покрышки, — посетовал Кудесников.

Червецов сидел в ресторане так долго, что Арсений поскучнел. Одна радость — можно было включить радио и попеть. Он всегда делал это искренне, хотя кот пения не любил и постоянно прядал ушами, как испуганный конь, если хозяин брал особенно высокие ноты.

«Ты горяча, красотка! Хо-хо! А у причала ждет паро-ход!» Кудесников протянул руку, чтобы увеличить громкость, но тут увидел Червецова, который появился на ступеньках крыльца под руку с красавицей-мулаткой.

— Хо-хо! — по инерции допел сыщик и сглотнул.

Вот это женщина! Словно вылепленная из глины и оставленная для просушки на солнце. Короткое цветастое платье почти не скрывает тела. Отлично видны накачанные икры и руки. Кожа блестит, будто бы ее натерли оливковым маслом. Вероятно, она занимается женским культуризмом. Иначе как еще объяснить происхождение всех этих барельефов у нее на теле? Высокие скулы, длинная шея, стройная

спина, крепкие ягодицы. Когда она идет, отлично видно, как они перекатываются, словно маленькие жернова.

«Может быть, бросить этого противного типа и последить за ней? — подумал Кудесников. — Червецова я потом легко отыщу. Впрочем, эти двое вполне могут остаться вместе на всю ночь». Но они не остались. Червецов подвел спутницу к красной спортивной машине и страстно поцеловал. Она улыбнулась, показав крупные зубы — такими запросто можно открывать пивные бутылки, не задумываясь о последствиях. Потом полезла в свою сумку, покопалась там и извлекла на свет божий какой-то непонятный предмет с голубым бантиком.

Кудесников сощурился, чтобы солнце не мешало ему смотреть, но оно, как назло, каплями рассыпалось по всем стеклам и витринам и отскочило от этой маленькой вещицы, подобно резиновому мячу.

Впрочем, позже Кудесникову все же удалось ее рассмотреть. Мулатка умчалась, высунув полированный локоть в окошко, а Червецов подержал ее подарок в кулаке, потом поднял к глазам, и по движению его рук сыщик наконец догадался, что это такое. Колокольчик! Такие колокольчики им дарили в школе на празднике последнего звонка. Только те были побольше размером. А этот малюсенький, как зажигалка.

Сытый Червецов не придумал ничего лучшего, как отправиться к себе. Проживал он в большом белом доме улучшенной планировки. Его машина нырнула в подземный гараж, а Кудесников остался снаружи, потому что охрана не пропустила его на стоянку. Хотя он пытался подкупить их и даже продемонстрировал свое удостоверение частного сыщика.

Впрочем, не стоило расстраиваться. У него были сегодня еще дела, о которых он вовсе не хотел рассказывать ни Лайме, ни Корнееву, ни Медведю.

Дело в том, что Кудесников постоянно держал в уме тот номер «Московского курьера», который увидел на подоконнике в кабинете Червецова. Статью, обведенную красным фломастером, обязательно нужно просмотреть. Неподалеку располагалась городская библиотека, и Кудесников после некоторых раздумий отправился туда. В конце концов, сегодня вряд ли планируется нападение Олега Ефимовича на инкассаторскую машину или снайперская стрельба с балкона по мирным гражданам. Даже если он куда-нибудь смоется, ничего криминального не случится.

Кудесников представил себе весы. На одной чаше лежала газета «Московский курьер», а на другой — Червецов, собирающийся бежать в неизвестном направлении.

Газета победила. Кудесников отправился в библиотеку, записался в читальный зал и затребовал нужный номер. К счастью, никто из посетителей ничего в этой газете не испортил. Хотя сыщик был готов к тому, что, по закону бутерброда, четвертую страницу вырвал какой-нибудь студент, чтобы завернуть в нее бутерброд. Или что на нее пролила чернила престарелая учительша, которая привыкла писать ручкой с вечным пером и не желала менять ее на более доступные шариковые. Или что какая-нибудь сумасшедшая мышь, живущая в подполе, прогрызла дырку как раз в этой самой заметке, и ему не удастся понять, о чем там идет речь. Однако все оказалось в полном порядке.

Кудесников развернул печатное издание и задумался. Подвал был отдан не одной заметке, а двум. Получается, что обе они были обведены красным фломастером — как один материал. Так какая из них имела для Червецова значение? Скорее всего, вот эта, первая. Она называлась «Фирма «Скогарев и партнеры» на грани финансовой катастрофы». В заметке сообщалось о том, что коммерческий директор фирмы по фамилии Фирсов был заподозрен в махинациях и уводе денег со счетов. Источники, близкие к прокуратуре, сообщают о том, что на Фирсова будет заведено уголовное дело. В настоящий момент он находится в розыске. И так далее, и тому подобное.

Вторая заметка называлась «Порошок забвения». Она не имела ничего общего с финансовыми аферами и шла под рубрикой «Неразгаданные загадки». Кудесников наклонился так низко, как будто запах типографской краски имел определенное значение для восприятия текста, и углубился в чтение.

«Все боятся зомби, — писал автор заметки. — Живых мертвецов, лишенных памяти и воли. Только гаитянские колдуны владеют тайными заклинаниями, которые поднимают умерших из могил. Говорят, на острове и сегодня можно встретить людей с мертвыми глазами и бессмысленными лицами. Черные маги по-прежнему совершают обряды вуду, заставляя родственников умерших трепетать от страха и караулить могилы до тех пор, пока тела их умерших близких не начнут разлагаться.

Многие исследователи пытались узнать тайну зомби, а некоторые европейские ученые проводили на острове специальные исследования. Выяснилось, что главным компонентом зелья, который используют колдуны, является яд рыбы-собаки, или тетродотоксин, смешанный с другими магическими веществами. В Японии эта рыба называется фугу. Для того чтобы приготовить такую рыбу, повар экстра-класса должен получить специальную лицензию. Ибо по своему действию яд, содержащийся в ней, в 10 раз превосходит знаменитый кураре и более чем в 400 раз — стрихнин. Яд оказывает парализующее действие на нервную систему, вмешиваясь в тонкий механизм функции клеточной мембраны, блокирует нервно-мышечные пути, оказывает прямое воздействие на гладкие мышцы сосудов и центральную нервную систему.

Загадка зомби до сих пор не раскрыта. Точно известно, что жертве подсыпают в пищу особое снадобье, так называемый порошок зомби, после чего она впадает в коматозное состояние — переживает подобие смерти. Позже черный маг совершает обряд воскрешения, и человек восстает живым из гроба, чтобы безоговорочно и навсегда подчиниться воле хозяина.

Яд тетродотоксин тщательно изучается фармакологами и токсикологами всего мира. Но пока что формула «порошка забвения» не найдена, а зомби остаются самыми загадочными и зловещими существами среди живущих на земле».

Кудесников решил не распечатывать текст, чтобы перечитать его еще раз. Достаточно того, что он запомнил. А носить с собой подобные вещи — значит, подставляться по-глупому. Итак, вопрос: быть или не быть? Говорить или не говорить Лайме Скалбе и ее команде, что ему удалось откопать? Впрочем, он и сам не знает, какая статья, собственно, заинтересовала Червецова — первая или вторая?

— Ну, что будем делать? — спросил он у Мерседеса, забираясь в микроавтобус. — Остановимся на фирме Скогарева или на зомби? Будешь делать ставки? Я ставлю на Скогарева. А ты?

Мерседес поднял плоскую морду.

— Ты уверен, что нас примут всерьез, если мы заведем разговор об оживших мертвецах?

Кот зевнул, показав острые клыки.

— Тебе все равно, хвостатая шкура! Человеческие муки тебе неведомы.

Мерседес подобрал под себя передние лапы и уютно обернулся хвостом.

* * *

...И снова пели птицы. Только летом так громко поют птицы. И почему летом такой яркий свет, прямо в глаза? Забыл шторы задернуть? Но, пардон, я кажется не дома... А где?

«Хороший вопрос, — подумал Виталий, пытаясь как можно шире открыть налитые свинцовой тяжестью веки, — и становится для меня привычным. Так где же я? В этой квартире я точно не был. Или был, но не помню, что был...»

Додумать мучительную мысль ему не дал женский плач вперемежку с истерическими выкриками. Что кричала женщина, было непонятно, но голова, которая и так разламывалась, от этого заболела сильнее.

И что еще хуже, женщина стала трясти его сначала за одно, а потом и за оба плеча. Голова моталась из стороны в сторону и, похоже, собиралась оторваться от шеи. Тогда все земные невзгоды Виталия сразу же и закончатся.

— Вы кто? — крикнул он, вырвавшись из рук мучительницы. — Вы что себе позволяете? У меня и так голова раскалывается, я вообще не пойму, что происходит, и что вы тут орете, как резаная?

Дамочка всплеснула руками и широко раскрыла рот. Постояв так немного, она рот закрыла, а руки утвердила на пояснице. Виталий тупо смотрел на эту пантомиму, ожидая, что будет дальше.

Тут дамочка громко всхлипнула и, присев на краешек дивана, где был распластан Виталий, тихо сказала:

— Коля, что с тобой? Я Даша.

Виталий напрягся, но внятно сказал:

— Дорогая моя, я рад, что вы Даша, но я-то Виталий. И вообще — где я?

«Дорогая» отрицательно замотала головой:

— Тебя привез какой-то человек, а ты бредил. Коль, я ничего не понимаю, очень боюсь, но прошу тебя — вспомни, кто ты, кто мы с тобой.

— Ну и кто, по-твоему, мы с тобой?

— Может, тебе дали по голове или опоили чем-нибудь? Или ты обкурился какой-то дряни... Но рискну тебе напомнить, что мы с тобой муж и жена, Даша и Николай Скогаревы. Уже пять лет живем в законном браке.

Неподвижно лежащий на диване мужчина хрипло попросил:

— Паспорт покажи. Мне нужно... подтверждение.

— Паспорт покажу, у меня и фотография есть наша. Только вот кошелек достану, там она у меня.

Внимательно рассмотрев паспорт Дарьи Скогаревой и особенно фотографию, где они были вместе, в свадебных нарядах, «Виталий» тяжело вздохнул и, закатив глаза, мягко свалился с дивана на пол.

За окном не пели птицы, и солнце не слепило глаз, потому что был уже вечер. Сидящий на полу и прислоненный спиной к дивану мужчина с удивлением оглядывался вокруг, пытаясь понять, что происходит. Он только что открыл глаза и подумал, что в мире что-то серьезно изменилось. Чуть поразмыслив, он вдруг понял, что изменился сам. В эту же секунду пришла острая и ясная мысль — я все знаю. Я все вспомнил!

Больше всего мужчина боялся, что это ощущение ясности вдруг куда-то испарится, исчезнет. Он болезненно застонал, отчего сидящая в кресле женщина бросилась к нему и обняла за шею.

— Коля!

— Даша!

Даша плакала, теребила его, задавала какие-то вопросы, а он уже лихорадочно соображал, сопоставлял, анализировал. И покрывался холодным потом — картинка рисовалась отвратительная.

— Ты меня так напугал — все Виталием себя называл. Что с тобой было?

— Даш, давай мы сейчас сядем нормально и все обсудим.

Они уселись в кресла друг напротив друга.

— У меня неприятности. Меня подставили по полной программе. Как этим гадам удалось — ума не приложу. В общем, пока без памяти был, я им, похоже, бизнес подарил. Собственными руками. Фирсов, сволочь, давно подбирался, не зря я хотел от него избавиться. Все сомневался — друг детства, друг детства! Да, провернули дело классно, не подкопаешься. И подпись там моя, и свидетелей куча.

— А ты уверен, что подписал передачу фирмы?

— Да больше не из-за чего было такой цирк устраивать.

— И что ты собираешься делать?

— Завтра в офис подъеду, посмотрю, что там и как, дальше — по обстановке. Но Фирсов, я уверен, уже из страны уехал.

И про себя подумал: «Не иначе с Геной в любимую Германию».

— Слушай, а как же статьи эти все...

— Господи, ты что, не знаешь, как у нас это делается? Главное — знать, кому занести, остальное дело техники. «Из источников, близких к...» Никакая прокуратура его не ищет, и дела на него наверняка нет. Липа все это. Фирсов прикарманил мои деньги. Наши деньги. И провернул аферу очень ловко. Хотелось бы мне понять технику ее исполнения.

Он грустно улыбнулся и нежно поцеловал Дашу в макушку.

* * *

— Вы обязаны хранить государственную тайну, — заявила Лайма, и у шофера такси сразу испортилось настроение.

Когда она сообщила ему, что собирается организовать с его помощью слежку, он страшно воодушевился. А вот теперь скис. Вероятно, возможность рас-

сказать своему сменщику об участии в антитеррористической операции была тем самым призом, без которого игра теряла остроту и прелесть.

Следить за продавцом-консультантом Димой оказалось просто и даже приятно. Машину он не ловил, в троллейбусы не садился, а шел себе по улице, не оглядываясь назад, и Лайма шла за ним, наслаждаясь хорошей погодой. Шофер нервными рывками перебрасывал машину от одного светофора к другому и не сводил глаз со своей пассажирки, боясь потерять ее из виду и сорвать операцию.

Сам же «объект» не внушал никаких опасений и выглядел как человек с чистой совестью. Среднего роста парень с веселыми глазами и легкой походкой любителя дискотек радовал глаз детской россыпью веснушек. В юном возрасте таких веснушчатых личностей с удовольствием снимают в кино. И никто не задается вопросом, какими они вырастают. Теперь Лайма знала, какими — вот такими.

Сначала Дима завернул в книжный магазин и появился, неся в руке тоненькую брошюрку. Потом зашел в фаст-фуд, вынес оттуда кусок пиццы и слопал его, стоя над урной. Лайма наблюдала за ним с ленивой усмешкой, как добрая нянюшка за шкодливым, но любимым «младшеньким».

Но вот Дима посмотрел на часы, высоко подняв руку, и вдруг заторопился. Его преследовательнице тоже пришлось прибавить шаг. Судя по всему, путь их лежал к любимому месту свиданий, голубиному плацдарму, Пушкинской площади. Ужели у него свидание? Лайма стала представлять, кто его подружка. То ей казалось, что это легкомысленная штучка лет семнадцати от роду, то серьезная студентка с косой и в очках.

Однако то, что она увидела, на некоторое время вовсе лишило ее дара речи. К Диме, который уселся на скамейку и читал «бегущую» рекламу, оккупировавшую верхушки близлежащих зданий, направлялась высоченная мулатка, которая выбралась из красной спортивной машины, небрежно брошенной возле «Известий». Обалдевшие служащие, намеревавшиеся получить плату за стоянку, отступили в сторону, когда красотка прошла мимо, поигрывая мускулами.

У нее действительно были мускулы! Лайма решила, что она занимается триатлоном или женской борьбой, потому что, отжимаясь от пола, такого тела не заработаешь.

Заметив Диму, мулатка замедлила шаг и пошла красиво, как будто показывала себя зрителям. Впрочем, недостатка в таковых у нее не было. Каждый мало-мальски пригодный для любви мужчина оборачивался и смотрел ей вслед. Сам же Дима заметил ее в последнюю минуту и вскочил, обронив книгу, вокруг которой сразу же заскакали воробьи в глупой надежде на то, что эта штука крошками разлетится по асфальту.

Мулатка взяла консультанта рукой за подбородок и поцеловала в губы. Поскольку она была выше его ростом, поцелуй выглядел как укус вампира. Впечатление дополняли длинные выпуклые ногти, которые красавица красила в «дьявольский красный». Вероятно, подбирала лак под цвет машины. Наверное, это новая фишка у богатых и знаменитых. Вот интересно, кто она?

Как это ни странно, но молодой менеджер не сел в ее красную машину, а остался возле памятника, хлопая глазами. Лайма так и не поняла, для чего они встречались — по-быстрому обменяться поцелуями на людях? Вместо того чтобы остаться с Димой, Лайма прыгнула в такси и велела водителю переключиться на слежку за красной машиной, потому что вовсе не собиралась упускать этот потрясающий человеческий экземпляр с глазами сирены и сильными ногами страуса.

Если бы Лайма знала, чем грозит ей это решение, она, возможно, осталась бы на площади, чтобы пройти с Димой до кинотеатра на Цветном, где крутили отечественные фильмы, которые он смотрел раз или два в неделю.

Таксист, которому пришлось ехать за гораздо более быстроходным средством передвижения, страшно напрягся и крепко ухватился за руль. Мулатка вела машину на приличной скорости, и угнаться за ней было непросто.

А потом Лайма ее потеряла. Случилось это на платной стоянке возле большого торгового центра. Мулатка заплатила деньги и получила квитанцию, проехала в дальний угол, вышла из машины и принялась копаться в сумочке. Лайма только на секунду отвела от нее глаза. А когда снова подняла их, оказалось, что ее объекта на месте нет. Она бросилась к охранникам, и те сказали, что там, в самом конце стоянки, есть подземный вход в торговый центр. И что мулатка заплатила за сутки вперед — пообещала, что заберет машину завтра вечером.

Лайма подняла голову и едва не расплакалась.

Три этажа, огромные торговые площади, где можно несколько дней бегать друг за другом. Все же она помчалась внутрь и заметалась между магазинчиками. По широким коридорам ходили нарядные женщины с дорогими сумочками и не менее дорогими лицами, аккуратно подтянутыми со всех сторон. Мулатки нигде не было. Лайма начала спрашивать тут и там, но продавщицы, которые жили в своих стеклянных коробочках, словно в мини-аквариумах, ничего не видели и не слышали. Возможно, они вообще никогда не выглядывали наружу и даже на ночь оставались тут, засыпая среди тафты и поплина.

Лайма ураганом пронеслась по первому этажу, свалив головастый манекен, облаченный в совершенно неприличное кружевное белье, и тот загрохотал по полу, вспугнув стаю черных охранников.

Второй этаж показался Лайме запруженным центром города, потому что здесь было еще больше людей, чем внизу. Покрутившись возле эскалаторов, она для очистки совести поднялась еще выше и заглянула в кафе, парикмахерскую и в туалет. Мулатки не было. Возможно, она сразу же спустилась на нулевой уровень, а потом на лифте поднялась обратно и вышла на улицу. Но это только в том случае, если подозревала о слежке и путала следы. Тогда обидно вдвойне.

Лайма вернулась в кафе и заказала чашку кофе и салат, потому что проголодалась, как зверь, а спешить совершенно неожиданно оказалось некуда. Вид из окна открывался потрясающий — вся огромная площадь перед торговым центром лежала перед ней как на ладони. А люди казались куклами, путешествующими по своему игрушечному царству. Она съела салат и уже допивала кофе, когда увидела ее.

Мулатка стояла на краю дороги совершенно неподвижно, как эбонитовая статуэтка на одной из полок в «Уютной квартирке». Мимо проносились машины, некоторые сигналили, но она не обращала на них никакого внимания и не отступала ни на шаг.

Лайма швырнула на стол деньги, оставив огромные чаевые — ей некогда было ждать, пока отсчитают сдачу. И бросилась к лестнице. Она боялась отойти от окна, чтобы не потерять мулатку снова, но другого выхода не было. Вероятно, шоколадная красавица кого-то поджидает. Кого-то на колесах, кто подберет ее и увезет в неизвестном направлении. Вырвавшись из торгового комплекса, Лайма испустила облегченный вздох — мулатка была все еще там. Такси, оставленное перед входом, уже развернулось и было готово влиться в поток транспорта. Она подергала дверцу двумя руками, но та не открывалась.

— Просыпайтесь! — закричала Лайма и забарабанила кулаком в стекло.

Шофер вскочил и вытаращил на нее глаза.

— Вы чего? — воскликнул он, разблокировав дверцы. — За нами уже гонятся?

— Никто за вами не гонится. Отставить панику.

— А у вас есть пистолет? — спросил шофер, получив задание не упустить мулатку из виду. И, главное, ту машину, в которую она сядет.

— Вы прямо как маленький! — удивилась Лайма. — Даже если и есть, что с того?

— Интересно, — пожал тот плечами.

— Надеюсь, вы не попросите его на время, чтобы развлечься и пострелять по колесам?

Шофер хохотнул и тотчас воскликнул:

— Смотрите, смотрите, она действительно садится в машину!

Как будто до сих пор не верил, что такое может произойти. Возле мулатки остановился массивный черный «Вольво», в который она скользнула так ловко, словно проходила специальные курсы скоростной посадки в машину.

— Сдается мне, что они сейчас дунут, — пробормотала Лайма. — Давайте двигайте за ними.

— Куда они дунут? — проворчал шофер. — Шоссе еле-еле идет, а они вдруг дунут!

Несмотря на его уверения, она все равно страшно волновалась, пыталась высунуться в окно, будто стекло мешало ей все как следует рассмотреть, и вообще вела себя, по мнению шофера, как все истеричные бабы. Наконец он не выдержал и спросил:

— А вы машину водите?

— Да, — с гордостью ответила она. — Меня еще бабушка научила.

— Могу себе представить, — пробормотал он. — Вы бы сейчас наверняка прыгали из ряда в ряд, как бешеный кенгуру. И вам бы кто-нибудь обязательно наподдал в задницу.

— Все приоритеты за вами, — согласилась Лайма. — Вы водите лучше.

Шофер еще некоторое время молчал, потом все-таки полюбопытствовал:

— А какая у вас машина?

Ответить Лайма не успела, потому что «Вольво»

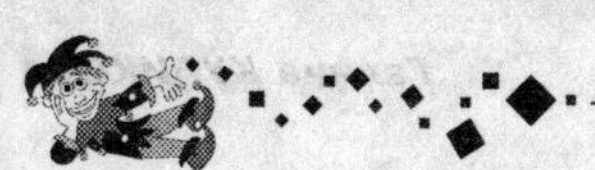

неожиданно свернул в узкий переулок, преодолел еще сотню метров и остановился перед рестораном с цветными витражами вместо стекол. Судя по всему, ресторан был дорогим. Но кавалер, который помог мулатке выбраться из машины, тоже не казался бедным. Лайма жадно его разглядывала.

Самое интересное, что она никак не могла определить его возраст. С левого боку он казался ей двадцатилетним юнцом, а с правого — тридцатилетним мужчиной. Возможно, его молодило очень гладкое лицо молочного цвета — на таких лицах обычно не растут усы, а если и растут, то такие чахлые, что их немедленно хочется выполоть.

Лайма решила, что мулатка вряд ли заметила ее на Пушкинской площади. Та ни разу не дала понять, что обратила внимание на такси, которое волоклось за ней до самого торгового центра. Кроме того, после маневра с подземным входом она могла не волноваться, что ее проследят до этого ресторана. «Полагаю, что, даже если мы столкнемся нос к носу, ничего не произойдет», — решила Лайма. Как опытный детектив, она хотела записать номер «Вольво», но, чтобы его рассмотреть, нужно было выйти из машины.

Она так и сделала, твердо решив, что пойдет вслед за парочкой в ресторан и нормально пообедает. Мулатка и ее спутник замешкались у входа, и когда Лайма приблизилась, мулатка бросила на нее косой взор. И так изумилась, что сделала шаг назад и едва не потеряла равновесие.

— Что? — сердито спросил белолицый мужчина, который вблизи выглядел все же более зрелым, чем казалось издали. — В чем дело?

И схватил мулатку за руку. Она вскрикнула. Потом пробормотала что-то неразборчивое и указала на Лайму.

Мужчина повернулся и поглядел на нее в упор — взгляд у него был острый и злой. Поглядел, дернул уголком рта и внятно сказал:

— Так пойди и убей ее.

* * *

Тагиров не верил, что проявил такую фантастическую беспечность и не оставил вообще никаких записей относительно ДЕЛА, которое они с Эллой затеяли. Пусть он не планировал, что у него отберут память. Но то, что его могут убить, должен был учитывать. Он всегда подразумевал такую возможность.

Вернувшись в свое убежище на Лиственной аллее, он тщательно обыскал комнату, но ничего не нашел. Был здесь и тайник, но в нем давно уже ничего не хранилось. Он представил себя в ситуации, когда перед началом опасной операции нужно оставить кому-то знак. Дать наводку, по какому пути идти. Возможно, он вел дневник или наговорил текст на кассету. Но под гипнозом все выболтал, и их забрали. Остается надежда на то, что он предвидел такой поворот дела и озаботился другими, не столь явными путеводными нитями.

Возможно — только возможно! — что он обращался к членам семьи. Семья у него была такая, что не соскучишься. И если обзванивать всех по очереди, уйдет уйма времени. Одним вопросом по существу тут не ограничишься, придется выслушать жизнеопи-

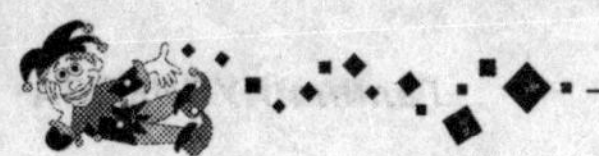

сание каждого в отдельности, а это суровое испытание.

Когда в семье Тагирова намечался какой-нибудь праздник, среди родственников начиналось бурное волнение. Вернее сказать, среди родственниц. Так уж случилось, что женская часть семьи оказалась наиболее жизнестойкой. Как умный сорняк выпивает все соки из огородного растения, так женщины вовсю пользовались силой своих мужчин. Когда соки в них кончались, они перешагивали через обескровленные тела и шли дальше, опекая и всячески поддерживая друг друга.

Тагиров понятия не имел, с какого боку подступиться к родственникам. Но тут судьба подкинула ему шанс. Неожиданно позвонил отец и сказал виноватым голосом:

— Ты не забыл, что сегодня мы празднуем бабу Шуру — девяносто два года? Как всегда, она уверяет, что день рождения у нее в последний раз и требует обязательной явки. Арина тоже хочет, чтобы ты пришел.

Тагиров ухмыльнулся. Женившись после долгих лет вдовства, отец неожиданно стал уж слишком великодушен, даже мягкотел. Новая жена вертела им, как хотела, и он получал от этого огромное удовольствие. Арина всю жизнь протрубила завучем в школе, выработала там командный голос и потрясающую привычку не реагировать на внешние раздражители. Рядом с ней можно было бурить нефтяную скважину, или колотить в медный таз, или прыгать и вопить во все горло — она оставалась абсолютно индифферентной. Арина была высокой статной брюнеткой с коротко стриженными волосами. Когда она надевала брюки, Тагиров со спины принимал ее за мужчину. Ко всему прочему, она постоянно курила вонючие сигареты и учила всех жить. Отец ее обожал.

У Арины была дочь Кира — рыжеволосая красавица тридцати лет с бюстом Мэрилин Монро и отвратительной привычкой трогать руками дружественно настроенных мужчин. Она только что «восстановилась» после развода с неудачливым архитектором и наметила найти нового мужа к Рождеству. Когда ей стало известно, что Тагиров собирается расстаться с женой, Кира решила, что это знак, и взяла сводного брата в перекрестье прицела. Она решила загнать его, словно матерая охотница отбившегося от стаи волка, а остальная свора родственниц должна была ей поспособствовать.

Кроме Арины в эту свору входили ее сестры — Карина и Марина, их дочери Валя и Галя, а также три бабки разной степени родства — Нюра, Шура и Мура. Двух собственных теток Тагирова, Анну и Марию, интеллигентнейших созданий, до кучи стали называть Аня и Маня. Во всем этом цветнике, кроме Тагирова и его отца, имелся еще только один представитель сильного пола — дед Игнат, который четверть века назад потерял память, свидетельство о рождении и паспорт. Он не знал, сколько ему лет, не получал пенсию, не состоял на учете в районной поликлинике и вообще как бы не существовал. Жил он с Шурой и Мурой на правах домашнего любимца, и его опекали не меньше, чем гордость семьи — огромную белую кошку Бригитту. У Бригитты была круглая морда размером с человеческое лицо, сторожкие

короткие уши и мясистый хвост. Хвост украшала черная кисточка — в пару черному чулку на задней лапе.

Со всей этой роскошной компанией Тагирову предстояло провести сегодняшний вечер. Несмотря на то что такое скопление родственников было ему только на руку, он страдал от перспективы высидеть весь день рождения. Так, страдая, он поехал в большой торговый центр и купил бабе Шуре немецкий пылесос с неисчислимым количеством функций и целым ящиком насадок. Шура увидела этого монстра в телевизионной рекламе и потеряла сон. Тагиров рассчитывал, что, занявшись изучением инструкции, именинница и сочувствующие ей лица надолго выпадут из обращения.

Нажав на кнопку звонка, он услышал перестук каблучков и немедленно понял, что откроет ему Кира. Так и вышло.

— Игорек приехал! — воскликнула Кира и всплеснула руками, как будто Тагиров летал на Марс и его уж точно не ждали к ужину.

Когда он поставил коробку с подарком на пол, она немедленно встала на цыпочки, обвила его шею руками и примерилась крепко поцеловать в губы, но Тагиров увернулся, и поцелуй получился смазанным и непоправимо сестринским.

«Ну ладно! — подумала Кира. — Ты у меня сегодня еще попляшешь!» А он решил про себя, что обязательно расскажет Кире про Эллу — пусть не питает напрасных надежд. Мужчина простодушно считает, что, если его, как место в трамвае, заняла какая-то женщина, другие будут чинно стоять в сторонке.

Порой он даже не догадывается, какие «битвы мамонтов» происходят у него за спиной.

Он вошел в комнату, где стоял длинный, плотно заставленный стол. Вся еда была уложена горками, потому что ее готовили много — так, чтобы оставалось на завтра, и дать с собой Игоречку, и Арине с Геничкиным отцом, и побаловать деда Игната лакомым кусочком, если он вдруг проголодается.

В то время как Тагиров переходил от одной родственницы к другой, раздавая поцелуи и комплименты, Кира тенью следовала за ним, улыбаясь во весь рот — показывала частые влажные зубки и ямочки на щеках. Ей казалось, что после жены, которая была настоящей дохлой треской, Игоречку должны импонировать веселые и жизнерадостные женщины.

В какой-то момент Киру потребовали на кухню, откуда донесся невероятный металлический грохот, как будто кто-то уронил полный комплект рыцарских доспехов. Однако не успел Тагиров облегченно вздохнуть, как им завладела Валя — женское существо невеликого роста с неисчерпаемыми запасами внутренней энергии. Она имела отличную дыхалку, которая позволяла говорить без остановки много суток подряд. Если бы незабвенный Шахрияр был знаком с Валей, Шахерезаде без сомнения отрубили бы голову.

— Игорек, у нас столько новостей! — закричала Валя. — Маня решила купить горящую путевку и поехать в Грецию, чтобы выйти замуж за грека. И хотя все эти греки ужасно носатые, многие живут очень даже ничего и имеют виллы на побережье. Вот бы и мне въехать в такую виллу и сидеть в ней безвылазно, детей рожать да вязать что-нибудь незатейливое. Кстати! Баба Нюра распустила свою старую зеленую кофту и белый Анин шарф, скомбинировала пряжу и связала тебе гетры для дачи, ей сказали, что сейчас это ужасно модно. В таких гетрах хорошо ходить в фитнес-клуб, но у тебя, по-моему, совсем нет свободного времени, хотя можно было бы купить абонемент, это дисциплинирует. Кроме того, на абонементы бывают скидки, Галя читала какой-то женский журнал, так там к рекламной страничке был прикреплен купон, она его вырвала и положила в сумочку. Она сказала, что если ты надумаешь купить абонемент, она отдаст тебе купон. Правда, он немного помялся — ты же знаешь Галю! По-моему, Колька Кочешков раздумал на ней жениться именно потому, что она такая неаккуратная, у нее вечно все мнется и портится. Хотя, по правде сказать, бывшая Колькина жена, Жанка, нашей Гале в подметки не годилась — у них в квартире была такая грязь, что там даже мыши не выдерживали. Заводились — и сразу же сбегали. А она говорила, что это ей помогают чудесные бельгийские мышепугатели — их нужно включать в розетку, и они пищат так, что мыши уносятся сломя голову. Человеческое ухо этот писк не воспринимает, зато для грызунов он — смерть. Боже! Заговорила про грызунов и вспомнила, что мне завтра к зубному врачу...

Тагиров вырвался от Вали и спрятался в ванной комнате. Потом проскользнул на лоджию, где его отец наслаждался видом из окна, потягивая сигарету. Это был высокий мужчина с хорошей осанкой, каких Мура, Шура и Нюра называют «видными». Тяжелые черты лица компенсировал добродушный взгляд.

— Что это ты такой взбудораженный? — спросил отец. Его расслабленная поза говорила о полном и абсолютном довольстве жизнью. Тагиров прислонился лбом к стеклу и издал долгий стон.

— Иногда мне чудится, что я попал в сумасшедший дом, — признался он. — Или спятил сам, потому что окружающие кажутся мне монстрами.

Отец рассмеялся и похлопал его по плечу:

— Арина сказала, будто Кира планирует выйти за тебя замуж.

— Я знаю. Она уже открыла сезон охоты.

— Охота на мужчин гуманнее, чем охота на львов — добычу принято брать живьем. — Он помолчал и с любопытством спросил: — А она тебе не нравится?

— А тебе? — задал контрвопрос Тагиров. — Только честно.

— Ну... — пожал плечами отец, выпуская дым немощной струйкой. — У нее волосы красивые.

Длинные рыжие волосы Кира считала своим украшением, ухаживала за ними с остервенением, мыла каждый день, отчего они были до невозможности пушистыми и как будто наэлектризованными. Тагиров один раз попытался проверить, не прилипают ли к ним мелкие бумажки, но Кира сочла, что он с ней заигрывает, и эксперимент пришлось прекратить.

— Па, я уже встречаюсь с женщиной, и лучше, если Арина донесет эту весть до каждого члена семьи в отдельности.

— Вон что! — Отец прищурил глаз. — А как ее зовут?

Он сразу интересовался именем, для него имя представляло первоочередной интерес, и он всегда заранее знал, понравится ему Ира, Валя, Света или нет.

— Ее зовут Элла, — с неудовольствием сказал Тагиров.

Узнав от Шелепа, что они с Эллой были влюблены друг в друга, как юнцы, он стал приучать себя к мысли, что его сердце несвободно. Кажется, Элла думала, что это стоит ему усилий, что ситуация его раздражает. Она ошибалась. Его раздражало только то, что в голове его проделали дырку, посягнув на цельность его личности.

— Послушай, отец, — начал он тот самый разговор, ради которого так надолго застрял на семейной вечеринке. — Я ничего не оставлял тебе на сохранение?

— Когда? — рассеянно спросил тот.

— Да когда угодно. Может быть, в последнее время?

— Нет, не оставлял. А что?

— Так. Не могу вспомнить, куда подевал одну вещь.

Отец обеспокоенно посмотрел на него:

— С тобой все в порядке?

И тут прямо у него за спиной раздался набрякший подозрением голос Киры:

— Ты что, решил остаться с женой?

— С чего ты взяла? — удивился он.

— У тебя было обреченное выражение лица.

Кира считала, что обреченным выражение лица у мужчины становится тогда, когда он думает о своей жене. Но, естественно, если *она* будет его женой, все изменится кардинальным образом.

— Кира, скажи, я ничего тебе не оставлял на сохранение — записную книжку или, может быть, кассету с музыкой?

— О! Ну, я бы тебе сама сказала, — ответила та, снова почувствовав почву под ногами.

В этот момент Бригитта, которая пришла проверить, как тут дела, свалилась на пол и принялась кататься по коврику, издавая протяжные вопли. Тагиров рассмеялся и потыкал в нее ногой:

— Посмотри, какая шалунья!

— Она не шалит, Игорек, — оскорбилась за кошку Кира. — Она хочет котика!

— У меня есть на примете один кот, — оживился Тагиров. — Перс. Совершенно роскошное создание размером с телевизор «Рубин». Ах, черт, кажется, он кастрированный.

Протиснушись мимо Киры, Тагиров принялся обходить родственников по одному, но все отвечали ему, что никаких вещей он им на сохранение не оставлял, никаких телефонов запомнить не велел, никаких ключей от камер хранения у них не прятал. Тагиров приуныл и уселся за стол хмурый.

После тостов, объятий, поздравлений и подарков, которыми завалили именинницу, наступил прозаический момент — обсуждали, кто будет мыть посуду и кто повезет домой пьяную Галю. Галя постоянно говорила, что ей нельзя пить, и всегда напивалась до свинячьего состояния.

— Игорек! — громоподобным голосом объявила мачеха через стол. — Тебе в сумку положили два лотка холодца и утку с яблоками.

— Господи, зачем мне утка? — испугался Тагиров. — Я в ресторане ужинаю.

— Разве в ресторане приготовят утку так, как баба Муся?! — хором возмутились все женщины сразу.

— Нет-нет, конечно... Как я мог даже предположить?.. Мусина утка — это вершина...

Он вырвался на волю с уткой и холодцом и тотчас решил отвезти все это в студию Шелепа. Элла наверняка еще не спит. Наверное, ей будет приятно, что он проявляет заботу. Каково это — узнать, что тебя любил мужчина, который теперь этого не помнит? Надо быть с ней... помягче, что ли.

Он посмотрел на часы и вздохнул. Группа «У» в полночь встречается в своей штаб-квартире. Они обсудят результаты сегодняшнего дня, а потом позвонят ему. Интересно, узнали они что-нибудь новое или нет? На всякий случай, чтобы закрыть тему окончательно, он позвонил жене. Услышав сухое «Алло!», в очередной раз удивился тому, как испортились их отношения всего за один год.

— Послушай, — сказал он, не здороваясь, потому что на его приветствия она отвечала презрительным фырканьем. — Я ни о чем не просил мне напомнить? Возможно, какую-то дату или место...

Его супруга несколько секунд медлила, потом с неудовольствием сказала:

— Это звучит так глупо! Просто какой-то кретинизм.

— Что? — насторожился Тагиров. — Что я тебе говорил?

— У тебя прогрессирующий склероз? Что ты от меня скрываешь? — спросила она тоном оскорбленного достоинства. — У тебя начинается болезнь Альцгеймера?

Господи, хоть бы она прекратила эти свои дурацкие выпады.

— Татьяна! — оборвал он резко. И спросил, отделяя слова друг от друга: — О чем я тебя просил?

Она некоторое время возмущенно дышала в трубку, потом взяла себя в руки и обычным своим обезжиренным голосом ответила:

— Ты просил найти на полке «Анну Каренину» и прочитать то, что ты написал на форзаце.

— Прочитай, пожалуйста, — попросил Тагиров, нервничая так, словно сидел в ракете, которую собираются запускать в космос.

Пока она ходила, он кусал нижнюю губу. Только бы книга никуда не делась! Он отлично помнил, где она стоит — в самой середине верхней полки. Татьяне придется влезть на стул, чтобы ее достать. Вероятно, она справилась с этим блестяще, потому что даже не запыхалась, когда ее голос снова вынырнул из трескучей пустоты:

— Я читаю, — предупредила она. — В сущности, это просто имя. Элла Виганд. И адрес. Адрес тебе тоже прочесть?

* * *

Кудесников не испытывал никаких угрызений совести по поводу того, что на весь вечер оставил владельца «Уютной квартирки» без присмотра. Не дело сыщика — сидеть в машине, зевая и почесываясь. Его дело — отыскивать факты, строить логические цепочки и связывать разорванные концы. Конечно, иногда без слежки не обойтись. Но не в этом случае. Пожалуй, если бы он не наткнулся на статью, то ос-

тался бы сторожить возле дома Червецова, размышляя о вечном. Но раз уж у него появилась зацепка, нельзя ее игнорировать. Надо идти по горячим следам.

Он решил поехать на фирму Скогарева и оглядеться на месте. Может быть, даже под вымышленным предлогом встретиться с ним самим. Неужто такой мастер импровизаций, как он, не найдет возможности выяснить хоть что-нибудь?

По дороге он заехал домой, побрился и включил компьютер. Ввел в поисковую систему название искомой фирмы. В ответ на его запрос выскочила дюжина материалов, которые он бегло просмотрел, боясь упустить время. После того как на одном деле Кудесников потерял всех свидетелей, он даже придумал себе девиз: «Не откладывай на завтра знакомство с тем, кого могут прикончить еще сегодня». Это был довольно жестокий девиз, и, кроме Мерседеса, он никому о нем не рассказывал.

Выйдя на лестничную площадку, сыщик нос к носу столкнулся с Нелли Ираклиевной, которая собиралась на прогулку в парк. Она уже знала о его отказе от роли секретарши турагентства и хотела выпытать все подробности, но Кудесников сказал, что это государственная тайна, и ей пришлось смириться. За свое посредничество она получила от него в подарок старинную книгу, о которой мечтала много лет и ради которой частенько заходила к соседу за спичками.

— А вас, Сеня, тут спрашивали! — игриво сообщила она, втаскивая его за собой в лифт и сюсюкая с котом.

— Сени в избе, Нелли Ираклиевна, — сердито ответил тот. — А я — Арсений. Кто меня спрашивал?

— Ой, какой вы! Девушка. Ее зовут Маша. Она о вас страшно беспокоилась, страшно!

Кудесников вздохнул. Беспокоящиеся женщины были его карой небесной. Чем большего они от него ожидали, тем сильнее стремились его опекать. Появление Школьниковой возле его квартиры выглядело чем-то из ряда вон выходящим. Вероятно, муж не поверил в кузена-трансвестита и устроил настоящий скандал. Как бы у них дело не дошло до развода! Арсений не желал, чтобы осколки чужого счастья с громким звоном посыпались ему на голову.

— Снова в путь? — спросил охранник, которому скучно было ходить вокруг своей будки. Чтобы скрасить будни, он приладился желать жильцам всех благ, когда они приходили, и счастливого пути, когда уходили. Многим это нравилось, и они вступали с ним в разговор. — Тогда счастливого пути! Надо же, какой у вас транспорт!

Он похлопал микроавтобус по дверце, словно старую лошадь, нуждающуюся в ободрении. Именно его присутствие защитило Кудесникова от нападения в тот самый момент. Да еще Нелли Ираклиевна, которая все никак не хотела с ним расставаться. Он елееле вырвался из ее цепких лапок, и когда выруливал со стоянки, она все махала ему вслед.

Офис фирмы, во главе которой стоял Скогарев, находился, как выяснилось, в том же самом районе, где проживал сыщик. Радостный, что все так хорошо складывается, Арсений включил музыку погромче и, по традиции, принялся подпевать. Конечно, он мог проездить впустую, потому что рабочий день давно закончился. Однако предположил, что хозяин фирмы,

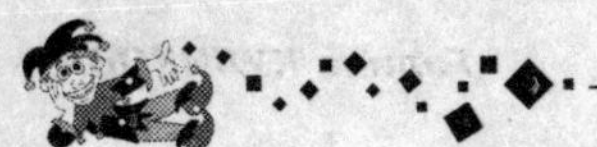

которая терпит финансовые убытки по вине одного из служащих высшего звена, наверняка задерживается в офисе допоздна, пытаясь разрулить ситуацию и вывести свой корабль из зоны рифов.

По старой сыщицкой привычке он постоянно смотрел в зеркальце заднего вида, проверяя, не тащится ли кто-нибудь следом. Вдруг ему показалось, что он видит одну и ту же машину, которая выныривает то впереди, то сзади, но не отстает. Тогда он резко свернул в переулок, и когда подозрительный автомобиль потерялся, облегченно вздохнул.

Ему и в голову не могло прийти, что его преследует не одна машина, а целых три.

Фирма Скогарева помещалась в старом особнячке, который был старательно отреставрирован, выкрашен в пастельный розовый цвет, оттененный белой лепниной, и сильно напоминал кусок свадебного торта с кремовыми розочками.

На стоянке еще оставались машины, и Кудесников понадеялся, что ему повезет.

Он вышел из микроавтобуса и вывел кота, которому уже давно следовало размять лапы. Больше всего Арсений боялся, что кот сдохнет от ожирения, и старался держать его в тонусе.

За высокими стеклянными дверями, которые гостеприимно разъехались перед гостем, обнаружилась длинная конторка. За ней сидела девушка с делано приветливым лицом. Поблизости прохаживался обязательный охранник, заложив руки за спину. Завидев человека с большим лохматым котом, оба как по команде повернули головы.

— Могу я узнать, Николай Петрович еще не уехал? — спросил Кудесников с деловым видом.

— Уехал, — ответила девушка. — Вы опоздали всего минут на пятнадцать.

— Ах, черт! — расстроился сыщик. — Надо же, как не повезло!

— Приходите завтра с утра, — посоветовала она, с тревогой наблюдая за автомобилями, которые один за другим въезжали на стоянку. Автомобили были длинными и дорогими, с темными стеклами. Замурованных в них пассажиров не было видно.

Кудесников решил позвонить директору «Уютной квартирки», чтобы выяснить, дома ли он. Может быть, имеет смысл вернуться обратно? Однако телефон из присланной Тагировым справки он не переписал. Чтобы его узнать, надо было позвонить Корнееву. Если он в бегах, то не ответит, а если просто сидит и кукует в машине, от него не убудет.

Он похлопал себя по карманам, но мобильного не обнаружил. Вероятно, оставил его на приборной доске вместе с солнечными очками — дурацкая привычка, которая не раз выходила ему боком.

— А можно я от вас позвоню? — спросил он девушку, поддавшись глупому порыву.

Ему не нравилось, что она не обращает на него внимания. Даже кот не вызвал у нее особых эмоций. Захотелось немедленно обаять эту маленькую надменную штучку, чтобы выйти из офиса гоголем. Кроме того, если завтра придется пробиваться к Скогареву, лучше, чтобы здесь у него оставались сторонники.

— Позвоните, — разрешила девушка, с большой, правда, неохотой.

Кудесников набрал номер Корнеева, но тот не ответил. Придется возвращаться к дому Червецова и сидеть там — скучное занятие.

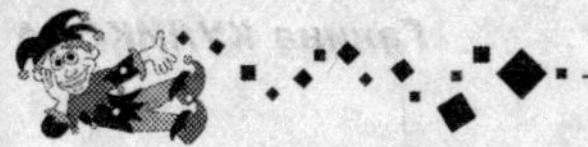

Охранник тем временем подошел совсем близко и сложил руки перед грудью. Флиртовать в такой компании было неловко, и Арсений ретировался. Выкатившись на улицу, он сразу заметил, что машин на стоянке стало больше, и хотел уже было рвануть назад. Но не успел. Из ближайшего длинного авто выскочили два мужика в темных очках, вырвали у него из рук кота и забросили на заднее сиденье машины. Кудесников отправился вслед за своим любимцем с той же скоростью. Он, конечно, сопротивлялся и даже пытался применить те два приема самообороны, которые получались у него лучше всего, но ему не дали такой возможности.

Служащая за конторкой и охранник видели все через стекло. Когда все три автомобиля выехали со стоянки, девушка потянулась к телефону, но охранник схватил ее за руку.

— Обожди, Надя, — попросил он. — Давай сначала подумаем, надо ли нам сюда милицию сейчас вызывать. Здесь и так черт-те что. Это же не наш сотрудник, верно?

— Верно, — согласилась та. — Но все-таки... Человека же украли! И прямо с котом.

— Может, он бандит какой-нибудь. Я, например, не хочу связываться с бандитами. А ты меня сейчас прямо в свидетели запишешь.

Надя ничего не сказала и руку от телефона убрала. Но когда охранник ушел в туалет, повторила звонок, который сделал Кудесников перед тем, как его схватили неизвестные. Хотя бы не в милицию, а его друзьям или родственникам надо же сообщить, подумала она. Однако на звонок опять никто не ответил, и тогда Надя записала номер на бумажку.

Возвратившись домой, она еще несколько раз пыталась дозвониться до абонента, но безрезультатно. Однако продолжала упорствовать и даже не хотела ложиться спать, покуда не выполнит свой если уж не гражданский, то просто человеческий долг. Наконец в час ночи ее попытки увенчались успехом.

— Алло, — на том конце провода возник мужской голос. — Я вас внимательно слушаю.

Надя, обомлевшая от приятного тембра и мягких интонаций, шепотом сказала:

— Это анонимный звонок. Вы знаете мужчину с котом?

— Да, — коротко ответили ей. — Он мой друг.

— Так вот, его сегодня вечером похитили неизвестные. Ваш друг выходил из офиса фирмы «Скогарев и партнеры». Его схватили, бросили в три машины и увезли.

— Расчленив прямо на месте? — мрачно поинтересовался Корнеев. — Как это его бросили сразу в три машины?

— Бросили в одну, но их было три, — быстро пояснила Надя.

— Кота тоже забрали?

— Тоже.

— А вы кто? — дозрел наконец Евгений.

— Я же сказала: это анонимный звонок. — И она осторожно положила трубку на аппарат.

Озадаченный Корнеев некоторое время слушал короткие гудки, потом заметил, ни к кому не обращаясь:

— После того, что со мной сегодня случилось, я не удивлен. Нет, ни капельки не удивлен.

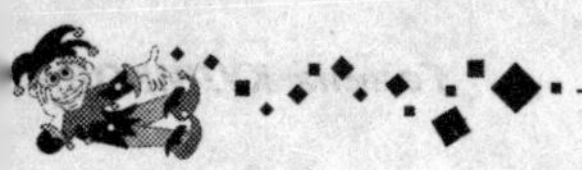

* * *

Случилось же с ним сегодня нечто пренеприятное. Когда распределяли обязанности возле магазина «Уютная квартирка», ему поручили следить за главбухом Максимом Разгуляевым. Корнееву этот Разгуляев с первого взгляда ужасно не понравился. «Точно бандит», — решил Евгений и приготовился к серьезным испытаниям. Однако главбух его надежд поначалу не оправдал. Неспешно поужинал в трактире на Тверской, потом заехал в винный бутик и минут сорок проторчал внутри. Вышел с единственной бутылкой вина, держа ее нежно, как ребенка, завернул в куртку и положил на заднее сиденье.

Самое время было ехать домой, однако Разгуляев вместо этого отправился в кино. Корнееву пришлось подойти к кассе прямо вслед за ним, чтобы услышать, на какой ряд куплен билет, и попросить место поблизости. Фильм назывался «Могила твоей тети», и Корнеев сначала подумал, что это кинокомедия. Не тут-то было. Кино оказалось мрачным и омерзительно кровавым. Диалоги практически отсутствовали, потому что герои почти все время визжали от страха. Сюжет впечатлял. Две молодые девицы приехали на каникулы к тете и довольно быстро сообразили, что она ведьма. Тогда милые девочки задушили ее и закопали в саду. Но тетю было не так-то просто одолеть! Она обладала невероятной силой. И всякая вещь или тварь, попавшая на ее могилку, превращалась в монстра, который начинал охоту за племянницами.

Корнеев сразу понял, что видение полевой мыши, разросшейся до размеров бронтозавра и откусившей голову одной из сестер, будет еще долго его преследовать. Он попробовал не смотреть на экран, но быстро понял, что в противном случае захочет спать и запросто упустит объект.

Когда преследуемый и преследователь друг за другом вышли из кинотеатра, на улице стемнело, и город запылал огнями. Огней было так много, как будто кто-то швырял их сверху горстями, и они раскатывались по улицам, повисая на деревьях и устилая крыши. Было тепло — последние сладостные летние дни не рискнул испортить ни дождь, ни ветер. Уж теперь-то этот любитель ужастиков отправится баиньки! Вероятно, перед сном ему нужно было удовлетворить инстинкт убийцы.

Разгуляев с места в карьер взял хорошую скорость и помчался в сторону Ленинградского проспекта. Проскочил его, вырвался на Волоколамку и встал в средний ряд. Корнеев, опасавшийся потерять объект, облегченно вздохнул и принялся гадать, где живет этот тип. На «Щукинской»? Но «Щукинскую» они проскочили. Оказалось, Разгуляев едет в Тушино. Недалеко от станции метро он свернул в переулок и затормозил перед мрачным заведением, которое называлось ни больше ни меньше как «Мандрагора». Это был отдельно стоящий дом в один этаж с рифленой крышей и широкой дверью, в которую при желании можно было загнать трейлер. Вывеска пылала, словно адское пламя.

Корнеев поставил машину неподалеку от бара, открыл ноутбук и вошел в Сеть. «Мандрагора, — прочитал он, — атрибут волшебницы Цирцеи, которая превращала людей в свиней».

— Хорошая аллегория, — пробормотал он. — Зайдешь сюда человеком, а выйдешь пьяной свиньей.

Дальше было еще интереснее. «Мандрагора во времена Средневековья упоминается как растение ведьм, которое они используют при отправке на шабаш, а также, чтобы сводить людей с ума. Со временем мандрагора сделалась символом всяческого колдовства, особенно колдовского очарования женщины — прекрасной и манящей, но вместе с тем чудовищно опасной. Немецкое название мандрагоры «альраун» происходит от арабского «иабрунен» и означает как растение, так и маленькое фантастическое существо — карлика, эльфа или домового».

— Карлика? — удивленно переспросил Корнеев сам себя. — Не нравится мне это. Может быть, карлик у них главный гад?

Неожиданно он почувствовал себя абсолютно беззащитным и поежился. Давненько он не вспоминал, что его место в аналитическом отделе, что он не приспособлен для «полевых испытаний» и может ни за что ни про что лишиться головы. Правда, у него был пистолет... Но у бандитов тоже наверняка были пистолеты. С другой стороны, бандиты понятия о нем не имеют. Он даже не заходил в «Уютную квартирку», и его лицо никому из них не знакомо, в том числе и Разгуляеву. Так идти за ним в эту «Мандрагору» или нет?

Идти не хотелось. Но ведь его послали следить за главбухом как раз с целью установить его связи. Вдруг он в этом баре с кем-то встречается?

Корнеев вздохнул, разгладил кончиком пальца усы и выложил из карманов документы и мобильник, положив их в «бардачок». Тоже не лучший выход, надо заметить, но времени на игру в прятки у него не было. Потом засунул пистолет под рубашку, за пояс штанов. Стрелять он умел, но тренировался в тире, в спокойной обстановке, и опасался, что если его по-настоящему испугать, он примется палить в кого попало. Значит, оружие можно применить лишь в самом крайнем случае.

Вышел из машины и подсунул ключ под колесо с внутренней стороны. Перекрестился и подошел к двери. Вывеска горела так ярко, что окрасила всего его в алый цвет, он усмехнулся, протянул красную руку и повернул ручку. На него мгновенно обрушилась духота. Пропитанный потом и сигаретным дымом воздух можно было резать ножом. Музыка гремела так, что Корнеев мгновенно завибрировал. Бар был набит битком. Ничего подозрительного или опасного — полно женщин, причем довольно приличных. Именно по внешнему виду женщин Корнеев привык определять класс заведения.

— Есть свободные места? — спросил он спину официанта, проскользнувшего мимо него бесплотной тенью.

— Свободные места есть, — пророкотал некто позади него. — У нас полно свободных мест.

Голос был такой глубокий, такой низкий, что будь Евгений котом Кудесникова, у него на загривке непременно шерсть встала бы дыбом. Медленно повернувшись, он уткнулся взглядом в чью-то накрахмаленную грудь. Поднял глаза и сглотнул. Перед ним стоял огромный негр размером в полтора Медведя.

— Проходите, — предложил негр. Лицо его лоснилось от пота, а темные губы растрескались от жары. — Вам здесь понравится.

Слова, сопровождаемые улыбкой, прозвучали зловеще. Или просто ему так показалось? Однако Корнеев ничем не выдал своего волнения и вальяжной походкой направился к свободному столику. Как обычно, его появление не осталось не замеченным противоположным полом. Брюнет в испанском стиле, стройный и мускулистый, как тореро, с глазами греческого бога любви и с ниточкой усов, которые подчеркивали красоту губ, он шествовал со спокойным достоинством, словно звезда кино по красной ковровой дорожке. Не хватало лишь улюлюканья толпы и вспышек камер. Впрочем, если бы он попросил, все женщины в зале разразились бы приветственными криками. Женщины всегда были воском в его руках.

Разгуляев стоял возле барной стойки с каменной спиной. Мимо него постоянно кто-то протискивался, его толкали, но он никак не реагировал. Корнеев чувствовал его страшное напряжение, потому что сам испытывал такое же. В какой-то момент главбух обернулся, и они встретились глазами. Корнеев соорудил на лице легкую улыбочку и отвернулся.

Однако к свободному столику, на который он нацелился, ему подойти не дали. Два вышибалы с любезными улыбками взяли его в «коробочку» и, подталкивая кулаками, легко и быстро впихнули в дверь справа от стойки.

— Что происходит?! — возмутился Корнеев, когда у него отняли пистолет и заломили правую руку за спину. — Я зашел выпить! Я клиент! В вашем Тушине уже и выпить нельзя?!

Громилы молча затолкали его в ближайшую комнату. Лязгнул замок. Судя по звуку, он был гигантским, словно дверь запирали металлическим прутом. Абсолютная темнота обрушилась со всех сторон. Темнота и холод.

— В холодильник меня, что ли, посадили? — вслух подумал Корнеев, расстроившийся из-за того, что его так быстро разлучили с пистолетом.

Нашарив в кармане зажигалку, он высек огонек и поводил рукой вокруг себя. Сразу увидел выключатель возле двери и зажег свет. Вспыхнула тусклая лампа под потолком, осветив длинный стол с обработанной свиной тушей и лотками, наполненными кусками окорока и потрохов. Вероятно, здесь разделывали мясо, прежде чем передавать его на кухню повару. Корнеев заметил и окошко с прилавком, через которое осуществлялась подача. Оно было закрыто металлической пластиной. Он бросился туда и стал царапать пластину ногтями, но открыть проем не получалось. Тогда он достал из кармана ручку и обтыкал ею щелки со всех сторон. Щелки не расширялись. Корнеев почесал затылок, разбежался, в последний момент вскинул ногу и каблуком ударил в окошко. Окошко даже не дрогнуло, зато сам он отлетел назад и чуть не убился. Поднялся, потирая бок, и сказал с сожалением:

— Да, я не Джеймс Бонд. Я неподготовленный. — Подумал и добавил: — Я неподготовленный, но умный и довольно сильный.

Подошел к мясным лоткам и внимательно их осмотрел. Потом принюхался и, ведя носом вдоль стола, радостно воскликнул:

— Печень! Это именно то, что мне нужно. Иди сюда, дорогая печень, будем спасать меня от лютой смерти.

Примерно через четверть часа за ним пришли. Судя по голосам, несколько человек.

— С чего вы взяли, что этот тип следил за Максом? — спросил один голос.

— А он вошел в бар сразу после него.

«Ах я, дурак! — подумал Корнеев. — Вперед мне наука. Если у меня еще что-то будет впереди, естественно...» На самом деле он отчего-то не верил, что его могут убить. Но в том, что побьют, и побьют сильно, даже не сомневался. Сжал пальцы, которые привыкли порхать над клавиатурой компьютера, и решил, что кулаки получились довольно приличные. «Надо будет попросить Ивана научить меня драться, — решил он. — Не делать подсечки и обманные движения туловищем, а именно бить в рожу».

— Мы его подержим, босс, — предложил третий голос, — а ты с ним поговоришь по душам.

— Поговорю, поговорю, — пророкотал знакомый бас, и гигантский негр первым ступил в подсобку.

Один из его людей хлопнул по выключателю, и глазам их предстал окровавленный Корнеев, валяющийся на полу. Несколько пуговиц на рубашке были расстегнуты, и оттуда вылезали внутренности. Глаза он закатил, и под веками была видна белая полоска. Лицо походило на кровавое месиво.

— Кто?! — заревел негр таким ужасным голосом, что его люди брызнули вон из комнаты. — Кто распускал руки?!

Корнеев услышал, что кого-то вырвало в коридоре. Ну еще бы! Свиная печень воняет отвратительно.

— Тащите его отсюда! — раздался приказ. — Заверните во что-нибудь и вынесите во двор. И скажите Витьку, чтобы подогнал грузовик и увез его подальше. Бросьте на дороге, чтобы кто-нибудь подобрал. Не нужно, чтобы человек, побывавший вечером в моем баре, отбросил копыта. Когда я сказал, что с ним нужно разобраться, я не *это* имел в виду, болваны!

— А он что, жив? — спросил дрогнувший голос.

— Жив. Я вижу, что он дышит.

«Конечно, я дышу, скотина ты эдакая», — подумал Корнеев, которого уже схватили под мышки, предварительно набросив на него кусок брезента. Глупые бандосы вынесли его из холодильника вперед ногами и потащили по коридору. Но тут раздались торопливые шаги, и кто-то запыхавшийся доложил:

— Во дворе молодняк из местных. Надо сначала их спровадить, а потом уж выносить его.

— Тащить его обратно?

— Да нет, забросьте пока сюда.

Его действительно куда-то забросили и закрыли на замок в два оборота. Когда Корнеев высунулся из-под брезента, то увидел небольшую комнатку с канцелярским столом. Здесь никого не было, однако на столе стоял компьютер с горящим монитором, на экране которого висела какая-то табличка.

Ведомый неодолимой силой, Корнеев выполз из-под своего савана, поднялся на ноги и подошел поближе. Он решил, что услышит, когда за ним придут, и успеет нырнуть обратно. Не замечая того, что пач-

кает все вокруг себя кровью и свиными потрохами, он уселся на вертящийся стул и потянулся к мышке.

Кабинет принадлежал Марье Васильевне Линюшкиной, которая отлучалась на кухню. Заканчивалась ее смена, и ей хотелось взять домой что-нибудь вкусненькое. У поваров всегда оставались пирожные, или кусочки торта, или деликатесная колбаска, которой они охотно оделяли сотрудников. Марья Васильевна дернула свою дверь, но она не подалась. Она покрутила ручку и постучала носком ноги по дереву и на всякий случай крикнула:

— Эй! Есть кто-нибудь?

Никто не отозвался, и тогда она, чертыхаясь и придерживая подбородком пакет, полезла в узенький кармашек кофточки за ключом, решив, что кто-то из материальщиков запер кабинет ключом со своей связки. Замок щелкнул, Марья Васильевна пхнула дверь коленкой и шагнула внутрь. И тут увидела такое, отчего ее бедное сердце сделало кульбит и шлепнулось прямо в пятки.

За ее столом сидел окровавленный человек. Кожи на лице практически не было, мясо отслаивалось и кусками свисало вниз. Из рубашки, расстегнутой на животе, лезли внутренности. Однако этот монстр не валялся на полу без признаков жизни, а сидел и печатал на компьютере. Клавиатура тоже оказалась залита кровью, и куски плоти лежали повсюду вокруг стула. Охватив всю эту кошмарную картину одним взглядом, Марья Васильевна разинула рот и завопила так, что перекрыла музыку в зале. Гланды вибрировали в ее разверстой глотке, как два флажка на ветру.

Поскольку монстр не реагировал, Марья Васильевна присела и, продолжая голосить, швырнула в него пакет с пирожными. Пакет отскочил и упал на пол, а монстр вздрогнул и повернул голову. Взгляд у него был изумленный. Потом он встал и сделал шаг вперед. Несмотря на то что у него были явно мирные намерения, Марья Васильевна не выдержала потрясения и упала в обморок. Тем временем на ее крик уже бежали люди, но, увидев окровавленного Корнеева, который перепрыгнул через их служащую и растопырился в коридоре, они тоже завизжали и поскакали обратно, как смятая противником конница.

И тут из двери, ведущей в бар, появился сам Разгуляев. Корнеев повернулся к нему и с надрывом спросил:

— Что я тебе сделал, мужик?

Главбух икнул и попятился, а Корнеев пошел за ним, вытянув руки вперед. Друг за другом они вывалились в зал и опрокинули столик. В тот же миг вокруг поднялась такая паника, как будто бар находился на борту «Титаника» и рулевой увидел айсберг.

— Убивают! — кричала какая-то женщина. — Милиция!

Корнеев пригнулся и быстренько добрался до выхода. Перед дверью стоял пьяный и никого не пускал.

— Кто это тебя так... распотрошил? — с трудом ворочая языком, спросил он.

Корнеев нырнул под его локоть, боднул дверь головой и очутился на улице. Вслед за ним из бара вывалилась целая куча посетителей. Они разбегались в разные стороны, прикрывая головы руками, будто боялись попасть под обстрел. Евгений тоже побежал, нырнул под машину, достал ключи и через минуту уже сидел за рулем. Поскольку за ним никто не гнался, а в салоне была страшная духота, протянул руку и приспустил стекло. В ту же самую минуту возле него возникла широкая, как блин, физиономия негра.

— Что, — спросил он шероховатым басом, — испугался? Ничего, спи спокойно, ты скоро все забудешь... — И он беззвучно захохотал. Евгений содрогнулся и нажал на газ.

— Ты все забудешь! — еще раз крикнул негр ему вслед, и его белоснежная улыбка исчезла, проглоченная темнотой.

* * *

— Убей ее! — приказал мужчина.

Мулатка медлила всего лишь секунду. Лайма увидела, как глаза ее наливаются решимостью, а тело группируется для прыжка. Несмотря на то что платье было не слишком откровенным, казалось, что мулатка голая — таким рельефным выглядело ее тело.

Смерть взглянула Лайме в лицо глазами цвета какао. Она поняла, что это не шутка: наступил тот самый миг, когда решается самый главный вопрос — ты или твой враг. Никаких приемов самообороны она не знала, однако вспомнила Кудесникова, который рассказывал, что в трудные моменты его кот ложится на спину и дерется сильными задними лапами. Ей потребовалась доля секунды на то, чтобы принять решение.

И когда мулатка прыгнула, Лайма повалилась на землю и задрала ноги, приняв ее тело на подошвы. Мулатка откатилась назад, а шофер такси, вместо того чтобы прийти на помощь, погнал машину задним ходом к выезду из переулка.

Белолицый стоял и смотрел, как Лайма поднимается на ноги. Он был уверен, что мулатка победит. «Интересно, как она собирается меня убить? — промелькнуло у Лаймы в голове. — Вырвет сердце голыми руками?» Судя по выражению лица, та была на это способна. Надежда, что кто-то выйдет из ресторана и вмешается, появилась и исчезла. Лайма поняла, что от смерти можно только убежать. Развернулась и что есть силы дунула вслед за такси.

Она никогда не отличалась хорошей физической подготовкой и даже в школе не получала грамот за участие в спортивных соревнованиях. Ее мог спасти только адреналин, и организм в избытке выбросил его в кровь. Вот когда пригодилась удобная обувь!

Лайма дернула так, что стены домов слились в одну сплошную ленту, превратившись в тоннель. Впереди виднелся колодец света — то ли лазейка на свободу, то ли люк в чистилище. Она слышала топот за своей спиной и слышала тяжкое дыхание убийцы.

Такси стояло возле тротуара с распахнутой передней дверцей. Но Лайма понимала, что просто не успеет сесть и захлопнуть ее за собой — преследовательница была слишком близко, она не даст ей ни секунды. И тогда Лайма бросилась через дорогу, прямо под колеса бегущих машин. Раздался визг тормозов, крики, ругань, снова визг, затем она услышала короткий удар, но не оглянулась, а продолжала спасаться. И лишь когда очутилась на другой стороне улицы, взглянула назад. Мулатка была в двух вытянутых руках от нее, и у Лаймы сжалось горло от страха. Она полетела по тротуару, а мысли ее бежали впереди, пытаясь нырнуть то в магазин, то в прачечную, но все, что ни попадалось на пути, казалось западней, ловушкой. Разве можно убить человека среди бела дня прямо в центре города, рассчитывая скрыться? Мулатка, вероятно, полагала, что можно, и неслась, как бронепоезд.

«Она не отстанет», — поняла Лайма, отчаянно надеясь, что впереди, на большом перекрестке, окажется милиционер и ее преследовательница не решится у него на глазах совершить преступление. Однако милиционера не было, и ни одной патрульной машины не попадалось навстречу.

Добежав до перекрестка, Лайма нырнула в подземный переход, и здесь преследовательница ее все-таки нагнала. Схватила за шиворот и рванула на себя. Лайма пролетела несколько метров и всем телом стукнулась о стеклянную стену магазинчика, торгующего бижутерией. Все сережки и подвески, выложенные на витрине, вздрогнули разом и задрожали, как будто с новогодней елки осыпались все стекляшки. Продавщица закричала, но потом увидела надвигающуюся мулатку и замерла с открытым ртом. Та набросилась на Лайму, прижала ее к стеклу и сомкнула шоколадные пальцы на ее шее.

— Помогите! — захрипела та. — Вызовите милицию!

Народ вокруг громко возмущался, кто-то и в самом деле принялся звонить в милицию, а несколько мужчин, увидев, что глаза жертвы вылезают из орбит, бросились на помощь и схватили страшную женщину за руки. Благодаря их усилиям Лайме удалось вырваться. Держась за горло и кашляя, она похромала дальше, понимая, что это может быть только передышка.

Так и получилось. Сзади она услышала короткие

удары — хрясть! хрясть! И топот возобновился. Тем временем они снова очутились на улице, впереди была эстакада — длинная, как марафонская дистанция. Лайма видела, как мелькают ее собственные ноги, и понимала, что сейчас упадет. В боку кололо так сильно, словно она проглотила ножницы. Краем глаза заметила, как из-под моста выезжает грузовик, нагруженный большими белыми пакетами. Поскольку там, внизу, движение было плотным, машины ехали медленно. Лайма решила, что сейчас она или умрет, или отринет страх и прыгнет на эти пакеты. «Если в кузове цемент или стройматериалы, я погибла», — подумала она. У нее не было даже нескольких секунд на раздумье — грузовик уже появился почти целиком. Она оглянулась в последний раз, увидела несущуюся вихрем мулатку, подбежала к ограждению, встала на него и, визжа, как трепетная девушка, отправившаяся купаться в компании молодых людей, полетела вниз.

Огромные пакеты оказались блоками, сложенными из бумажных полотенец. Она приземлилась в самом конце грузовика. Еще пара секунд — и ее размазало бы об асфальт, а едущие позади машины докончили бы дело. Лайма перекатилась на спину, хватая ртом воздух, который казался колючим и драл гортань. Наверху, на фоне серого неба, прорисовывался черный силуэт с круглой шапкой волос. Грузовик дернулся, и силуэт начал медленно уменьшаться. И вот тут-то Лайма поняла, как ей на самом деле, оказывается, плохо. Дыхание никак не желало восстанавливаться, в боку по-прежнему сидели ножницы, а из воспаленных глаз текли слезы. Вдобавок ко

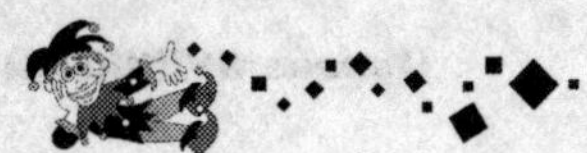

всему нижняя губа лопнула и кровоточила, а шея болела так, словно на нее надевали раскаленный обруч. В груди стоял спазм, который она не могла ни выплакать, ни проглотить.

Она все еще лежала на спине, когда резво ехавший грузовик побежал медленнее, еще медленнее, а потом остановился вовсе. За ним приткнулся пикап, который Лайма не видела. Она вообще ничего не видела, кроме неба, повисшего на проводах. Пикап постоянно болтался поблизости, и его водитель подавал шоферу грузовика знаки, строил рожи и махал рукой. Услышав короткие сигналы, тот наконец сообразил, что с его машиной что-то не то, и причалил к тротуару.

Хлопнула дверца, и гортанный голос завопил:

— Чего там у меня?

— Тебе в кузов с эстакады свалилась женщина! — крикнул голос помоложе, стараясь перекричать рев дорожного движения.

— Иди ты!

— Нет, уж ты сам иди и посмотри.

— И где она?

— В кузове, ясное дело. Я все время сзади ехал, она точно не выпрыгивала.

— А если она мертвая? — похоронным голосом спросил водитель грузовика, который ненавидел дорожные происшествия, особенно когда ехал с грузом. Он работал на крупную зарубежную компанию, и ему было невыгодно попадать в истории.

— А везешь чего?

— Бумажные полотенца, слава тебе господи.

— Ну, значит, живая.

— Может, ее сразу мертвую бросили, — продолжал бояться шофер грузовика.

— Не, я слышал, как она орала.

Что-то лязгнуло, и в поле зрения Лаймы появились две головы. Она сглотнула и попыталась что-то сказать, но мулатка хорошо над ней поработала, и из горла вырвался только жалкий писк. Наконец оба мужика влезли в кузов. Лица у них были встревоженные, и оттого, что за нее кто-то стал вдруг волноваться, Лайма почувствовала такую страшную благодарность, что не сдержалась и заплакала. Тот самый кол, который стоял в груди, выскочил наружу, она издала басистый всхлип и затряслась от долго сдерживаемых слез.

Мужики подползли к ней на коленках, потому что ходить по качающимся тюкам было неудобно, и тот, что помоложе, спросил:

— Вы случайно упали? Это несчастный случай?

Лайма отчаянно замотала головой. Из нижней губы продолжала течь кровь, и она чувствовала ее соленый вкус.

— Надо мне заехать на стоянку и позвонить в милицию, — решительно сказал шофер.

Лайма страшно испугалась. Она предполагала, что мулатка могла запомнить номер грузовика и отправиться в погоню. Она хотела сказать: «Не надо останавливаться. Поедем сразу в милицию». Но спазмы и боль в горле мешали ей говорить, и получилось у нее совсем не то, на что она рассчитывала:

— Не надо... в милицию.

— А что же мне прикажете с вами делать? — завопил шофер, у которого на нервной почве заболел желудок. Старый гастрит неожиданно ожил и начал потихоньку грызть его изнутри.

— Давайте посмотрим, есть ли у нее что-нибудь при себе, — предложил молодой.

Поскольку сумочка Лаймы осталась в такси, при себе у нее ничего не оказалось, кроме визитки Репьева, которая затерялась в кармане.

— О! — воскликнул шофер пикапа. — Сейчас я звякну этому мужику, может, он ее знакомый. — Он повернулся к Лайме и повторил: — Это ваш знакомый?

Представив, что шофер позвонит Репьеву, Лайма зарыдала еще пуще.

— Если договоримся, я вас к нему отвезу.

* * *

Тагиров представил себе, как он придет в студию Шелепа, сядет напротив Эллы и скажет:

— Тебя зовут Элла Виганд. Твой муж — барон Фридрих Виганд, у вас двое детей, замок в Бургундии и загородный дом на побережье Тихого океана.

На самом деле он понятия не имел, кто ее муж. Он еще только ехал по адресу, который прочитала жена по телефону, и страшно нервничал. Появляться там самому было опасно. Следовало бы перепоручить дело членам группы «У», но все они были сейчас заняты, а ждать до завтра у Тагирова не было сил. Он не мог сказать, что Элла лишила его сна, но мысль о том, что она в один прекрасный день исчезнет из его жизни, сидела в нем, словно гвоздь в ботинке. Возможно прежде, когда она помнила, что любит его, она готова была бросить гипотетического барона. Но что будет теперь?

Дом оказался большим и, как и ожидал Тагиров, с дорогими квартирами. Он и так знал, что муж Эллы если и не богат, то находится на пути к богатству. О чем он думал, когда целовался с ней? Он остановил машину подальше от входа, и к нему тотчас подошел знакомый курьер. Тагиров опустил стекло, и курьер подал ему конверт — ответ на срочный запрос. Конверт оказался неожиданно пухлым, и это было плохим знаком. Вероятно, что-то с этим Вигандом не так, иначе никакого досье на него бы не собрали.

Он разорвал конверт и вытряхнул содержимое на колени. Развернул лист и присвистнул. Виганда звали не Фридрихом, а Карлом. И полгода назад его убили. Застрелили возле офиса, несмотря на наличие двух телохранителей. Значит, Элла — вдова.

Он быстро просмотрел остальные документы. Никаких детей, надо же. Вернулся к началу и стал читать внимательнее. Все как всегда. Убийство заказное, убийца не пойман. Виганд — совладелец фирмы «Энерджин» по производству средств для похудания. После его смерти фирмой управляет компаньон — Зимин Андрей Иванович. Сорок пять лет, женат, ребенок от первого брака и т. д. и т. п. Версия о причастности Зимина к убийству Виганда не подтвердилась.

— Вернемся к вдове Виганда, — пробормотал Тагиров. — Вдова отношения к работе фирмы не имеет, но исправно получает половину прибыли. Теперь хотя бы понятно, откуда у нее бриллианты.

Он выбрался из машины и подошел к охраннику,

караулившему подходы к дому. Сказал, что из архитектурного бюро, что должен поговорить с Эллой Виганд по поводу перепланировки квартиры, и показал подготовленный заранее документ. Охранник его пропустил, но заметил, что Элла Виганд, по всей видимости, уехала, потому что ее машина стоит на стоянке невостребованная.

— А кроме меня, ее никто не спрашивал? — задал Тагиров странный для архитектора вопрос.

Узнал, что никто, но на всякий случай поднялся к квартире и позвонил. Ему не открыли, и он начал спускаться вниз. Как вдруг... Сработала зрительная память, и Тагиров так заторопился, что едва не съехал вниз по перилам, как делают мальчишки. Огромного труда ему стоило чинно выйти за ворота и добраться до машины. Плюхнувшись на сиденье, он схватил распечатки и прочитал адрес, по которому проживали Зимины. Потом достал из кармашка атлас автомобильных дорог и нашел Северный проезд, где шофер такси, откликнувшийся на объявление, видел «малахольную» брюнетку, за которой гнался мужчина с носом, как у Гоголя.

Все совпадало. Квартира Зиминых была расположена неподалеку от дома номер пятнадцать — того, где таксист поджидал пассажира. Поэтому можно предположить, что Гоголь — это и есть Зимин. А Элла сломя голову бежала именно из его квартиры.

* * *

— Блондинка? — спросил Репьев изумленно. — Вся в грязи, на шее синяки, губа разбита... А у нее есть пучок на затылке? А туфли на низком каблуке? Кажется, я знаю, кто это. Ладно, тащите ее сюда. Эй, подождите, а что за несчастный случай? — Некоторое время он слушал, потом воскликнул: — Ну ничего себе!

Отключил телефон и повернулся к друзьям, которые вдвоем готовили бараньи ребрышки со сложным гарниром. Почесал лоб трубкой и пояснил специально для них:

— Одна моя знакомая прыгнула с эстакады в грузовик с бумагой.

— На спор, что ли? — добродушно спросил невысокий крепыш Витя Дубов. У него были такие мускулистые руки, что тело казалось непропорциональным. Жена считала, что он похож на краба и не хотела, чтобы Витя продолжал заниматься собственным физическим развитием.

— Понятия не имею, на спор или нет. Сейчас ее привезут, расскажет.

— А в каком она состоянии? — поинтересовался второй повар, Костя Латышев. У этого были роскошные черные усы и такая блестящая лысина, как будто на ней испытывали средства для придания блеска домашней утвари. — Может быть, ей нужна медицинская помощь?

— Вряд ли. Голова не отлетела, а это главное, — весело сказал Репьев, скрывая свои истинные чувства.

Похоже, что молодая леди — и в самом деле секретный агент. Если, конечно, она не пьяная. Выходит, она все это время носила с собой его визитку. Хм...

Когда шофер пикапа ввел Лайму в квартиру, она пала Репьеву на грудь и простонала:

— Смерть преследует меня!

— Никто тебя не преследует, — успокоил ее тот, отблагодарив шофера и заперев за ним дверь.

Если бы он знал, что Лайма права и смерть действительно идет за ней по пятам! Когда она спрыгнула с моста, мулатка достала из сумочки маленький бинокль и приложила к глазам. Запомнила номер грузовика и уже через пять минут бросилась в погоню, уговорив молоденького парня, покупавшего сигареты в ларьке на остановке, поиграть в догонялки на его мотоцикле. Она успела засечь, как Лайма пересаживалась в пикап, и отправилась вслед за ним. Когда оказались на месте, мотоциклист за дополнительное вознаграждение пролез вместе с Лаймой и шофером в подъезд и подсмотрел, в какую квартиру они вошли.

Отпустив парнишку, мулатка вознамерилась уладить дело прямо сейчас, но потом поняла, что необходимо подготовиться к штурму более тщательно. Если в квартире, кроме блондинки, есть кто-то еще, нужно сделать так, чтобы ее лица не увидели.

Лайма прохромала в комнату — все тело ее болело, а голова гудела, как чугунный котелок, который проверяли на прочность.

— Нам сказали, что вы прыгнули с моста в грузовик, — сказал Костя Латышев, и озорная улыбка приподняла его усы, раздвинувшиеся, как меха баяна. — Ужасно любопытно, зачем.

— Это был несчастный случай, — простонала Лайма, которую Репьев уложил на диван, накрыв ей лоб мокрым полотенцем. — Внедорожник потерял управление и собирался раздавить меня, прижав к ограждению. Вот я и прыгнула.

— А! Так это совсем другое дело. Вы, выходит, пострадавшая. А почему милиция вас в больницу не отвезла?

— Никакой милиции там не было.

Латышев хмыкнул, а Витя Дубов, который проверял в духовке бараньи ребрышки и только что вошел в комнату, заметил:

— А мы и не знали, что у Юрки завелась девушка.

Лайма решила не возражать против «девушки», но не смогла не возмутиться формулировкой:

— Что значит — завелась? — спросила она, выглянув из-под полотенца. — Я же не вошь.

Репьев тем временем рьяно ухаживал за пострадавшей — стащил с нее туфли, подсунул под голову подушку и принес стакан чаю с лимоном.

В это время наверху что-то загрохотало так, что содрогнулся потолок. Потом загудела дрель, и люстра, собранная из множества подвесок, мелко задрожала. Гудение перемежалось ударами молотка по железякам.

— Опять, — пробормотал Репьев, взял плоскогубцы, лежавшие на подоконнике, и постучал по батарее. — Что ж ты там делаешь, изверг? — спросил он, обращаясь непосредственно к потолку, и постучал снова. — Лудишь старые тазики?

— Это твой сосед прикалывается? — поинтересовался Дубов, тоже задрав голову и наблюдая за тем, не появятся ли трещины на потолке.

— Повадился, видишь ли, по вечерам с дрелью развлекаться. И сверлит, и сверлит.

— Может, он жестянщик и берет работу на дом?

Не успел он договорить, как слева за стеной заиг-

рали на фортепьяно. Играли мастерски — клавиши бурлили, экспрессивная музыка набирала темп...

— Вот еще один, — обреченно вздохнул Репьев. — Наш Моцарт вернулся из командировки.

Он снова взял плоскогубцы и постучал уже в стену. Звук получился глухим, и Лайма со своего дивана заметила:

— Он наверняка не слышит.

— Все он прекрасно слышит! — не согласился Репьев. — Я с ним что-нибудь сделаю, если он не прекратит вечерние концерты. В конце концов, пусть репетирует днем, когда остальные на работе.

— Наверное, днем он тоже на работе.

Они некоторое время слушали музыку, сопровождаемую ревом дрели, потом решили не обращать на все это безобразие внимания и заниматься своими делами.

— Может быть, тебе принять ванну? — предложил Репьев Лайме, прсдчувствуя, что в ванной ей потребуется помощь и ему наконец удастся познакомиться с ней поближе.

— Наверное, действительно стоит, — согласилась она. И добавила: — Только сначала позвони в таксопарк и потребуй, чтобы девяносто первый борт немедленно привез мою сумочку. — Она схватила Репьева за шею, с силой притянула к себе и сказала в ухо: — Там пистолет. И еще: таксист видел тех типов, которые хотели меня убить. Надо взять у него контактный телефон для последующего снятия показаний.

Репьев страшно удивился: она больше не скрывала, что действительно является секретным агентом. Оказала честь.

— Тебя хотели убить? — Он тоже говорил ей в ухо, зарывшись носом в полотенце. С полотенца капала холодная вода и противно щекотала щеку.

Витя Дубов громко кашлянул и сообщил:

— Мы с Костей пока на кухне за едой последим.

Когда они остались в комнате одни, Лайма попеняла:

— Ты должен был воскликнуть: «Да что вы, ребята! Оставайтесь с нами!»

Репьев пристально посмотрел на нее сверху вниз и, чтобы лучше видеть, даже отодвинул полотенце со лба.

— Самый подходящий момент для того, чтобы в первый раз поцеловаться, — заметил он, не сводя глаз с ее разбитой губы. — Но, боюсь, тебе будет больно. Перенесём на потом.

Лайма нащупала рукой полотенце и сняла его совсем. Простецкая физиономия Репьева висела над ней, словно луна над садом, а его пламенный взор прожигал дыры в броне, которой она постаралась защитить свое сердце после разрыва с Шаталовым.

— Ну, черт с тобой, — неожиданно проворчала она. — Не будем ничего переносить.

Притянула его к себе и прижалась своими разбитыми губами к его целым. Позже она скажет сама себе, что просто переживала стресс, и ей было необходимо нежное участие.

— Это было... очень приятно, — заметил Репьев, выпрямляясь. — Даже странно...

— Ничего странного, — проворчала Лайма, сердясь на себя за проявленную слабость. — Вероятно, химический состав нашей слюны совпал, вот и все.

Репьев озадаченно помолчал, а потом признался:

— Никогда не рассматривал взаимоотношения с точки зрения слюны.

Лайма, кряхтя, поднялась с дивана и отправилась-таки мыться, твердо отказавшись от посторонней помощи. Решила воду в ванну не набирать и не нежиться в ней, а ограничиться душем, чтобы не раскиснуть, не разболеться и не остаться у Репьева жить. В конце концов, ей еще предстояла поездка в штаб-квартиру с докладом.

— С легким паром! — нестройным хором пожелали Дубов с Латышевым, когда она появилась в комнате с тюрбаном на голове, ароматная, словно куст жасмина.

Один Репьев ничего ей не пожелал, потому что потерял дар речи. Без пятен грязи на лице, облаченная в чистый халат, Лайма оказалась ослепительно красивой. Как он раньше не замечал, что у нее идеальной формы нос, пухлые губы и ясные глаза, а скулы высокие, как у египетской царицы.

— Можно садиться за стол, — сообщил Дубов, неожиданно застеснявшись Лаймы. Когда она лежала на диване грязная и несчастная, у него и мысли не было стесняться.

— На гарнир у нас кукуруза и сладкий перец, — добавил Латышев, потирая лысину. — Хватит на всех.

Он тоже испытывал неловкость, потому что Лайма разбила их тесную мужскую компанию, и мальчишник превратился непонятно во что. Может быть, в посиделки с флиртом. Впрочем, как тут пофлиртуешь, когда Юрка не сводит с девицы глаз.

Вообще-то троица собралась, чтобы обсудить одно весьма важное дело — организацию собственного бизнеса, и было жалко откладывать разговор на неопределенное время. И почему эта Лайма скакнула с моста именно сегодня!

— Поскольку твоя одежда вышла из строя, могу дать тебе свою, — предложил Репьев. — Что-нибудь сухое и чистое.

Он повел ее в другую комнату, где стоял одежный шкаф, и предложил выбрать все, что ей понравится. Даже собирался дать несколько советов, но тут позвонили в дверь.

— Наверное, это шофер с сумочкой, — оживилась Лайма. — Я переоденусь и выйду.

Однако это оказался не шофер, а соседи сверху — Тамара и Николай Славкины. Оба были в спортивных костюмах с лампасами, и оба весьма воинственно настроены.

— Это вы колотите по батарее? — спросила Тамара, не поздоровавшись с хозяином квартиры. — Вам что, делать больше нечего?

— А вам? — с любопытством поинтересовался Репьев. — Что вы там сверлите столько суток подряд? Делаете модель ледокола «Ермак» в натуральную величину?

— Я благоустраиваю находящуюся в моей собственности жилплощадь, — высокопарно заявил Славкин. — И вы мне не можете этого запретить.

— Запретить не могу. Но помешать — запросто.

— Не надо нам угрожать! — взвизгнула Тамара. — Мой муж сверлил, сверлит и будет сверлить!

— Потом пеняйте на себя, — пожал плечами Ре-

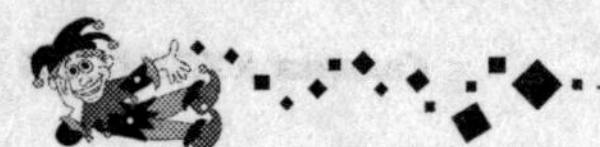

пьев и захлопнул дверь у них перед носом. — Ну и типы, — пожаловался он приятелям, которые сервировали стол, как в ресторане — с салфетками и хрустальными фужерами.

— Это не таксист? — спросила Лайма, появляясь в гостиной. — Куда же он подевался?

Она надела шорты, доходившие ей до колен, и трикотажную рубашку-поло, в которой она выглядела хрупкой, как подросток. Влажные волосы собирать в пучок не стала, а распустила по плечам, окончательно добив этим впечатлительного Репьева.

— Я очень рад, — признался он, подойдя к ней поближе, — что вы сохранили мою визитную карточку.

Лайма хотела честно признаться, что она тоже рада, но тут снова позвонили в дверь.

— Теперь уж это точно таксист! — воскликнула она и пошла вслед за хозяином к двери.

Однако это оказался не таксист, а высокий человек с волнистой шевелюрой, которая вся была странным образом зачесана на один бок. Человек был в костюме, галстуке-бабочке и клетчатых тапках.

— И что? — гневно спросил он, вскинув подбородок. — Долго вы будете портить Вагнера вашим идиотским постукиванием?!

— Послушайте, Макар, это невыносимо! — ответил Репьев. — Если я хочу послушать Вагнера на ночь, я надеваю наушники. Ваш рояль, к сожалению, в наушники засунуть нельзя. Поэтому вы должны думать о том, в какое время вам заниматься вашими... гаммами. С этим нужно что-то делать...

— Вы невежественный чурбан, — высоким голосом сообщил Макар. — С настоящей музыкой ничего нельзя сделать!

— Зато что-нибудь можно сделать с музыкантом, — рассердился Репьев. — Вот поиграй еще на ночь глядя, увидишь, что будет.

— И поиграю! — с вызовом заявил Макар и помахал указательным пальцем в воздухе. — Никто мне не запретит.

В этот момент наверху опять взвыла дрель, и разговаривать стало невозможно. Музыкант гордо удалился, махнув полами пиджака, похожими на ласточкины крылья.

— Юр, иди, а то все остынет! — позвал Латышев. — Лайма уже рассказала нам о том, как вы познакомились.

«Интересно, какова ее интерпретация событий?» — подумал Репьев и уже сделал шаг от двери, как звонок прозвенел в третий раз.

— Бывают дни, — крикнул он через плечо, — когда я начинаю подумывать о домике в деревне, о вишневом садике и собственных курах...

На этот раз приехал шофер с сумочкой. Репьев щедро его вознаградил, но тот не хотел уходить, не повидав Лайму.

— Ну... Это было... — задохнулся он, увидев ее целой и невредимой. — Это было такое... Из ряда вон выходящее! Я полагал, что вы — труп. И завтра собирался звонить в вашу организацию. Только телефона не нашел. Про нее, оказывается, никто не знает.

— Естественно, — проворчала Лайма. — Она ведь засекречена. И я советую вам держать рот на замке.

— А та... женщина? Та страшная женщина, — поправился он. — Я думал, она вас догонит.

— Я тоже так думала, — призналась Лайма и содрогнулась. — К счастью, все обошлось.

— Она бежала за вами, как рысь за белкой, — все никак не мог успокоиться таксист. — А глаза у нее прямо горели огнем!

«Слава богу, я этого не видела», — подумала Лайма, проводив шофера и возвратившись к столу. Воспоминание о мулатке отбило у нее аппетит. Она некоторое время ковырялась в тарелке, и Дубов наконец не выдержал и спросил:

— Вам не понравилось наше фирменное блюдо?

— Мне о-о-очень... — начала она, но тут дверной звонок снова треньвнул — раз, и другой, и третий.

— Невероятно! — хохотнул Латышев. — Стоило нам собраться всем вместе, как началось светопреставление.

На самом деле он ошибался — светопреставление еще не началось, но уже готовилось начаться. И Репьев сам открыл дверь ему навстречу.

На пороге стояла женщина в белом обтягивающем трико и теннисных туфлях. Ее мускулистое тело казалось вылепленным из гипса. На незнакомке была черная полумаска, скрывавшая верх шоколадного лица, а в руках, спрятанных под длинными перчатками, она держала короткий меч без ножен с опасно посверкивающим клинком.

— Вы к кому? — глупо спросил Репьев, увидев эдакое чудо на коврике перед собственной дверью.

Незваная гостья ничего не ответила, сделала ловкий выпад и приставила острие к его подбородку.

— Прочь с дороги! — потребовала она и, перехватив меч другой рукой, изо всех сил ударила хозяина квартиры рукой в живот.

Тот согнулся пополам и выдавил из себя:

— Если вы на обед, то у нас есть столовые ножи с зубчиками. Они гораздо безопаснее вашего тесака!

Не обращая на него внимания, мулатка, широко шагая, двинулась в комнату.

Несмотря на полумаску, Лайма мгновенно ее узнала и от ужаса потеряла дар речи. Вилка с кружком перца, которую она несла ко рту, застыла на полпути.

Латышев и Дубов изумились до невозможности.

— Здравствуйте, — вежливо начал первый, но дама в полумаске не обратила на него никакого внимания и солдатским шагом двинулась вперед. По ее сценарию, дело должно было закончиться в две секунды. Пока присутствующие сообразят, что происходит, она проткнет девчонку и скроется с места происшествия, оставив орудие рядом с жертвой. Нет, в жертве. Пусть эти мужики потом рассказывают милиции, что им только в голову взбредет. А она будет уже далеко.

Если у Лаймы перед глазами в эти секунды пронеслась и не вся жизнь, то уж последние несколько месяцев точно. Нет, спецагент не может быть таким беззащитным. Первый серьезный противник, и она — труп. Дубняк просчитался. И Тагиров тоже. Она всех подведет. Она представила, как Медведь и Корнеев стоят над ее окровавленным телом, как кладут цветы на ее могилу. Если бы она успела, то разрыдалась бы от жалости к себе.

Мулатка тем временем отвела руку назад и с шумом выдохнула воздух, готовясь нанести смертельный удар.

— Эй, вы чего это! — закричал Дубов и вскочил с места. Потом сделал бросок и провел удар, который заставил нападавшую отскочить назад.

Рука с мечом отлетела в сторону. Оружие больше не было нацелено Лайме в грудь. Поняв это, она вдруг ощутила такую слабость, что едва не сползла под стол. И в ту же секунду силы снова вернулись к ней. И она так разозлилась! Схватила с подоконника кактус и швырнула противнице в голову. Мулатка отклонилась, и горшок пролетел мимо, разлетевшись на тысячу черепков.

В ту же секунду из коридора вылетел Репьев со свирепым выражением на лице.

— Что тут, черт возьми...

Договаривать он не стал, сообразив, что женщина в полумаске готовится метнуть свой меч. В Лайму! В женщину его мечты, можно сказать. Он прыгнул вперед и сделал подсечку. Мулатка успела увернуться, но от Лаймы снова отвлеклась. Тем временем Дубов с Латышевым тоже не сидели на месте. Оба заняли боевую стойку, согнув коленки и пружиня, словно боксеры перед поединком. Выставили вперед руки, держа их как-то странно, раскрытыми ладонями наружу. Так делают сказочные ведьмы, насылая на род людской беды и несчастья. Репьев, оказавшийся у мулатки в тылу, проделал то же самое.

Сообразив, что с ней собираются сражаться сразу три мужика, мулатка издала гортанный крик и махнула мечом сначала в одну сторону, потом в другую, пытаясь отогнать их, как назойливых мух.

— Что будем с ней делать? — между тем крикнул Латышев.

— Перво-наперво вытесним из квартиры, — ответил Репьев. — Я сейчас дверь пошире распахну, гоните ее в коридор.

Услышав это заявление, Лайма открыла рот. Наверху надрывалась дрель, а сосед за стеной продолжал шпарить на фортепьяно. Грохот и музыка Вагнера оказались отличным сопровождением последующих событий. В квартире разгорелась настоящая битва! Трое безоружных мужчин скакали вокруг вооруженной мулатки, подныривали под ее локти, подскакивая и ловко уклоняясь от ударов. Она же размахивала мечом с таким остервенением, как будто задумала посносить всем головы. Однако ни разу ее усилия не увенчались успехом.

— Мальчики, вы кто? — крикнула раскрасневшаяся Лайма, поверив наконец, что ее не дадут в обиду. — Супермены?

Репьев засмеялся и провел серию ударов, которые заставили мулатку сделать несколько шагов назад. Потом еще несколько шагов и еще.

— А теперь что? — крикнул Дубов, когда они оказались на лестничной площадке. — Возьмем ее измором? Или попробуем нокаутировать?

— Не, нам ее не завалить, — засомневался Репьев. — В любом случае, сначала разоружим.

— Ха! — крикнула мулатка, сделав красивый мах мечом, и кончик ее лезвия чиркнул прямо по плечу Латышева. Рубашка мгновенно пропиталась красным.

Лайма, застрявшая в дверях, увидела кровь и мгновенно потеряла самообладание.

— Я вызову милицию! — завопила она.

И очень быстро осуществила свое намерение, поскольку адрес Репьева знала отлично: вместе с шофером пикапа они довольно долго отыскивали нужный дом. Этот адрес она продиктовала дежурному, ничего толком не объяснив, только прокричав, что здесь «сумасшедшая тетка с тесаком пускает кровь жильцам».

Битва между тем продолжалась. Сообразив, что мечом не в силах достать противников, мулатка пустила в ход мощные ноги. Однако ее удары по-прежнему не достигали цели! Все три противника постоянно приседали и как будто ныряли вниз, а потом выскакивали в другом месте, словно поплавки. Их руки совершали странные завораживающие движения, и мулатка от злости начала терять над собой контроль. Дважды она промахнулась и изо всех сил ударила ступней в соседскую дверь. Совершенно неожиданно дверь открылась, и на пороге появился музыкант с непримиримым выражением на лице. Однако увидев перед собой огромную тетку в трико и черной полумаске с настоящим оружием в руке, а за спиной у нее Репьева с товарищами, он мгновенно утратил самоуверенность и воскликнул:

— Хорошо-хорошо, я больше не буду репетировать дома.

И так быстро захлопнул дверь, что воздух взвихрился, образовав маленький смерч. Воспользовавшись возникшим замешательством и тем, что раненый Латышев слегка ослабел, мулатка решила прорвать фронт и скрыться с места происшествия: совершила рывок и понеслась вниз по лестнице, прыгая через несколько ступенек кряду.

— Уйдет! — крикнул Репьев, обращаясь к Лайме. — Нам нужен ее скальп или нет?

— Не сейчас, — воскликнула она. — Костя истекает кровью!

— Ерунда, царапина! — возразил тот и жалко улыбнулся: — Боюсь только, жена не одобрит.

— Его жена — хирург, — пояснил Дубов специально для Лаймы. — И мы, конечно, отвезем его к ней на работу. Я сам отвезу. Даже не знаю, что мы ей скажем. Что в квартиру ворвалась темнокожая женщина с большим ножом и разогнала наш мальчишник?

Они засобирались, начали обматывать рану Латышева полотенцем, и Репьев сказал Лайме:

— Я бы попросил тебя подождать здесь, но боюсь, она может вернуться.

— У меня есть пистолет, — неожиданно вспомнила «секретный агент». И сурово добавила: — Не хотелось устраивать стрельбу в квартире и втягивать тебя в свои дела. Впрочем, ждать я в любом случае не могу — мне нужно ехать.

— Я тебя отвезу, — предложил Репьев. — Вдруг это свирепое создание караулит где-нибудь поблизости? Или погонится за тобой на грузовике?

Такая перспектива Лайму совсем не вдохновила, и она согласилась без раздумий.

— Жаль, что наше знакомство получилось таким... скомканным, — посетовала она, прощаясь с Дубовым и Латышевым. — Спасибо вам за защиту.

— Не за что, дорогая. Обращайтесь, если что, — ответил Костя, мученически улыбаясь.

— Это наше первое боевое крещение, — поделился с ней Репьев, когда они сели в машину и тронулись в путь. — За стены спортивного зала наши опыты еще ни разу не выходили.

— Мне просто повезло, что вы все оказались каратистами! — искренне растрогалась Лайма.

— Это не карате, а школа русской борьбы Константина Латышева.

— Ах вон оно что!

— Мы решили основать сеть спортивных клубов, — поделился с ней Репьев своими планами. — И сегодня как раз собирались обсуждать организационные вопросы.

— Мне так неловко, — пробормотала Лайма, словно всего-то разбила склянку с чернилами и испортила ковер. — Столько неприятностей... Да, я совсем забыла! Я же вызвала милицию!

— И где она? Преступница успела скрыться, пострадавший поехал в больницу... Оперативнее надо быть! Надеюсь только, что стражи закона не взломают мою квартиру в поисках трупов.

Тем временем на место происшествия прибыл наряд милиции. Милиционеры сразу увидели пятна крови на лестнице, позвонили в дверь квартиры, откуда был сделан вызов, не дождались ответа и обошли всех соседей. Дома оказался только Макар, который сидел, затаившись, на своей кухне и ел из кастрюльки холодный борщ.

— Милиция, — устало сказал голос из-за двери, когда в ответ на звонок он прокрался в коридор, заглянул в «глазок» и робко спросил: «Кто там?»

Услышав ответ и узрев людей в форме, он немедленно распахнул дверь и воскликнул:

— Какое счастье, что вы приехали! Бандиты хотели меня убить!

— Расскажите все по порядку, — предложили ему.

— Да что там рассказывать! — заявил Макар, взмахнув шевелюрой. — Я услышал чудовищные удары в дверь и открыл...

— Зачем же вы открыли? — удивился один из стражей порядка.

— Потому что увидел в «глазок» своего соседа, Репьева Юрия. Но он оказался не один. С ним была женщина в маске, вооруженная скифским мечом. Огромная женщина, лейтенант! — повторил он свистящим шепотом. — У нее были такие бицепсы! А какие икры на ногах!

— И что?

— Как что? Она хотела меня убить!

— За что убить-то?

— Ну... — Макар поправил свою шевелюру и несколько смутился. — Полагаю, за то, что я играл Вагнера.

— Она вам сказала, что все из-за Вагнера? — настаивали милиционеры. — Ей не нравится этот Вагнер?

— Она ничего не сказала! Мне Репьев сказал. Предупредил... Что если я буду играть Вагнера... На фортепьяно... Вечером... Тогда он примет меры.

— Нормально, — повернулся один милиционер к другому. — Народ совершенно озверел, а?

— А кровь чья? — спросил его напарник.

— Это не моя, — быстро ответил Макар. — Я ничего такого не видел.

И тут на лестнице появились супруги Славкины с

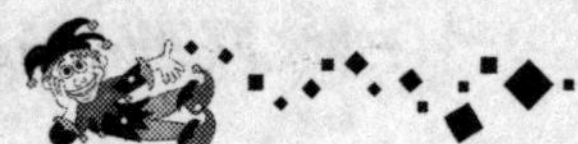

пакетами, нагруженными огрызками пиломатериалов, которые они исправно выносили к мусорным бакам каждый вечер после того, как Николай заканчивал свои ежедневные труды по благоустройству квартиры. Кровь на полу и наличие двух милиционеров их, конечно, взволновали до чрезвычайности.

— Боже! Что у нас тут случилось?! — воскликнула Тамара, замерев на ступеньках. — Макар, дорогой, с вами все в порядке?

— Мне просто повезло, — ответил Макар, несколько расстроенный тем, что милиционеры вели себя как-то уж слишком индифферентно: не возмущались вместе с ним и не шли ловить асоциального типа Юрия Репьева. — Сосед нанял наемную убийцу, чтобы запретить мне играть на фортепьяно. Ему, видите ли, от меня было шумно. Вот вы, например, слышите что-нибудь?

— Нет! — хором и весьма искренне ответили Славкины.

— А он слышал. И когда я сказал, что ни за что не брошу репетировать, обещал меня... В общем, расправиться со мной.

— Боже мой! — снова ахнула Тамара. Положила пакеты на лестницу и схватила мужа за отвороты спортивной курточки. — Коля, он сумасшедший! Он может и нас... заказать.

— А вас-то за что? — с любопытством спросил милиционер.

— Видите ли, Николай кое-что строит по вечерам... Репьеву мешает наша дрель. Из-за дрели он угрожал нам расправой. Но дрель совершенно тихая.

Скажите честно, Макар, вы, например, слышите нашу дрель?

— Не слышу, — помотал головой тот.

— Ну вот! А этот тип слышит и возмущается. Счастье, что он сегодня к нам не приходил...

— Может, и приходил, Тома. Было слишком... шумно.

— Да, весело здесь у вас, — похвалили стражи порядка. — Будете заявлять на своего Репьева?

— А он узнает, что мы заявили? — тотчас сориентировалась Тамара.

— А как же, — с удовольствием ответил милиционер.

Макар трусливо опустил глаза, и Николай ответил за всех сразу:

— Мы решили не заявлять.

Когда милиционеры спустились к машине, один другого спросил:

— И как тебе видится вся эта чехарда?

— Думаю, бедный Репьев, замученный дрелью и Вагнером, от отчаяния разбил себе голову о перила и убежал из дому. Может быть, сейчас он уже на пути в Африку.

* * *

Тагиров вздрогнул и открыл глаза. Знакомый голубой свет проливался сверху и окрашивал все вокруг в призрачные цвета. Самик тоже казался призрачным. Однако он улыбался. Тот, второй человек, находился в тени. Он сел таким образом, чтобы Тагиров не смог увидеть его лица.

— Я сделал все, что мог. — Голос у него был мягким и хрипловатым. Вероятно, он специально приглушил его, чтобы ничем не выдать свое инкогнито. — Полагаю, вы побывали у Комова. Пожалуй, только он может создать столько проблем.

— Но Комов работает на нашу контору.

— Возможно, и на кого-то еще. Или на кого-то из вашей конторы лично. Вы что-нибудь вспомнили?

Тагиров прикрыл глаза. Перед его внутренним взором начали мелькать смутные картины, словно он менял кадр за кадром с помощью переключателя. Темное помещение, молодая женщина в шляпке с вуалью, почти детская рука с простым колечком...

— Я вспомнил, что мне назначили свидание, — пробормотал он. — Незнакомка. Она рассказывала мне о... об одном деле...

— Вы вспомнили, — удовлетворенно заключил мужчина, прятавшийся в тени.

— Не все, но... Но это дает мне возможность двигаться дальше. Как я могу...

Мужчина остановил его взмахом руки:

— Я никогда ничего не беру... за *это*.

— Почему вы не работаете на нас? Или... Если не на нас, то на кого-нибудь еще?

Самик перестал улыбаться и рассматривал свои руки, которые издали казались сделанными из темного дерева. Он не повернул головы в сторону своего гостя.

— Потому что, — ответил гость, — мне хочется жить долго. — Тагиров собирался что-то сказать, но тот перебил: — История знает множество случаев, когда такие, как мы, пытались помочь правоохранительным органам. В Америке, Австрии, Германии,

Франции, России. И всегда все кончалось одинаково — пулей в голову. Поставьте себя на место какого-нибудь мафиози. Как он может жить спокойно, если существует человек, способный его уничтожить? Нет, Игорь, такие, как я, долго не живут... если имеют глупость засветиться.

Тагиров с благодарностью поглядел на Самика. Тот усмехнулся и кивнул.

— Вы все поняли правильно. Считайте, что это Самик оказал вам услугу. Только вряд ли когда-нибудь еще он сможет меня найти. Так что не пытайтесь давить на него — я не так глуп. Прошу вас выждать полчаса после того, как я уйду.

Тагиров кивнул и смежил веки. И снова увидел себя в темном помещении: ресторанчик или кафе? Она сидела напротив, в глухом платье и какой-то страшно несовременной шляпке, и черная вуаль скрывала ее лицо. Он помнил, что все время смотрел на ее руки, в которых она вертела чашку.

— «Порошок забвения» изобрели в одной из ваших лабораторий. Это побочный продукт исследований, связанных с ядом тетродотоксином. Вы когда-нибудь слышали о рыбе-собаке? — Голос уплыл и больше не возвращался.

Тагиров потряс головой и попытался сосредоточиться. Некоторое время назад он инициировал проверку системы безопасности на одном из научных предприятий, которые работали на контору. Оно называлось «Люкс-фарма».

Теперь он не мог вспомнить, что заставило его начать эту проверку. Возможно, его подтолкнула та молодая женщина под вуалью? Допустим, она назвала предприятие и он попытался под видом контрольной проверки разузнать об этом самом «порошке забвения» — все, что только возможно? И чем-то выдал себя. Разумеется, выдал. И тогда его «обработали». Им занимался сам Комов. А попросил его кто-то из своих. Никому со стороны Комов не продался бы. Он боится за свою шкуру не меньше, чем тот человек...

Тагиров снова закрыл глаза и представил себе бар, женщину в черном, белую чашку в ее руках.

— Он не захотел в этом участвовать, и его убили... убили... его убили...

Он пытался вспомнить еще хоть что-то, но не смог. Образ женщины был довольно четким, но то, что она говорила, уплывало от него, словно он проваливался в сон, и оттуда, из глубины, доносились только обрывки фраз: «Вы слышали про рыбу-собаку? Это был побочный продукт... Он не захотел участвовать...»

Тагиров выждал обещанные полчаса и отправился к себе на службу. Заперся в кабинете и занялся поисками. Он поднял все документы, все сводки по предприятию «Люкс-фарма». Кто-то не согласился «в этом» участвовать, и его убили. Кто?

Ни одного убийства он не обнаружил, зато была смерть по неосторожности. Несчастный случай в лаборатории. Один из ученых вдохнул опасное летучее вещество. Один из ученых, а конкретно — Совенко Иван Ильич. Что-то разбилось или разгерметизировалось... Он умер мгновенно, спасти его оказалось невозможно. В соседней комнате находился его коллега... Разве можно заподозрить коллегу, верно? Так-так. Кто же он, этот коллега? Как его зовут?

Его звали Андреем Власовым. Тагиров включил компьютер и открыл личное дело. Ничего сверхсекретного. Ученый, сотрудничает с конторой более пятнадцати лет. Даже на фотографии было видно, какая белая у Власова кожа — словно он вообще не выходит на солнечный свет. Он похож на белесый стебель растения, вылезший из-под камня.

Тагиров открыл личное дело погибшего Совенко Ивана Ильича. У ученого остались жена-инвалид и дочь восемнадцати лет, Соня Совенко. Он снова вспомнил тонкие руки и узкие плечики женщины под вуалью. «Он не захотел в этом участвовать, и его убили...» Дочь Совенко вполне могла узнать номер телефона начальника департамента собственной безопасности. И назначить встречу. Назвать себя побоялась, потому что от отца избавились, могут избавиться и от нее. Но молчать тоже было невозможно. И она пришла инкогнито... По крайней мере, с этим ясно.

Итак, что вырисовывается? Совенко, который работает с ядом тетродотоксином, получает некий побочный продукт своих исследований — так называемый «порошок забвения». Его коллега Власов — один или с группой поддержки — находит в этом открытии какую-то выгоду и собирается продавать «порошок забвения» на сторону — криминальным структурам, например. Совенко отказывается в этом участвовать, и тогда его убивают. Вероятно, ученый что-то рассказал своим домашним, и впоследствии дочь заподозрила, что отца убили. И встретилась с ним, с Тагировым.

Остается выяснить, что это за «порошок забвения» и как он действует. Вероятно, он уже пытался провести проверку с помощью Эллы Виганд. Но у них ничего не получилось, потому что он где-то прокололся. И тогда с ним поработали. Спасаясь, Власов натравил на него Комова. И Комов вырвал из его памяти все, что связано с фирмой «Люкс-фарма». И с Эллой. Господи, как же это возможно? У него иногда болела голова, когда он думал об Элле Виганд, и это все.

Но почему его самого заставили забыть опасные факты именно таким способом — при помощи гипноза? Почему ему не дали «порошок забвения»? Тагиров сам ответил на вопрос — потому что это опасно. Человек такого ранга, как он, не может вдруг забыть все. Начнется расследование, поднимут последние дела департамента... Власов не дурак, чтобы так рисковать.

Итак, схема более или менее ясна. Но каким образом действует этот «порошок забвения»? Вернется ли к Элле память? Кроме того, врага мало просто обнаружить, его нужно поймать. Но как? Начинать спецоперацию? А вдруг у Власова есть осведомители в его департаменте? Может быть, группа «У»? Конечно, обрадовался Тагиров. Пусть группа «У» продолжает действовать! Остается только сообщить им обо всем, что ему удалось выяснить. Сложить свою информацию с их информацией. И тогда можно будет готовить заключительный этап операции.

* * *

Кудесников валялся на диване и смотрел в потолок. Рядом лежал кот и, мурча от удовольствия, вонзал когти в гобеленовую обивку. Из обивки уже лезли нитки, но Арсений не обращал на это внимания. Он влип. Действительно влип. Из этой тюрьмы ему не выбраться. Когда близкая подруга Ангелина рассказывала ему о том, что такое жить в «золотой клетке» с богатым мужем, он ей не верил. Представь, говорила Ангелина, что у тебя есть все, а тебе ничего не нужно, только бы вырваться на свободу. Кудесников не мог понять, как это — не нужно? Человеку нужно много всего! И чем больше, тем лучше. И что такое — вырваться на свободу? Голодная свобода казалась ему плохим выходом из положения, а Ангелина — набитой дурой. Да, он жестоко ошибался.

В дверь постучали, и он неохотно разрешил:

— Можно!

Вошла невысокая пухленькая девушка с румяными щеками. Ее челка целиком закрывала брови, а глаза были размером со сливы и такие же темные. Она принесла поднос с чаем и сладостями, красиво разложенными на блюде.

— Вы спуститесь к ужину? — робко спросила она, глядя на Кудесникова искоса. — Вас хотят со всеми познакомить.

— Спущусь, — мрачно ответил тот. — Можешь так и передать.

Чай он пить не стал и не предложил Мерседесу сливок, налитых специально для него в глубокую плошку — считал, что это слишком вредно для котового здоровья. А когда подошло время ужина, взял своего любимца под мышку и решительно вышел из комнаты. Спустился на первый этаж и толкнул дверь в гостиную, где был накрыт стол к ужину.

Во главе стола сидела его похитительница Алла

Семигуб с торжественной физиономией, рядом — ее муж, дородный, с большой лобастой головой, крупным носом и неприветливыми глазами-буравчиками. Еще один мужчина, помоложе, сидел по правую руку от него. Впоследствии выяснилось, что это личный секретарь депутата. В противоположность боссу, он был худым и улыбчивым, двигался мягко и показался Кудесникову скользким, как угорь. Отдельно от них расположилась супружеская пара, и когда Кудесников вошел, и муж, и жена посмотрели на него со священным ужасом.

— Вот! — сказала Алла Семигуб, задохнувшись от избытка чувств. Тотчас вскочила с места и прижала руки к пухлой груди. — Это он. Тот самый человек, о котором я говорила! Арсений Кудесников! Он может все. Садитесь, Арсений!

Тарелка для него стояла на другом конце стола, и он уселся отдельно от всех, спустив Мерседеса на пол.

— А это его котик! — умильным голосом добавила Алла, плюхнувшись обратно на стул. — Познакомьтесь, дорогой Арсений, с моим мужем, Георгием Сергеевичем.

— Просто Георгий, — проворчал тот. — Вы и вправду делаете *это*?

Кудесников ухмыльнулся. *Это?* Интересно, что про него наплела впечатлительная Алла своим близким? Что он предсказывает судьбу по морщинам? Или находит людей по запаху?

— Неужели вы читаете прямо оттуда? — И Георгий показал глазами на потолок.

— Он имел в виду, — подсказала Алла Семигуб,

поддев на вилку кусочек картофеля, — что вы умеете считывать информацию непосредственно из космоса.

— Ну... — пустил Арсений пробный шар. — Для того чтобы все получилось, нужны особые условия...

— Мы создадим! — тотчас пообещала Алла. — Такой бриллиант, как вы, нуждается в оправе. У вас будет все!

Прутья золотой клетки нестерпимо сверкнули на солнце, и Кудесников испугался.

— Ментальная энергия — это вам не электрический ток, — заявил он. — Она накапливается долго. Кроме того, организм должен быть готов к ее восприятию...

— Мы подготовим! — не сдавалась хозяйка. — Вы будете гулять в саду, хорошо питаться... А что касается энергии, то можно пригласить какого-нибудь энерготерапевта, чтобы он прочистил вам чакры.

Она смотрела на него невинными круглыми глазами, и если бы Кудесников не знал точно, что Алла искренняя дура, то решил бы, что она издевается. Он представил, как ему будут прочищать чакры, и немедленно скис.

— Да! — неожиданно вспомнила хозяйка. — Я же еще не познакомила вас со своей сестрой и ее мужем!

Она повернулась к супружеской паре, которая оказалась по левую руку от Кудесникова, и торжественно представила:

— Это Валентина, моя двоюродная сестра. Но запомните, Арсений, мы с ней как родные.

Валентина оказалась высокой и худой женщиной лет за пятьдесят с аккуратной завивкой, которая наводила на мысль о приближении благородной ста-

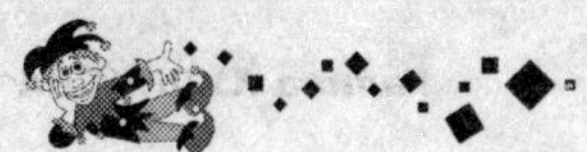

рости. Она была сильно накрашена и увешана драгоценностями, как рождественская елка в витрине ювелирной лавки. Ее муж — по всей видимости, даритель всего этого добра — походил на персонаж фильма, прокрученного в замедленном темпе. Он долго поворачивал голову, долго нес вилку ко рту, и глаза у него оказались тусклыми, как у сытого питона.

— Олег Золотарев, — произнес он, подарив Кудесникову нечто, отдаленно напоминающее улыбку.

— Арсений Кудесников, — кивнул тот и обратил взор на секретаря Семигуба, который так и остался безымянным.

— Меня зовут Борис, — немедленно отреагировал тот. — Очень рад познакомиться.

Обозрев все это собрание и заметив тревожные огоньки в глазах Валентины, да и самого Семигуба тоже, Арсений неожиданно решил изменить тактику. Пусть они думают, что он действительно такой всемогущий. Страх, как известно, является лучшим катализатором всякого расследования. А без расследования тут, видимо, не обойтись: Алла твердо задумала вызнать у него что-то для себя важное.

— Давайте договоримся так, — сказал он, проглотив креветку, панированную сыром. — Я быстренько раскрываю все ваши тайны и еду домой.

— Все? — уточнил Золотарев, глядя в бокал с вином.

— Ну, это он, конечно, загнул, — пророкотал Семигуб. — Вы ведь загнули, Арсений, признайтесь? Вы не можете знать все.

— Могу, — без зазрения совести заявил Кудесников. — Другое дело, хочу я или нет. Надо мне это или не надо.

Над столом повисла задумчивая тишина, и лишь вилки дружно звякали о фарфор.

— Только не следует думать, что я умею читать мысли, — решил разрядить он обстановку. — Для того чтобы что-то узнать, мне нужно много работать. Медитация, концентрация и все такое...

Еле уловимый общий вздох облегчения был ему ответом. Одна только незатейливая Алла ничего такого не улавливала и поедала пищу с аппетитом кролика.

— Скажите, Арсений, а когда вы начнете? — спросила она, оторвавшись от салатных листьев.

— Что?

— Ну... Исполнять желания?

Кудесников хотел было возразить, что он не золотая рыбка, но потом передумал. Они все равно будут сочинять про него всякие глупости, так чего ломаться?

— Чем скорее, тем лучше, — поспешно ответил он. — В смысле, завтра с утра. Исполню вам с утра по одному желанию, и все. Уеду домой, и даже не просите меня остаться!

— По одному? — разочарованно протянула Алла.

Арсений почувствовал, что сейчас она придумает какую-нибудь басню и заставит его торчать здесь до Рождества.

— Вам два, — быстро добавил он.

— Я как раз и хотел сказать, — подал голос Семигуб. — Все-таки Алла вас нашла. Открыла, так сказать... Благодаря ее протекции вы можете сделать головокружительную карьеру. Уверен, что в государственных структурах тоже заинтересуются...

— Нет-нет! — перебил Кудесников. — Дело в том, что я на днях уезжаю.

— Да что вы?

— Собираюсь совершить паломничество по местам скопления ментальной энергии. Напитаться, так сказать... Египетские пирамиды, место падения Тунгусского метеорита, Стоунхендж, Марракотова бездна... Кстати, зачем вы отобрали у меня телефон?

— Ну, Арсений! — надула губы Алла, изображая маленькую девочку. — Потому что вам позвонит какой-нибудь министр или космонавт, и вы от нас уедете. Я ведь знаю всю эту... субординацию.

— Ну, уж мы не ниже космонавтов, — проворчал Семигуб, вспомнив о своем депутатском бремени. — А насчет министров она права, Арсений. Кто-то всегда стоит первым в очереди. Так что вас надо оградить...

Кудесников кинул коту кусочек куриного мяса, выловленного из салата, и напомнил:

— Значит, завтра я начну. Кстати, если мне что-нибудь понадобится...

— Мой дом в вашем полном распоряжении, — опрометчиво заявил Семигуб. — И я всех предупрежу, чтобы ваши пожелания выполнялись.

— Обязательно предупредите, — поддакнул Кудесников, в голове которого дозревал план действий.

Вежливо поблагодарив за ужин, он взял Мерса на руки и отправился к себе.

Внутри дома можно было перемещаться свободно, но все телефонные аппараты по приказу Аллы попрятали, и прогулки потеряли смысл. Оказавшись в изоляции, Арсений осознал, что совершенно напрасно скрыл добытую им информацию от группы

«У». Нужно было прямо из библиотеки позвонить и рассказать о той газете с отчеркнутыми статьями. Вдруг фирма «Скогарев и партнеры» имеет отношение к расследованию? Или, например, Червецов увлекся культом вуду и выписал себе с Гаити какого-нибудь шамана? Идея была красивая, и Кудесников принялся обдумывать ее со всех сторон.

Ему помешала переполненная эмоциями Алла Семигуб, которая прибежала вслед за ним и постучала в дверь массивным бриллиантом:

— Тук-тук!

— Входите, — позволил он и уселся красиво: положив руку на спинку дивана, а ногу закинув на ногу.

— А я пришла поговорить!

— Утро еще не наступило, — закапризничал Кудесников, но, увидев ее омрачившееся лицо, добавил: — Но так и быть. Можете изложить мне вашу просьбу сегодня.

— Ах, Арсений, я вас озолочу! — пообещала Алла. — Если вы найдете мне моего сердечного друга Лешу Кущина. Только — тсс! — Георгий не должен об этом знать.

— Н-да? А что вы придумали для него? Какую версию?

— Что вы ищете мой бриллиантовый кулон, который пропал в прошлом году из переносного сейфа. Я ездила в отпуск и вернулась без него. Ума не приложу, куда он подевался.

— А где находился ключ?

— У меня в сумочке.

— А с кем вы ездили? С приятелем?

— Господь с вами, Арсений! С мужем и сестрой.

Ну, и с ее мужем, разумеется. Вы только что с ними познакомились.

— Хорошо, — кивнул головой Кудесников. — Итак, Леша Кущин. Прежде всего — где вы его взяли?

— Вообще-то его нашел Георгий, — повела бровью Алла. — Он интересуется книгами и хотел, чтобы ему собрали подходящую библиотеку.

— А сам почему он не собирает? — не удержался Кудесников. — Если он интересуется книгами?

— Ну что вы, Арсений, у него нет на это времени!

— А у вас?

— Ну... Я читаю только то, что рекомендуют глянцевые журналы. Кроме того, я не понимаю, чем книга, напечатанная в тридцать втором году, лучше прошлогодней, если в них один и тот же текст? Георгий утверждает, что я не чувствую духа времени. Он говорит, что старые книги стоят больших денег, но ведь они могут сгореть или намокнуть, верно? Пусть дорогие книги хранятся в музеях. Дома нужно держать дешевую библиотеку, а деньги вкладывать в драгоценности. Вы со мной согласны?

— Драгоценности — это вещь, — подтвердил Кудесников. — Но вернемся к нашим баранам. Значит, Леша Кущин постоянно находился в этом самом доме?

— Ну... Он ездил по магазинам, бывал у коллекционеров, но жил здесь. Временно, разумеется. Я подобрала для него комнату. — Алла неожиданно всхлипнула. — Там до сих пор ничего не трогали...

— А вы заявили в милицию?

— Георгий запретил, — хмуро ответила она. — Сказал, что ему ни к чему дурацкие проблемы. Паспорт исчез вместе с Лешей, значит, он просто не захотел здесь оставаться. Но я в это не верю! Он был такой нежный, такой благородный... Никогда бы он не поступил столь бесчеловечно, оставив меня в неведении. Я думаю, с ним что-то случилось.

— Да? А что конкретно?

Алла встала и подошла к Арсению поближе. Наклонилась и сказала ему в ухо, обдав запахом цветочных духов:

— Наверное, его убили.

— Ого!

— Я боюсь, как бы Георгий... О, я не знаю, что и думать!

— Покажите мне его комнату, — попросил Кудесников.

— Я не могу туда входить без слез, — призналась Алла. — Я дам вам ключ, осмотрите все сами.

Она удалилась, прижав к глазам бумажную салфетку, позаимствованную с неубранного «чайного» стола, к которому Кудесников так и не притронулся.

Едва она удалилась, явился шофер Семигуба, Василий Мешков, командированный за любимым кормом Мерседеса. Кот получил наконец свой ужин и принялся громко чавкать над миской.

— Ну, — сказал Кудесников, обращаясь к сутуловатому крепышу, который бочком продвигался к выходу из комнаты. — Вы про меня слышали?

— Конечно, слышал, — неуверенно хохотнул тот. — Кто ж про вас не слышал! Алла Викторовна только про вас и говорит.

— Значит, вы в курсе, что от меня ничего нельзя скрыть? — спросил Кудесников. Роль человека, одержимого манией величия, подходила ему идеально.

— А я что? — испугался шофер. — Я ничего не знаю!

«Отличное начало, — подумал сыщик. — Меня боятся. Я — Ниро Вульф, который распутывает преступления, не выходя из дому. Умная дезинформация, короткая психическая атака — и дело в шляпе. Они расскажут все сами, надо только правильно себя вести».

— Бесполезно мне лгать, — твердо заявил он шоферу. — Перестаньте пятиться, садитесь и рассказывайте, как было дело. И учтите: я прощу, а Семигуб не простит. Так что не наживайте себе врага в моем лице.

Пока он говорил, Мешков потел, словно стоял под лучами палящего солнца. Когда Кудесников велел ему садиться, он рухнул на стул и повесил голову.

— Клянусь, это было только раз, — наконец выдавил он из себя. — Поймите, мне предложили такие деньги!

Кудесников, который положительно относился к большим деньгам, с пониманием кивнул:

— Так-так...

— Я просто подслушал, о чем Георгий Сергеевич по телефону говорил, и передал... им.

— Кому?

— Не знаю... Им. Их двое было. Один другого Лузой называл. Кличка какая-то, наверное. У меня был выходной, и я отправился выпить пива... Я всегда хожу в пивной бар возле дома — расслабиться. Но только в выходной!

— Я понимаю...

— Им всего-то и надо было узнать стоимость

одного предприятия... Меня попросили, чтобы я внимательно слушал, что про него Георгий Сергеевич скажет. Ну, я и слушал. А что такого? — вскинулся он. — Не запрещено слушать, что у меня в машине говорят, верно? Закона такого нету.

— Это точно, — кивнул Кудесников. — А про Кущина не хотите мне шепнуть? — перескочил он на интересующую его тему. — Вы ведь его везли...

— Ну вез, — окончательно расстроился шофер. — Но он ведь не из машины исчез! Как от дома отъехали, так я его и высадил. В лесочке. Он стоял и ждал, пока я за поворотом скроюсь, никуда не уходил. Я Георгию Сергеевичу об этом сказал потом, но он велел молчать.

«Нормально, — подумал Кудесников. — Первый свидетель опрошен. Итак, Кущин выехал из дому на машине, чтобы все думали, будто бы он отправился за книгами — то есть далеко и надолго. А на самом деле мог запросто вернуться обратно. И Семигуб об этом знает. Может, он все-таки застал парня со своей женой и шлепнул его?»

Он спровадил Мешкова и лег на диван, закинув руки за голову. Поскольку Кущин был даже моложе, чем он сам, Арсений попробовал представить себя на его месте. Допустим, он и Алла Семигуб вместе принимают душ... Он прижимает Аллу к своей груди, она поднимает к нему круглые глаза, и они целуются... Нет, это невозможно. Фу-фу-фу! Получилась просто отвратительная фантазия.

Кудесников вытер рот, словно действительно целовался с хозяйкой дома, потом встал и запил впечатление чаем.

Тут как раз явилась его любимая горничная Ася с глазами-сливами и принесла ключ от комнаты пропавшего Кущина.

— Вы тоже меня боитесь? — спросил Кудесников.

— Нет, — хихикнула она. — Я тут только вторую неделю работаю.

«Понятно, — подумал он. — Еще не успела нашкодничать. Но это дело наживное».

— Скажите-ка, душенька, а что, в доме все опасаются моего... дара? — спросил он вкрадчиво. — Только честно, а? А?

— Кухарка негодует, — шепотом сообщила Ася. — Анна Никифоровна. Говорит, нечего приличным людям звать в дом кого ни попадя.

— Ах вон оно что! — протянул Арсений. — Пойдите и скажите своей Анне Никифоровне, что я с ней уже работал во время ужина. Когда она готовит еду, то вкладывает в каждое блюдо свою ментальную энергию. Я съел ее энергию и выстроил астральный коридор. Если она хочет, пусть придет, мы потолкуем о том, что ее так сильно волнует. И не забудьте добавить, что я уже все знаю.

Перепугав горничную, Кудесников взял кота, дабы не оставлять его без присмотра во вражеском стане, и отправился обследовать комнату пропавшего Кущина. Она находилась недалеко от лестницы и оказалась довольно большой и хорошо обставленной. Опытному сыщику хватило пяти минут, чтобы составить представление о хозяине.

Леша Кущин любил хорошие вещи. Принимал подарки. Скорее всего, от Аллы. От кого же еще? Золотые запонки, блокноты в кожаных переплетах, все новенькие, только что из магазина, несколько рубашек с ярлыками дорогих магазинов, кожаный портфель — на такой Арсений всегда только облизывался. И еще много всего, что объясняло его связь с хозяйкой. Кудесников пока видел два варианта развития событий.

Первый — Леша принимал от Аллы Семигуб подарки и ублажал ее, но одновременно встречался с кем-то еще. С кем-то, кто находился в доме. С горничной или с той же кухаркой, если она достаточно молода. В конце концов не выдержал напряга и сбежал без объяснений, чтобы Алла не уговорила его остаться. Вариант второй — Семигуб узнал об измене жены и что-то сделал с любовником. Убил? Выслал из страны? Откупился? Придется разрабатывать обе версии.

На всякий случай он начал проверять карманы, и в одной из рубашек Кущина, под застегнутой пуговкой, нашел свернутую бумажку. Там было написано: «Алексей! Даю сто долларов в день». Кудесников подержал записку перед глазами, как будто не мог вникнуть в ее смысл с первого раза. Потом сказал коту:

— Мерс, мы обнаружили первое свидетельство того, что Кущина подкупили. Кто-то передал ему записку с интересным предложением. Только кто? Семигуб? Нашел ему другое занятие с зарплатой сто баксов в день? Мне бы такую работу! — добавил он. — Без выходных и праздников.

Впрочем, представить себе Семигуба, пишущего записку любовнику жены, было очень трудно. Возможно, писал не он, а его секретарь? Тот самый Борис, похожий на змею или ящерицу, с улыбкой Моны

Лизы? Он решил завтра с утречка вызвать этого Бориса к себе и попугать немного. Однако чтобы он действительно испугался, следовало узнать какую-нибудь его маленькую тайну и сыграть на этом.

Арсений уже знал, что комната секретаря находится рядом с его собственной, и решил изловчиться и подсмотреть, как Борис будет готовиться ко сну. Возможно, у него накладные мускулы, или он подкрашивает лысину чернилами для заправки принтеров, или носит под брюками женские чулки — мало ли у человека слабостей, которые могут принести пользу? Если дело касалось компромата, Кудесников становился совершенно беспринципным типом.

Он уже высовывался наружу и приметил широкий карниз, позволяющий передвигаться вдоль всего второго этажа от окна к окну. Маленькое дополнение к архитектурному проекту — специально для любовных похождений. Как только Арсений вернулся в свою комнату, в дверь решительно постучали, и на пороге появилась женщина лет тридцати пяти — эдакая пухляшка в кудряшках, одетая в широкую юбку, из-под которой виднелись полные ноги в крохотных туфельках.

— Меня зовут Анна Никифоровна, — заявило прелестное создание, сжимая и разжимая кулачки.

— Хотите дать мне в морду? — любезно поинтересовался Арсений. — За то, что я собираюсь погубить вашу репутацию?

Он мгновенно понял, что Кущин мог потерять голову от этой дамочки. Она была до того аппетитна, что слюнки текли.

— Вы способны это сделать? — деловито уточнила она.

Кудесников усадил ее на диван, а сам устроился на стуле, поставив его напротив.

— Вы в курсе, что я ищу пропавшего Кущина? — спросил он, чтобы сразу направить беседу в нужное русло. Однако не учел, что дама волнуется и думает не о том, что говорит он, а о том, что собирается сказать сама. Про Кущина она прослушала, потому что твердо решила поведать «магу-детективу» про тот античный сосуд, который разбила две недели назад. Семигуб вызывал милицию, уверенный, что антикварную вещь украли. Она до сих пор плохо спала, переживая происшедшее снова и снова.

— Я хотела сказать, что все получилось случайно, — выпалила кухарка. — Здесь не было никакого злого умысла.

— А, так вы все-таки причастны к его исчезновению! — И поспешил добавить: — Я ведь это сразу понял. Как только съел креветок в сыре. Кстати, было очень вкусно.

— Спасибо, — прорыдала Анна Никифоровна, не в силах больше сдерживаться. — Что теперь будет?

— Да ничего не будет, не переживайте. Я постараюсь преподнести все очень тактично. Только мне важно знать, где он. Не хочется растрачивать лишнюю ментальную энергию по пустякам.

— Он... Он в гроте возле реки. Вернее, то, что от него осталось.

У Кудесникова моментально вытянулась физиономия. То, что от него осталось? Вот это номер!

— Я перенесла его туда... частями. Он оказался такой здоровый...

— Но как это случилось? — спросил Кудесников, не привыкший, если честно, выслушивать признания убийц вот так вот просто, после ужина, в ходе светской беседы.

— Как это всегда случается? — Анна Никифоровна вытирала слезы то левой рукой, то правой. — Я его толкнула, он упал и...

— Стукнулся. Понятно. А где вы его расчленили? На кухне?

— Он сам... расчленился, — ответила она, хлюпая носом. — В том-то все и дело!

«Голова у него, что ли, отлетела? — озадаченно подумал Кудесников. — Как это можно упасть и расчлениться? Если только шеей на остро отточенный топор».

— Ну ладно, ладно, будет вам, — с притворной ласковостью сказал он. Креветки, приготовленные рукой убийцы, восстали у него в желудке. — Завтра покажете мне, где этот грот находится, и я постараюсь что-нибудь придумать.

— Спасибо вам, — кухарка встала, продолжая ронять слезы. — А про астральный коридор — это правда?

— Естественно. Иначе я не был бы великим сыщиком, — пробормотал Кудесников.

Он проводил бедняжку до двери и подождал, пока она спустится по лестнице. Высунул голову в коридор и прислушался. Семигуб где-то внизу, на первом этаже, обсуждал с секретарем завтрашний распорядок дня. Значит, сейчас этот типчик пройдет к себе.

Арсений запер свою дверь на замок, выключил свет и лег животом на подоконник, чтобы убедиться, что никто из обитателей дома не вышел на улицу покурить. Никого не обнаружил: сад был черным, словно стоячая вода в озере, и деревья мерно шелестели жесткой августовской листвой.

Сыщик встал в полный рост в проеме окна, повернулся спиной к саду и ступил на карниз. Карниз оказался широким, двигаться по нему было не страшно, и он быстро преодолел намеченный путь. Сложнее было угнездиться возле соседнего окна и устроиться так, чтобы Борис его не заметил.

Как раз в этот момент его слуха коснулись голоса. Выходит, хозяин комнаты вернулся не один — второй голос был женским. Женщина находилась в ванной комнате, дверь в которую была открыта, а Борис стоял на пороге, опираясь о косяк. Поэтому было слышно только то, что говорит он, слов его подруги никак не разобрать.

— Конечно, я волнуюсь, — раздраженно выпалил секретарь. — А ты разве нет? Если он все узнает? Семигуб меня не просто уволит — он меня смешает с грязью. — Женщина что-то сказала, и он ответил: — Понимаешь, когда я увидел щенка, то просто... просто потерял дар речи. Он мне безумно понравился! И я ему тоже, можешь ты в это поверить?

Женщина ответила, и Кудесников вытянул шею, как мог, но тщетно. Он слышал не все, лишь отдельные фразы, не уловил, что речь идет о щенке, и решил, ясное дело, будто Борис говорит об исчезнувшем Кущине.

— Откуда я знал, что Семигуб поднимет такой

шум из-за его исчезновения? Да, он сейчас живет со мной. И, честно тебе признаюсь, дорого мне обходится.

«Интересно, — озадачился Кудесников. — Не могла же кухарка столько всего насочинять? Так жив этот проклятый Кущин или нет? Лежит он расчлененный в гроте или живет с Борисом?»

И тут он увидел мобильный телефон. Телефон лежал на маленьком диванчике возле окна и сверкал серебристым боком. Если Борис войдет в ванну...

Не успел Арсений подумать об этом, как Борис выполнил его «ментальную просьбу» и скрылся в ванной комнате. Зашумела вода. Сыщик еще немного продвинулся вправо, встал на четвереньки, потом лег на подоконник, вытянул руку и достал телефон. Мгновенно спрятался и написал короткое электронное сообщение Лайме Скалбе. Дал команду: «Отправить», высунулся и швырнул телефон обратно на диванчик. Тот чиркнул по обивке и свалился на пол. Чертыхнувшись, Арсений влез в комнату, схватил его и пристроил, как надо, но тут...

Из ванной друг за дружкой вышли Борис и Валентина Золотарева — оба в неглиже. В ту же самую секунду телефон противно загудел, сигнализируя, что сообщение отправлено. Чтобы заглушить уличающий его звук, Арсений открыл рот и громко завыл:

— У-у-у! — И поднял голову вверх, как голодный волк, мечтающий о заблудшем путнике.

Сказать, что секретарь Семигуба и сестра его жены испугались — значит, не сказать ничего. Это «У-у-у!» прозвучало так ужасно, так... угрожающе! Плюс ко всему, Кудесников еще воздел руки к потолку.

Валентина, которая оказалась впечатлительной женщиной, страшно завизжала и бросилась к двери. Борис поймал ее и зажал рот ладонью. Она вырывалась до тех пор, пока кто-то не забарабанил в дверь.

— Откройте немедленно! — требовала Алла Семигуб. — Я прикажу мужу взломать дверь!

— Открывайте, — посоветовал Кудесников. — Валентину засуньте в ванную, я ничего не скажу.

Когда Алла Семигуб влетела в комнату и наткнулась на Кудесникова, который стоял посреди комнаты со скорбным лицом, она бросилась ему на грудь:

— Дорогой мой! Вы живы! Я думала, вас убили! Ваша комната заперта, вы не отвечаете, ваш кот мяукает, и тут такой крик... Кто это кричал?

— Я, — смиренно ответил Кудесников. — Почувствовал выход ментальной энергии и не смог с собой справиться.

— Где? — изумилась Алла.

— Прямо тут, — он топнул ногой по полу. — Всполошил Бориса. Извините, Борис!

С большим трудом ему удалось успокоить хозяйку дома. Он обнял ее за плечи и повел в коридор, шепнув секретарю:

— Пусть она, — он мотнул головой в сторону ванной, — потом зайдет ко мне в комнату. Обязательно!

Бесхитростная Алла Семигуб довольно быстро пришла в себя и отправилась спать, поцеловав Кудесникова в колючую щеку. Несколько часов назад он посчитал бы такой поцелуй невозможным. Как быстро все меняется!

Мерседес приоткрыл глаза и больше никак хозяина не поприветствовал. Арсений засомневался, что

тот мяукал в ответ на стук в дверь. Может быть, пошевелил ухом, вот и все.

— Подождем Валентину, — сообщил он коту и принялся раздумывать над тем, что услышал. Неужто Кущин живет у секретаря Семигуба? Что творится в мире!

Валентина пришла минут через двадцать, бледная и злая.

— Как вы смеете вмешиваться в мою личную жизнь? — прошипела она. — Я вас не нанимала!

— Меня наняла ваша сестра, я действую в ее интересах. Для вас это плохо, — надавил Кудесников. И привычно солгал: — Я все знаю.

— Она сама виновата! — воскликнула Валентина, встряхнув слегка обвисшими после душа локонами. — Все время пытается продемонстрировать свое превосходство! Я ей просто отомстила. Она его никогда не найдет!

— Он так далеко? — осторожно спросил сыщик. — А мне почему-то кажется, что он где-то рядом.

И про себя добавил: «Не то живет с секретарем Семигуба, не то лежит расчлененный в гроте у реки».

Заметив ухмылку на губах детектива, Валентина неожиданно стушевалась:

— Ну... да. Я спрятала его здесь, в доме.

— В подвале? — предположил Кудесников, полагая, что все хорошо спрятанное должно обнаруживаться именно там. — Чем вы его завалили?

— Забаррикадировала банками с огурцами. Столько огурцов съесть невозможно, и я решила, что его никогда не обнаружат... Но как вы?.. Неужели это все правда — про выход в астрал и все прочее?

— Вы думали, я шарлатан?

— Ну да, — честно ответила Валентина. — Я в ваши способности никогда не верила. Алла вот решила, что вы можете сказать, где находится Кущин. А я уверена, что не можете.

Кудесников некоторое время молча смотрел на нее. Шестеренки в его голове крутились вхолостую. Наконец в сложном механизме замкнулась цепь, и он ответил:

— Адрес не назову, но дам путеводную нить.

— Ну-ну, — подначила Валентина, не сумев скрыть беспокойного блеска в глазах.

— Вы не смогли стерпеть наличия у вашей сестры молодого любовника и заставили его уехать, пообещав платить... Сколько, Мерс? — обернулся он к коту. Щелкнул пальцами и закончил: — Сто долларов в день!

Даму немедленно перекосило от ужаса.

— Вы не докажете!

— А от меня никто и не требует доказательств. Но не волнуйтесь, — смилостивился он, опасаясь, что коварная Валентина из чувства мести украдет или отравит его кота. Мерседес всегда был его ахиллесовой пятой. — Я про вас ничего не скажу. Думаю, Кущин тоже никогда не расскажет. Так что можете прекращать свои выплаты, все кончено.

— Вы обещаете? — уточнила она, абсолютно раздавленная. Арсений сто раз видел эту реакцию: люди не привыкли получать что-то хорошее за так.

— Клянусь, — ответил он и приложил руку к груди, как предводитель тайного пиратского общества пятого «А» класса.

* * *

— «Я в плену у жены Семигуба. Спасите! P.S. Думаю, в деле замешаны гаитянские зомби», — вслух прочитала Лайма и подняла глаза. — Это сообщение, которое прислал Кудесников. Кто-нибудь чего-нибудь понял?

— А ты пыталась ему звонить? — спросил Медведь, нахмурив брови.

— Его телефон не отвечает. А тот номер, с которого он отправил сообщение, для нас запретный. Раз он в плену. Не можем же мы его выдать, верно?

Они сидели в штаб-квартире, все как один растерзанные и помятые. Один Тагиров выглядел так, словно жил по твердому расписанию и спал по восемь часов в сутки.

— Семигуб — это депутат? — удивился Тагиров. — Не могу понять, каким образом он впутался в это дело. Может быть, Власов и команда продали ему «порошок забвения»?

Корнеев, перед которым стоял включенный компьютер, мгновенно вызвал поисковую систему и заложил в нее выражение «гаитянские зомби».

— Послушайте! — воскликнул он изумленно. — А ведь «порошок забвения» и в самом деле существует!

— Где это? — все головы повернулись к нему. — Как это?

— Вот, зачитываю отрывок из статьи: «Этноботаник из Гарварда Уэйд Дэвис провел полное исследование зомби. Он не только опросил самих оживших мертвецов и колдунов, но и взял токсикологические пробы. Оказалось, что основным компонентом «порошка забвения», используемого колдунами для обряда вуду, является тетрадотоксин из рыбы-собаки, в который добавлен препарат из галлюциногенной жабы. Сюда же добавляется ряд магических веществ, как, например, жидкость из носа мертвеца, но это, видимо, для устрашения зрителей. Полученное зелье блокирует передачу нервных импульсов, запирая клетки для ионов натрия». И так далее. Если интересно, можете прочитать статью полностью.

— Но как Кудесников вышел на зомби?! — воскликнула Лайма. — Он ведь следил за Червецовым! Неужели директор магазина «Уютная квартирка» связан с людьми, практикующими вуду?

— «Порошок забвения» создали в лаборатории, — сказал Тагиров. — Но это не тот самый, что используют на Гаити. Ведь Элла Виганд всего лишь потеряла свои воспоминания. Она осталась личностью — ум ее ясен, и она никому не подчиняется. Она не зомби. Если я верно понимаю, зомби — это люди, пережившие клиническую смерть. Они неполноценны.

— Смотрите, что тут написано, — Корнеев снова уткнулся в компьютер. — «Как отличить зомби от обычного человека? Они покачиваются при ходьбе, движения их механические и бессмысленные, взгляд плохо сфокусирован, говорят в нос. Способны работать лишь на плантациях, редко — на другой неквалифицированной работе. В таком состоянии человек может находиться долго, но ему нельзя давать соль, которая, как считается, возвращает память и способность к речи».

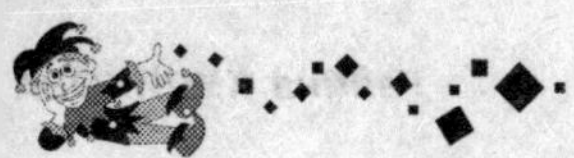

— Ну, про соль — это полная ерунда, — заметила Лайма.

— А что касается внешних признаков, то я вообще ни одного похожего на зомби человека во время нашего расследования не встречала.

— А эти странные негры? — задал встречный вопрос Медведь. — Они метали в меня ножи и хохотали!

— Я тоже видел негра, — вскинулся Корнеев, не в силах забыть посещение бара «Мандрагора». — Я рассказывал! Он подошел к машине и пообещал мне, что я все забуду. Это по его наущению меня должны были отметелить. И он был такой огромный! Больше Ивана.

— Таких негров не бывает, — не поверил Медведь.

— Я сам видел!

— Что, если бандиты выписали потомков шаманов с Гаити сюда, в Москву, чтобы они довели до ума «порошок забвения», изобретенный в лаборатории? — предположила Лайма.

— Бар «Мандрагора» уже проверяют, — сказал Тагиров. — И тамошних негров тоже.

— А магазин?

— Естественно. Я полагаю, что Власов вступил в преступный сговор с Червецовым и его командой. Он передавал им зелье, основанное на тетрадотоксине, которое изобрели в нашей лаборатории, а они находили покупателей. Но вот как использовали этот порошок покупатели? Впрочем, одна зацепка у нас есть. Элла Виганд после убийства мужа унаследовала половину фирмы «Энерджин». Вторая половина осталась в руках у партнера Виганда Андрея Зимина. Я полагаю, Зимин — это и есть наш «Гоголь». Квартира Зимина находится в том самом районе, где таксист Ямщицкий видел убегающую брюнетку. От кафе «Морячок» до дома, где живет Зимин — пять минут ходу. Могу предположить, что именно Зимин купил «порошок забвения» и опоил им Эллу. Но вот что он собирался делать с ней дальше? С точки зрения выгоды он должен был ее убить.

— Это можно узнать у самого Зимина, — проворчал Медведь. — Что он собирался делать с Эллой. Прижать его к ногтю и...

— Боюсь... — подал голос Корнеев, который все это время не отрывался от компьютера. — Боюсь, что у меня плохая новость. Очень плохая новость.

— Что-нибудь с Кудесниковым? — переполошилась Лайма. — Ах, какие мы! Сидим тут и рассуждаем, когда человек прислал нам записку с сигналом SOS!

— Про Кудесникова я ничего не знаю. И вообще — все это время я пытаюсь найти адрес депутата Семигуба. Но он какой-то... засекреченный.

— Так что за плохая новость? — еле сдерживая волнение, переспросил Тагиров.

Он вдруг испугался, что с Эллой случилось несчастье, а этот Корнеев тянет и тянет кота за хвост!

— В сводке новостей прошло сообщение. Вчера ночью в своей квартире убиты предприниматель Андрей Зимин и его жена. Следствие считает, что убийство связано с коммерческой деятельностью Зимина, так как ранее неизвестным киллером был расстрелян Карл Виганд, который был одним из владель-

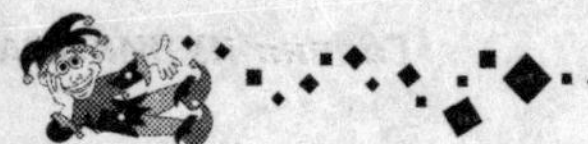

цев фирмы «Энерджин». После его смерти Зимин управлял фирмой единолично...

— Мы их вспугнули, — обреченно сказал Медведь. — Они сдрейфили и стали заметать следы. И убили собственных заказчиков.

— Не забудьте, что заказчики не довели дело до конца, — напомнил Тагиров. — Элле удалось улизнуть. Я думаю, она поймала первого попавшегося частника, но по дороге потеряла сознание. Шофер, ясное дело, испугался, вывез ее за город и выбросил из машины, чтобы не объясняться с милицией. Там ее и нашел Кудесников. К тому времени Элла пришла в себя, но уже ничего не помнила. Вероятно, когда мы с ней готовились к этим событиям, мы не учитывали, что я тоже лишусь отдельных воспоминаний...

— Какая ужасная путаница! — воскликнула Лайма. — Как мы будем во всем этом разбираться?

— Да уж как-нибудь, — пробормотал Корнеев и захлопнул крышку ноутбука. — Только сначала освободим Кудесникова с котом. Адрес и интересующий нас кусок карты я уже распечатал.

* * *

После короткого сна и долгих водных процедур Кудесников вышел из своей комнаты и двинулся на первый этаж, на голоса. Время было раннее, только что принесли молоко и почту. Конверты лежали на серебряном подносе, а сам поднос стоял на резном столике возле парадной двери. Для сыщика просмотреть чужую почту было делом чести. Он перебрал конверты и немедленно выхватил письмо, пришедшее из Севастополя. Имелся там и обратный адрес — улица Ленина, и имя с фамилией — Алексей Кущин.

«Телепатия, — подумал Кудесников. — Безутешная Алла пытается отыскать возлюбленного, а его письмо в это время уже лежит в почтовом отделении». Он вернулся к себе в комнату, старым сыщицким способом вскрыл конверт и прочитал: «Милая Алла! Не знаю, как объяснить тебе все, что произошло. Я страшно раскаиваюсь. Срочные дела заставили меня покинуть Москву, но я так боялся твоих слез, что уехал тайно...»

Ни слова о Валентине Золотниковой и ее деньгах. «Все так, как я и думал!» — обрадовался Кудесников и спрятал письмо в карман. Если хочешь, чтобы тебя считали фокусником, нужно время от времени показывать фокусы. Письмо он позже еще раз бросит в почтовый ящик. Оно немного задержится, но Алла уже будет знать о его существовании.

Он снова спустился вниз и вошел в столовую с гордо поднятой головой. Семигуб с женой сидели за столом, сервированным к завтраку. Головокружительный аромат кофе пощекотал ноздри Арсения, и он блаженно улыбнулся:

— Доброе утро! А можно и мне этого божественного напитка?

— Ах, дорогой Арсений! — воскликнула Алла, собственноручно наливая ему кофе. — Я просто жду не дождусь, когда мы начнем.

Кудесников отхлебнул из чашки, блаженно зажмурился и пробормотал:

— В сущности, я уже закончил.

Семигуб, «подогретый» женой, тоже проявлял

признаки нетерпения и все время ерзал на стуле. Когда сыщик сказал, что все закончил, он воскликнул:

— Как это?!

— Просьбу Аллы Викторовны я выполнил. И мне пора ехать.

— А Валентина с мужем? — опешила Алла. — У них угнали машину...

— Им придется обратиться в милицию, — с напускным сожалением сказал Арсений. — Я потребовался службе безопасности страны.

— Но как она с вами связалась?

— Не могу сказать. Это новый засекреченный вид связи — иридиопочта.

— Это когда чип вставляют прямо в глаз, что ли? — проявил фантазию Семигуб.

— Государственная тайна. В общем, я уезжаю.

— А я? — неожиданно обиделся Семигуб. — Вы обещали и мне тоже одно желание!

«Вот детский сад», — подумал Кудесников, а вслух поинтересовался:

— А что бы вам хотелось у меня спросить? У вас что-то случилось?

— У меня много чего случается, — пожал плечами тот. — Вот щенок у меня пропал недавно. Дорогущий, гад. Я его два месяца ждал, документы выправил, принес домой, а на следующий день мы нашли на кухне опрокинутую миску с водой, а пес как в воду канул...

Слово «кухня» навело Кудесникова на мысль о расчлененном теле, которое кухарка спрятала в грот.

— Боюсь, — сделав скорбную мину, сказал он, — что ваш щенок погиб. Увы. Если вы пойдете в старый грот над рекой, вы найдете его бедное хвостатое тело...

— Я так и знала! — воскликнула Алла, уронив быструю слезу на скатерть. — Такой песка был чудный!

— Нет, подождите-подождите! — закричал Семигуб. — Это не считается! У меня вопрос более важный был. Контракт, понимаете ли, из-под носа увели! Хочу знать, кто против меня играет.

— Минутку, — остановил его Кудесников. Он завел глаза в потолок, нахмурился и сказал: — Кажется, ваш щенок не в гроте. Он в подвале, спрятан под огурцами.

— Какой ужас, — пробормотала Алла. — Кто мог так поступить с бедным животным?!

— Луза, — вспомнил сыщик. — Вам знаком такой человек?

— Лузняков! — Семигуб с такой силой хлопнул ладонями по столу, что кофейные ложечки подпрыгнули и жалобно тренькнули. — Я знаю, на кого он работает!

— Тот, на кого он работает, и есть ваш лютый враг, — с чувством заявил Кудесников, довольный, что все складывается так удачно.

— Еще ты хотел спросить про свой античный сосуд! — шепотом напомнила Алла, словно Арсений мог ее не услышать.

— Это уже будет три желания! — закапризничал Кудесников.

— Но я заплачу, — с жаром сказал Семигуб. — Вы же тут, и ментальной энергии, судя по всему, у вас — завались. Надо же воспользоваться!

«Вот так и живут депутаты, — подумал Арсений. — Пользуются всем, до чего могут дотянуться». Тут же ему в голову пришла светлая мысль, и он воскликнул:

— А античный сосуд украл ваш секретарь!

Муж с женой переглянулись.

— Да не может быть! — возразил Семигуб. — На что он ему сдался? Ведь он в антиквариате ничего не понимает! Он даже продать его не сможет за толковые деньги.

— Кажется, этот парень не собирается его продавать, — сказал Кудесников, пытаясь вспомнить вчерашний подслушанный диалог в деталях. — Ваш сосуд ему сразу понравился.

Тут Арсений вспомнил, как Борис говорил: «Понимаешь, когда я его увидел, то просто... просто потерял дар речи. Он мне безумно понравился! И я ему тоже, можешь ты в это поверить?»

— Вашему сосуду он тоже сразу понравился, — задумчиво добавил он. — Кажется, он отдал его на реставрацию и заплатил за это большие деньги.

Семигуб с женой переглянулись еще раз.

— А... А как с моими делами? — осторожно спросила Алла, глядя на Кудесникова, как на редкую бабочку, готовую упорхнуть у нее из-под носа.

— Да-да! Касательно вашей подруги, которая уехала, не оставив адреса. — Сыщик многозначительно взглянул на нее, и Алла потупилась. — Все складывается великолепно. Она жива и написала вам письмо...

Алла просияла ему навстречу, а потом закрыла глаза рукой.

— Она живет в Севастополе, — продолжал выкладывать все свои козырные карты Арсений. — На улице Ленина.

— Кто такая? — поинтересовался Семигуб, наливая себе новую порцию кофе с молоком.

— Алиса Кукушкина, — выстрелила Алла.

Кудесникова всегда поражала уникальная женская способность врать с лету. Ни секунды на раздумье, ни одного растерянного вздоха. Сразу — раз! Алиса Кукушкина.

— Не знаю такую, — проворчал Семигуб.

— Так что в этом смысле у вас все хорошо, — закончил Арсений. — А что касается кулона... — Он надолго задумался, потом почесал нос. Это ему не помогло, тогда он потер ухо. — Что касается кулона... Кажется, его тоже украл Борис.

— Да не может быть! — заклокотал Семигуб. — Я взял на работу вора? Не верю.

Кудесников пожевал губу и ответил:

— Ну... Что-то он определенно украл. Вы у него сами спросите — что именно, а то у меня дел невпроворот.

Не успел он договорить, как в дверь постучали — грозно-прегрозно.

— Федеральная антитеррористическая служба, — донесся до них сочный бас Медведя. — Именем закона, откройте дверь!

Вероятно, он только что пересматривал «Маску Зорро» с Аленом Делоном или что-нибудь в этом роде. Подумать только — именем закона!

— Не волнуйтесь, это за мной, — поспешно сказал Арсений, пристегивая к ошейнику Мерседеса цепочку. — Кстати, где мой телефон?

— Вадик! — пронзительно крикнула Алла одному из своих телохранителей, которые болтались где-то в

холле. — Принесите телефон господина Кудесникова. И откройте входную дверь.

Дверь тотчас открыли, и по холлу загрохотали шаги. Арсений крикнул:

— Я здесь! Сюда!

И в гостиную ввалился сердитый Медведь в сопровождении взлохмаченного Корнеева. Увидев живого и невредимого Кудесникова с котом на цепочке, Иван сказал:

— С тобой все в порядке?

— Сейчас — да, — ответил тот. — Дела я завершил, мы можем ехать.

— Подождите! — воскликнул Семигуб. — Я ведь кое-что обещал... Я сейчас!

Он вылетел из комнаты, и Алла, воспользовавшись моментом, немедленно вскочила и положила руки на грудь Кудесникову.

— Ах, Арсений, я надеюсь, вы меня простили. Я просто вынуждена была вас украсть! Таких уникальных сыщиков, как вы, больше нет. Я буду помнить о вас до конца жизни!

Кудесников покраснел от удовольствия. Еще бы! Ребята из конторы все слышали, пусть ценят! Через минуту примчался Семигуб с «дипломатом».

— В дороге не открывайте, — посоветовал он, и Кудесников понял, что внутри деньги.

— Обязательно откроем, — пообещал Медведь. — Вдруг там бомба, и машина взлетит на воздух. Это вы, батенька, с антитеррористической службой разговариваете, а не с первой группой детского сада.

Семигуб клацнул челюстью, но ничего не ответил. И Кудесников, помахав рукой, выкатился из гостиной вслед за своей командой. Однако через несколько секунд из холла раздался громкий вскрик, потом топот, и голова Арсения всунулась обратно.

— Это было астральное озарение, — поспешно объяснил он. — Или ментальный удар. Я слышал, что у вас несколько дней назад умер кто-то из обслуживающего персонала...

— Садовник, — растерянно подтвердила Алла. — Но он был очень стар и умер своей смертью...

— Бедный старик! — воскликнул Кудесников. — В последнее время у него мутилось в голове. Это он разбил ваш ценный сосуд и спрятал его в гроте у реки. И медальон тоже утащил он.

— Но это случилось довольно давно, — удивилась Алла.

— Уже тогда он был не в себе. Но его нельзя за это винить, — поспешно добавил Кудесников, слегка смущаясь оттого, что наговаривает на бедного садовника. — Он не ведал, что творит. Ваш бесценный кулон он отнес в подвал и заложил банками с огурцами. А собачка жива! — обрадовал он Семигуба. — Ее свистнул ваш секретарь. Я же говорил, что у него рыльце в пушку.

— Наш дорогой песик жив! — прослезилась Алла, обнимая мужа за то место на торсе, где прежде находилась талия. — Арсений, вы принесли счастье в наш дом!

— В электронном послании ты написал: «Спасите!», — заметил Корнеев, пропуская сыщика вперед. — А по всему выходит, что катался ты тут как сыр в масле и был гостем дорогим у радушных хозяев.

— Меня привезли в гости насильно, — обиделся

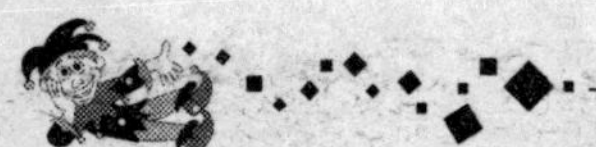

Кудесников. — Держали взаперти. И отобрали телефон.

Они двинулись к калитке по широкой садовой дорожке мимо ароматных смородиновых кустов. Лохматые головки астр провожали их легкими кивками. Арсений немного притормозил, положил «дипломат» на колени и приоткрыл щелку. Внутри лежали деньги. Много денег. Он сунул внутрь руку, пошарил — нет ли бомбы. Не обнаружил ничего подозрительного, щелкнул замками и побежал догонять товарищей.

Лайма встречала их возле машины. Первым делом она кинулась гладить кота и только потом потрясла Кудесникова за руку. А когда они оказались в салоне и захлопнули все четыре дверцы, озабоченно спросила:

— Скажи, Арсений, а что ты делал возле офиса фирмы «Скогарев и партнеры»?

* * *

— Психолог? — недоверчиво воскликнула Лайма. — Та огромная тетка, которая бегала за мной по всему городу, а потом чуть не заколола мечом — психолог? Мулатка в черной полумаске! Она ворвалась в квартиру и напала на трех взрослых мужчин. Одного ранила. И вы говорите, что она занимается вопросами семьи и брака?!

— Могу подарить тебе ее визитную карточку, — хмыкнул Корнеев. — Сведения от босса. Ты сама продиктовала нам номер красного автомобиля. Описание внешности тоже совпадает.

— Она что, русская? — удивилась Лайма.

— Самая что ни на есть, — подтвердил он. — Родилась в Москве. То бишь коренная москвичка.

— Нет, это какая-то ошибка, — упорствовала Лайма. — Я бы ни за что не прыгнула с моста, если бы в глазах этой дылды увидела хоть проблеск ума и чувства. Поймите, за мной гналась машина для убийства! В конце концов, вы можете спросить Репьева!

— Это что еще за фрукт? — с подозрением спросил Медведь.

Ему активно не нравились мужики, увивающиеся за командиром. Трогать он их не трогал, но всегда демонстрировал неудовольствие, когда Лайма знакомила его с кем-то из своих «хахалей». Теперь вот появился какой-то новый. И фамилия у него подозрительная — Репьев. Такой прицепится — не отдерешь. Если только удалить с корнем...

— Юра спас меня от смерти. Да я же вам рассказывала!

— Ах, ну да, — противным голосом поддакнул Корнеев. — Он твой герой.

Корнееву тоже не нравилось, когда Лайма заводила с кем-нибудь шуры-муры. И то сказать — на мужчин ей не везло: все время попадались какие-то неправильные.

— Так что мы будем делать с мулаткой? — не унималась Лайма.

— С доктором Ахундовой, — любезно подсказал Медведь. — А зовут ее Анджела Александровна.

— Три «А», — мрачно заметил Корнеев. — Босс считает, с ней нужно поговорить. Попытаться вызывать на откровенный разговор.

— Психолога? На откровенный разговор? Ты шутишь, — пожала плечами Лайма. — Она не ответит ни на один вопрос, доведет тебя до белого каления, а потом выдаст экспертное заключение и потребует с тебя сотню баксов.

— А что, это идея! — обрадовался Медведь. — Нужно сходить к ней на консультацию. Деньги нам выделили...

— И чьей я буду женой? — поинтересовалась Лайма. — Только не думайте, что на консультации у психолога супруги обязательно целуются.

— Мы и не думаем, — соврал Медведь.

— А я считаю, что к госпоже Ахундовой лучше сходить вообще без тебя, — заявил Корнеев.

— Скажете, что у вас однополый брак? — ехидно поинтересовалась Лайма. — Ссоры на почве ревности? Любовь здесь больше не живет? Вам никто не поверит.

Боже! Отчего мужики всегда так самонадеянны? Им кажется, что любая их фантазия должна пройти на «ура».

— Я пойду один, — предложил Корнеев. — Не обязательно тащить с собой женушку.

Лайма всплеснула руками:

— Ты не представляешь, с кем тебе придется иметь дело! Если эта Анджела разозлится, она тебя просто задушит голыми руками. Ты и пикнуть не успеешь.

— Значит, пойду я, — принял решение Медведь. — Я единственный из вас имею настоящую военную подготовку. Она меня голыми руками не возьмет!

— На голые руки не рассчитывай, — заметила Лайма. — Эта тетка запросто может схватить нож для бумаги и разрезать тебя напополам.

Корнеев долго смотрел в окно, как будто решение проблемы пряталось где-то за горизонтом, потом предположил:

— Возможно, охота на людей — это ее хобби. А на работе она — само очарование и любезность. И то сказать — с чего бы это ей кидаться на клиентов?

— Если я правильно поняла, у добровольца иная задача — вызвать ее на откровенность. Вот тут-то и начнется представление!

Медведю удалось убедить товарищей, что он единственный сможет выстоять против мулатки, если вдруг ей захочется заняться вольной борьбой. Лайма велела ему держать ушки на макушке и не доверять лживым словам. Поехали они все вместе, решив, что подстраховка останется ждать в машине. А если что-то пойдет не так, Медведь приблизится к окну и махнет рукой. Они заранее выяснили, в каком месте находится кабинет психолога Ахундовой, и высчитали ее окна на фасаде большого офисного здания.

У Медведя было такое решительное лицо и такой суровый взор, что Лайма не хотела его отпускать.

— Ты слишком напряжен, — попеняла она.

— Ничего себе! Сама говоришь, дамочка может прокомпостировать меня дыроколом или проверить, что там внутри, при помощи ножа для бумаги, и хочешь, чтобы я при этом не волновался.

— Ну хорошо, волнуйся, но не так откровенно.

Медведь придумал себе неубедительную легенду, которую Лайма раскритиковала в пух и прах, а Корнеев, наоборот, поддержал, набил бумажник деньгами и приложил к нему пистолет.

— Стрелять только в крайнем случае и не в голову, — предупредил Евгений.

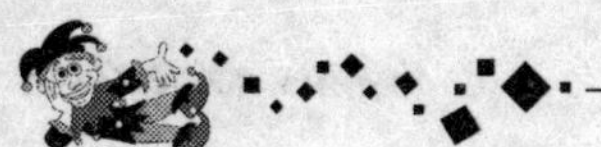

— Справлюсь, не мальчик, — пробормотал тот и, насвистывая, направился ко входу в здание.

Охранники спросили, куда он идет, и Медведь скромно ответил, что к психологу, и показал визитную карточку, которую передал им Тагиров. Контора работала оперативно, ничего не скажешь.

— Второй этаж, — любезно подсказал один из охранников. — Можно пешком, можно на лифте.

Медведь пошел пешком, представляя себе кровожадную тетку, которая сидит в кабинете с налитыми кровью глазами и думает, кого бы прикончить после работы. Вдруг она выберет его?

В коридоре никого не было, и Медведь тихонько подошел к нужной двери. Постоял, прислушиваясь, потом наконец решился и постучал.

— Войдите, — донесся до него мелодичный голос. Такой голос мог бы принадлежать молодой девушке с шелковыми волосами до пояса, которая носит широкие рубашки с вышивкой, а на завтрак съедает половинку груши.

Однако за столом сидела та самая особа, которую Медведь, собственно, и ожидал увидеть. Только Лайма описывала ее фурией, а перед ним предстала спокойная женщина с внимательными глазами, в которых читался живой ум. У нее действительно была шоколадная кожа, однако волосы не торчали во все стороны, словно у молодого Игоря Корнелюка, а были уложены в аккуратную прическу.

— Добрый день, — поздоровалась она. — Меня зовут Анджела Александровна. Вы без предварительной договоренности?

— Без, — согласился Медведь, сглотнув слюну.

Было бы лучше, если бы мулатка сразу бросилась на него с кулаками или с ножом. А то жди, когда это случится! Быть все время начеку чудовищно сложно. Медведь плохо справлялся с двойной нагрузкой. Когда он был начеку, то не мог нормально вести беседу. И наоборот.

— Садитесь, пожалуйста. — Медведь сел и зажал руки между колен. — Прежде вы никогда не были у специалиста по семейным проблемам?

— Нет. Прежде у меня не было семьи, — ответил тот.

Анджела покивала головой и улыбнулась ему ободряюще.

— Вы вместе с женой приняли решение прийти на консультацию?

— Нет, я принял один. Жена ничего не знает. Она не в курсе, куда я отправился.

— Вы считаете, она будет против?

— Наверное. Она всегда против всего, что бы я ни предложил.

Анджела постучала карандашом по столу, как классический доктор в каком-нибудь умном фильме, и спросила:

— Что ж, вы знаете о моих условиях?

— Это в смысле денег? — уточнил Медведь.

Ему было неловко говорить с ней о деньгах. Он и сам не знал — почему. Оплата наличными — обычное дело.

— Я беру умеренный гонорар.

Она назвала сумму, и Медведь поспешно отсчитал купюры.

— Благодарю вас.

Элегантная и безупречная, она все делала как надо. Иван неожиданно понял, что если Анджела и в самом деле преступница, то чрезвычайно хитрая и умная. Осознав это, он вспотел еще раз и спросил:

— Мы прямо сейчас начнем... совещаться?

— Конечно. Сначала вы расскажете мне о своей проблеме, а потом побеседуем. Если я буду задавать вам очень личные вопросы, пожалуйста, вспомните, что я доктор.

— Хорошо, — кивнул Медведь и принялся излагать свою шаткую легенду, путаясь в мелочах и похрустывая суставами на пальцах, которые он мял от волнения.

В какой-то момент Анджела решила подняться на ноги, чтобы пройтись по кабинету, и Медведь так напрягся, что едва не выхватил пистолет. А уж когда она предстала перед ним во всей красе, он и вовсе потерял дар речи. Она действительно оказалась очень высокой, с тренированным телом. Впрочем, на ней был костюм, который хорошо скрывал все нюансы телосложения. Только икры ног были открыты для обозрения, и Медведь посматривал на них с уважением и опаской. Если такой ножкой зафинтилить в глаз или еще куда-нибудь, будет очень больно. Он уже не был так уверен, что, доведись им сражаться, победа окажется непременно на его стороне.

— Кем работает ваша жена? — поинтересовалась Анджела, взяла со стола степлер и рассеянно повертела в руках.

Медведь немедленно вскочил и занял боевую стойку.

— Что с вами? — спросила она, и ее шоколадные глаза удивленно расширились.

— Ничего, просто захотелось размяться. — Он показал подбородком на опасную канцелярскую принадлежность и с подозрением спросил: — Зачем вам эта штука?

Анджела вернула степлер на место, подошла поближе и положила руку Медведю на плечо с выражением откровенного сочувствия на лице. От напряжения мускулы его немедленно превратились в камень. Каждый нерв завибрировал и загудел, слово провод под током.

Анджела заглянула ему в глаза и тихо спросила:

— Она вас бьет?

— Кто? — удивился Медведь и так растерялся, что забыл обо всех опасностях.

— Ваша жена.

Увидев, что ее клиент впал в некоторое подобие комы, она ласково добавила:

— Я ведь врач, мне можно рассказать все!

— А вы сами против агрессии? — спросил Медведь. — По-вашему, женщина может сравняться с мужчиной по силе?

Анджела усмехнулась:

— Вы намекаете на меня? На то, что мое тело хорошо развито? Я люблю бег и плавание, вот и все. Но давайте вернемся к вашей супружеской жизни.

Их беседа длилась примерно четверть часа, и Медведь уже вошел в роль битого мужа, когда Анджела неожиданно спросила:

— Скажите, Иван, что вам от меня нужно на самом деле? Ведь у вас нет никакой жены. Возможно, она когда-то была, но с тех пор прошло уже довольно много времени.

Как только она это сказала, Медведь сорвался с места и, подскочив к окну, принялся размахивать руками с таким остервенением, словно на него напала оса размером с морскую свинку.

— Молодой человек! — воскликнула Анджела. — Пожалуйста, успокойтесь! Все хорошо. Все просто прекрасно. Вам просто нужно зайти к невропатологу — и жизнь снова обретет смысл и краски. Вы ведь не против зайти к невропатологу, верно?

— Против, — ответил Медведь. — Это вам самой нужно лечиться, потому что у вас раздвоение личности. Может быть, вы даже не знаете о той страшной женщине, которая живет внутри вас и начинает управлять вашими поступками, как только вы зазеваетесь.

Анджела опешила. Некоторое время молчала, удивленно уставившись на него, а потом спросила:

— Я вас чем-то обидела? Мне кажется, вы на меня очень сердиты. Но я, честное слово, не могу понять, почему.

— Не прикидывайтесь дурочкой. Вы знаете, что охотитесь за людьми? Или для вас это откровение? Может быть, вы лунатик?

— Как вы сказали? Охочусь за людьми? — Глаза ее расширились, а губы приоткрылись. — Вы в своем уме?

Именно в этот момент дверь без предупреждения распахнулась, и на пороге появился Корнеев с оружием в руке. Позади стояла Лайма и тоже держала палец на спусковом крючке. Если не знать, что стрелять толком ни один из них не умеет, картина получилась внушительная.

— Руки вверх! — сказал Корнеев, как будто играл в партизан в придорожной канаве.

Однако Анджела послушалась и сделала, как он велел.

— Господи, кто вы такие? — спросила она скорее с удивлением, чем с испугом.

— Федеральная антитеррористическая служба безопасности! — с удовлетворением сообщил Медведь.

— Меня что, подозревают в терроризме?

И тут Лайма, которая все это время не сводила с Анджелы глаз, громко заявила:

— Да это же не она! Точно — не она. Похожа, но не она.

Корнеев тяжело вздохнул и убрал пистолет. Лайма тоже опустила руку с оружием.

— Ты уверена? — спросил Медведь. Сейчас он чувствовал себя глупее некуда. — По моим наблюдениям, Анджела Александровна — выдающаяся женщина. Вряд ли в Москве найдется еще одна такая же.

Смущенная Лайма снова подняла пистолет, подержала мулатку на мушке, а потом рука ее бессильно упала.

— Будем разбираться, — сказала она и предложила: — Садитесь за свой стол, только руки держите сверху. И я проверю ящики.

Она действительно проверила ящики стола, не нашла в них ничего особенного и устроилась на диване. Медведь и Корнеев предпочли остаться на ногах. Им казалось, что так они держат ситуацию под контролем.

— Скажите, у вас есть красная спортивная машина? — задала первый вопрос Лайма, и он сразу все расставил по своим местам.

— Кажется, теперь я догадалась, в чем дело, — заметила Анджела, но вместо того чтобы вздохнуть с облегчением, расстроилась еще больше. — Машина у меня есть, но пользуется ею моя сестра Стелла.

— Я так и подумал, что вас две, — не стерпел Медведь. Отчего-то ему хотелось понравиться этой женщине, хотя на нее с самого начала падало подозрение.

— А в чем дело?

Корнеев достал удостоверение и показал ей.

— У вашей сестры большие неприятности.

— А это как-то связано... с карликом? — неожиданно спросила Анджела.

Лайма подалась вперед и спросила:

— Что вы об этом знаете?

— О карликах? Практически все.

— Рассказывайте, — велел Корнеев и махнул пистолетом. — Давайте. Все, что вы знаете о вашей сестре и ее связи с карликом.

— Произошло так много всего... Скажите, что вас конкретно интересует?

— Ваша сестра связалась с группой особо опасных преступников, — с печалью в голосе поведал Медведь. — Нападение, покушение на убийство, может быть, даже двойное убийство — все это ее рук дело. И ее приятелей.

— Этого просто не может быть. У нас с сестрой, конечно, разные взгляды на жизнь, но не до такой степени! Она не преступница, уверяю вас.

— Да? — недоверчиво воскликнула Лайма. — Ваша Стелла гонялась за мной по городу со скифским мечом в руках, и я осталась в живых только по чистой случайности!

— А карлик тоже... имеет к этому отношение?.. К преступлениям, я имею в виду?

— И карлик, и негры с ножами, и ваша сестра с колокольчиками, — перечислил Корнеев.

— Это была моя идея, — заявила Анджела, прижав руку ко лбу. — Но я полагала, что это своего рода игра. Я просто помогала приятелям Стеллы выйти из трудного положения... Это я придумала колокольчики. И темнокожих мужчин. И карлика тоже.

— То есть вы в курсе всего карнавала? — уточнила Лайма.

Анджела глубоко вздохнула, обвела взглядом присутствующих и, собравшись с духом, начала:

— В общем, дело было так. Мы с сестрой встретились, как всегда, в субботу в кафе. У нас традиция: мы болтаем, обмениваемся новостями, даем друг другу советы. Я заметила, что в последнее время Стелла сильно изменилась. Это произошло после того, как она устроилась на работу в магазин «Уютная квартирка». Он находится...

— Мы знаем, где он находится, — перебил Корнеев нетерпеливо.

— А кем она там работала? — заинтересовался Медведь.

— Менеджером по закупке товаров. У нее отличный вкус, — похвалила сестру Анджела, оглядывая всех членов группы «У» по очереди, чтобы донести до них свою мысль. — Она вообще-то способная и талантливая, только в последнее время ей не везло.

— Вскоре ей снова крупно не повезет, — пробормотал безжалостный Корнеев.

— Продолжайте, — подбодрила ее между тем Лайма.

— В последнюю нашу встречу Стелла была просто как в воду опущенная. Поделилась, что у ее друзей неприятности.

— У каких друзей?

— У владельца магазина «Уютная квартирка» в первую очередь. Ну и, соответственно, у всех, кто занимает там ключевые должности. Стелла сказала, что на них наехали какие-то бандиты. Я не очень хорошо поняла, в чем там дело, просто поинтересовалась, могу ли я помочь. И тогда она попросила: придумай, как можно заставить бандитов потерять интерес к магазину и переключиться на другое место? Если они начнут следить за служащими, то должны подумать, будто все самое интересное происходит не в «Уютной квартирке», а где-то еще.

— Совершенно неубедительная версия. Как вы на нее купились? Вы же умная женщина.

— Не знаю... — растерялась Анджела. — Я доверяла своей сестре. Она сказала: ты же психолог, должна знать, как пустить пыль в глаза.

— То есть эти два огромных негра на мопедах, которые швырялись в меня ножами, это была пыль в глаза?! — возопил Медведь, едва не задохнувшись от возмущения.

— Настоящими ножами?

— А это разве не ваша гениальная идея? — поинтересовался Корнеев насмешливым тоном.

— Так что вы им посоветовали? — нетерпеливо спросила Лайма.

— Выбрать какое-нибудь безобидное заведение и упорно заманивать туда преследователей, всячески намекая, что в этом месте происходят некие важные вещи. Гораздо более важные, чем в магазине.

— И они выбрали бар «Мандрагора», — предположил Корнеев.

— Я не знаю... Возможно. Я поехала в магазин, и Стелла познакомила меня с Олегом Ефимовичем, директором. Он потрясающе обаятельный мужчина!

— Убил двух человек, — поддакнул Корнеев. — Или заказал. Что, по большому счету, роли не играет.

Анджела тяжело сглотнула и растерянно посмотрела на Лайму, очевидно, в поисках поддержки.

— Вы рассказывайте, рассказывайте, — предложила та. Она была не в силах забыть страшную погоню и свой прыжок с эстакады в грузовик. Поэтому успокаивать Анджелу относительно сестры и ее преступных связей не собиралась.

— Ну... Они долго объясняли мне, как трудно удержаться на плаву, какие бывают препятствия. И о своем нелегальном бизнесе, из-за которого начались неприятности.

— Нелегальном бизнесе? — за всех удивился Медведь. — А поподробнее можно?

— Конечно. — Анджела смотрела на него теперь совсем другими глазами. Ласковое выражение испарилось, и вместо него появился затаенный страх. — В сущности, это такой обычный для торговли обман,

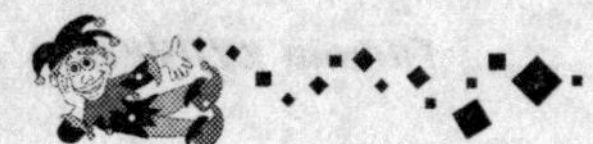

ничего нового. Олег Ефимович заключил несколько контрактов с небольшими отечественными фирмами. И те изготавливали и поставляли ему товары, которые продавались как импортные. Бандиты узнали об этом и наехали.

— А при чем здесь ваша дымовая завеса? — изумился Корнеев.

— Понятия не имею. Но когда Олег Ефимович объяснял, мне все было ясно...

— Ну что ты к ней привязался? — спросила Лайма. — Она ничего не знает. По крайней мере, не знает правды. На самом деле компания бандитов придумала всю эту дымовую завесу для своих клиентов, покупателей «порошка забвения». Допустим, какая-нибудь персона Икс захочет что-то такое выведать, чтобы влезть в бизнес, или заняться шантажом, или еще с какой-нибудь тайной целью. И тут эта персона видит, что дело-то непростое, а связано оно с культом вуду — черной магией, где есть место огромным неграм, мулаткам, карликам и неким таинственным обрядам с колокольчиками. Он сунется в бар «Мандрагора», будет долго чесать репу и соображать, стоит ли ему вообще связываться с такими страшными делами. Когда Арсений со своим котом полез в святая святых, они на всякий случай, опасаясь, что кто-то сел им на хвост, запустили после закрытия магазина всю эту карусель. Специально для возможных преследователей. Им и в голову не могло прийти, что это... наш босс. Они ведь его вроде как нейтрализовали.

Гораздо позже Червецов рассказал, как ему в голову пришла идея обставить банальный преступный сговор такими роскошными декорациями. Он просматривал статью в газете, касающуюся фирмы Скогарева — интересовался, как идут дела у клиента. А рядом, на той же полосе обнаружилась заметка про культ вуду и оживших мертвецов. В голове у Олега Ефимовича что-то щелкнуло, и на свет родилась гениальная идея, которую он попытался воплотить с помощью своих подручных.

— На самом деле не существует никакого нелегального бизнеса, — сочувственно пояснил Медведь специально для Анджелы. — Вы помогали примитивным преступникам.

— Но моя сестра?..

— Боюсь, — вздохнула Лайма, — ваша сестра влипла по самые уши.

— Знаете, я должна вам признаться... По их просьбе я ездила в Германию. С кассиром из «Уютной квартирки». Мы полетели вдвоем и следили там за одним типом. Олег Ефимович сказал, что этот тип один из них... из тех, кто посягает на его бизнес. Мы его немножко попугали.

— Как?

— Самое главное — позволили ему заметить слежку. Ему явно стало не по себе. Вы ведь представляете парочку, я — и рядом со мной малорослый человечек. Я настояла на том, чтобы мы с ним оба постоянно носили с собой колокольчики. Здорово действует на психику. Вы начинаете думать, что это какой-то тайный знак или ритуал. Со стороны выглядит устрашающе.

— А имя человека, которого нужно было напугать, вам сказали?

— Конечно! — воскликнула Анджела. — Мы ведь провожали его до гостиницы и встречали возле нее. Его зовут Николай Петрович Скогарев.

* * *

В магазин «Уютная квартирка» Алла Семигуб ворвалась как горячий и злой африканский ветер самум. Привыкшая действовать быстро и напористо, она высокомерно проигнорировала возникшую на ее пути девушку, пытавшуюся в меру своих скромных способностей исполнить обязанности продавца-консультанта, и решительным шагом направилась к двери с новенькими табличками «Служебный вход» и «Администрация».

Поняв, что посетительницу вовсе не интересует их розово-голубое мохерово-плюшево-гобеленовое великолепие, а нужно ей что-то иное, не предусмотренное обычным магазинным регламентом, а значит, нарушающее установленный для посетителей порядок, дорогу ей перегородили охранник в черном комбинезоне и подоспевший к нему на помощь молодой человек в черном костюме, видимо, дежурный менеджер зала.

Задумчиво посмотрев на возникшее препятствие, Алла Семигуб презрительно сощурилась и процедила сквозь зубы:

— Мне к директору. А вы быстренько разошлись!

— Извините, — отчеканил менеджер, — но это невозможно.

— Что за чушь, — возмутилась Алла, — мне сказали, что он целый день в магазине.

— Олег Ефимович не занимается приемом посетителей. Если у вас вопросы, задайте их мне, если просьбы или пожелания — вас обслужат наши продавцы...

Алла Семигуб не любила препятствий на своем пути. Одушевленные или нет, они вызывали у нее омерзение и озлобление. А злой Аллы боялся даже ее муженек-депутат. Она не огибала препятствия, не пыталась преодолеть их с использованием интеллекта. Нет. Она их взрывала, уничтожала, превращала в прах.

Вот и сейчас, уперев руки в боки, она очень-очень внимательно посмотрела на двух упрямцев, еще до конца не осознавших свою ошибку, и язвительно заметила:

— Вам, молодые люди, голубые костюмчики больше бы подошли!

Молодые люди напряглись, но Алла уже давала сигнал «SOS» своим мордоворотам.

Минуты через три, сопровождаемая истерическими криками спрятавшихся где-то между стеллажами продавщиц, возмутительница спокойствия прошла в заветную дверь, аккуратно переступив через две распластанные на полу черные фигуры.

За дверью оказался небольшой коридорчик с выходящими в него другими дверями, но Аллу заинтересовала та, на которой была табличка «Директор» и ниже еще одна, поменьше — «Червецов Олег Ефимович». Это было именно то имя, которое она услышала от Кудесникова.

Приказав своим бодигардам ждать здесь, она, не постучавшись, повернула изящную бронзовую ручку и открыла дверь.

То, что Алла увидела в следующую минуту, ей в общем-то понравилось.

За дорогим красивым столом сидел в кресле достаточно молодой симпатичный мужик, которого не портили даже не по моде длинные волосы (а-ля 70-е годы двадцатого века) и спадающая на лоб челка.

Мужик сидел и, откровенно разглядывая нежданную гостью, улыбался. Улыбался он, как потом убедилась Алла, постоянно. Можно было сказать, что улыбка практически не сходила с его лица, и было непонятно, как это выдерживают лицевые мускулы.

— Чему вы улыбаетесь? — не поздоровавшись, хмуро поинтересовалась Алла Семигуб.

— Да вот, любуюсь на цирк, который вы тут у меня устроили. В магазине, знаете ли, камеры наблюдения установлены, я и поинтересовался, что за шум там в зале.

— Ну и как, понравилось?

— Вы знаете — да. Придется менять охрану, а то этими, как оказалось, только детей пугать. Да и менеджера заодно сменю — этот, кстати, мне давно не нравился — вороватый какой-то, к продавщицам клеится...

Саркастически приподняв одну бровь, Алла осведомилась:

— Вы думаете, я пришла сюда обсуждать ваши кадровые проблемы и тестировать персонал на предмет профпригодности?

— Что вы, что вы! — снова заулыбался ее собеседник. — Я весьма далек от таких мыслей. Я могу вам чем-то быть полезен?

— Если это вы Червецов Олег Ефимович — то да. Впрочем, если не вы, — то проводите меня к нему. У меня срочное дело.

— Я Олег Ефимович, — опять улыбнулся мужчина с челкой, — чем могу? Впрочем, может быть, вы присядете, а я пока распоряжусь насчет кофе. Или вы хотите что-нибудь выпить?

— Спасибо, — Алла вольготно расположилась в кресле напротив, — кофе, без молока и без сахара.

Червецов позвонил, тихо отдал распоряжение. Они дождались, пока им принесут кофе, и как только остались одни, Червецов предложил:

— Излагайте. Только представьтесь, пожалуйста, а то у нас с вами одностороннее знакомство.

Алла глубоко вздохнула, как перед долгим погружением под воду, затем, выдохнув, спросила, понизив голос до конспиративного:

— Ирочка Зимина. Вам что-нибудь говорит это имя?

Олег Ефимович хмыкнул:

— Безусловно. Но это не вы.

— Конечно, не я, глупый. Это моя ближайшая подруга. Можно сказать, единственная. У нас с ней нет друг от друга секретов. И она, узнав о моих проблемах, под великим секретом рассказала мне о вас, о том, как вы ей помогли. Помогите и мне тоже! Не сомневайтесь, я вполне платежеспособна.

Следующие полчаса Алла Семигуб потратила на то, чтобы убедить недоверчивого Олега Ефимовича в том, что: а) она именно та, за кого себя выдает; б) что ее не подослали спецслужбы с целью провокации.

В итоге пришлось все рассказать про себя и заодно про мужа-депутата. Это Червецова почему-то заинтересовало больше всего. Наконец он милостиво согласился выслушать собственно просьбу.

Еще около часа она посвятила рассказу о том, почему именно хочет разделаться со своей злыдней-ку-

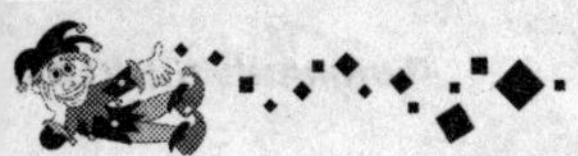

зиной. Половина этого рассказа была правдой, вторую половину придумал Кудесников.

— Вы не представляете, что это за тварь! Родители ее дипломатами были, в Африке почти всю жизнь проработали, притащили оттуда каких-то алмазов, золота. Она на эти деньги потом и в дело влезла, машинами торговать. Теперь у нее несколько салонов, сервисы, магазины запчастей. Богатая, сволочь. А меня мать одна растила, так что пришлось всего самой добиваться. Так вот мне, любимой внучке, наша бабушка завещала изумительной красоты старинное колье. Там очень редкие бриллианты, какой-то необычной огранки, в общем, я не очень хорошо разбираюсь, но его ювелиры оценивали как художественную ценность, говорили, что эта вещь должна находиться в музее.

Сестрица никак успокоиться не могла, все ей было мало. Как так — у меня есть нечто такое, чего у нее нет и никогда не будет! В общем, однажды я не нашла это колье, хотя очень тщательно прятала его.

— Дома? — уточнил, улыбнувшись, Червецов.

— А где же еще?

— Ну, тогда оно было обречено с самого начала, — констатировал Олег Ефимович. — Не сестра, так ювелиры ваши навели бы.

— Ювелиры не знали, кто я и где живу, я это предусмотрела. Но сестра...

— А вы абсолютно уверены, что это она?

— Абсолютно. Она имела наглость надеть его на один из приемов, где я оказалась по чистой случайности. Я стояла наверху, на балюстраде, и увидела, как она входила в зал, а на шее у нее...

— И это все?

— Нет, не все. У меня был любовник, молодой человек. Ну, знаете, мужа никогда нет: то заседания до утра, то командировки к избирателям на месяц, то зарубежные поездки с делегациями.

— Понимаю, понимаю, — томно махнул рукой Червецов, — продолжайте.

— В общем, любовник однажды пропал. Я думала — муж узнал, ну и...

— Понятно, понятно, — снова воскликнул ее собеседник.

— И лишь потом я узнала, что это она. Она его увела. А ведь я сама, дура, их и познакомила. Ее зависть ко мне не имеет границ. По-моему, она помешана на этом. Поэтому я хочу остановить ее, пока она меня со свету не сжила!

— Что ж, причина уважительная, — Олег Ефимович поднялся, давая понять, что аудиенция окончена. — Жду вас послезавтра, в 14 часов. Только, пожалуйста, без мордобоя и тому подобных аттракционов. Я вас встречу в зале. Да, и не забудьте деньги. Наличные. Ирочка вам говорила сколько? Вот и чудесно. Цифра не изменилась. До свидания!

Даже в машине, уже отъехав на приличное расстояние от этого веселенького магазина, где с улыбками решались столь опасные дела, Алла все еще не могла до конца осознать, что она, при всей своей экспансивности, решилась на подобный шаг.

А Червецов сразу же вызвал к себе Разгуляева, и они вдвоем отправились в шефу — докладывать о новом клиенте и договариваться о схеме взаимодействия при осуществлении этой операции. Впрочем, между ними возникли трения. Червецов говорил, что

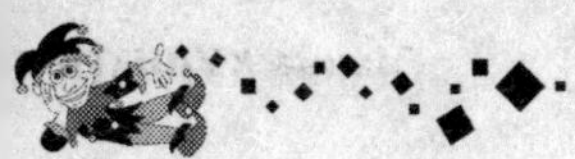

не стоит брать новый заказ, когда только что пришлось избавиться от Зимина и его жены. Эти придурки сами упустили жертву, а потом потребовали деньги назад. Власов и Разгуляев настаивали на том, что никакой опасности нет. Что «дымовая завеса» отлично работает и можно продолжать налаживать бизнес и набирать клиентов.

В течение недели Алла Семигуб еще дважды побывала в «Уютной квартирке». Первый раз передала аванс, второй раз — получила колдовское зелье вкупе с инструкцией по применению и отдала остаток денег.

— Самое главное, — наставлял ее Червецов, не переставая улыбаться, — не бойтесь. Добавите порошок в еду или питье, 20 минут пройдет — человек гарантированно потеряет сознание. Но ненадолго, минут на 20—25. Потом очнется — ничего не помнит. Это волшебное состояние длится от двух до трех недель, но лучше рассчитывать на меньшее. Все остальное уже зависит от вас.

Представляете себе человека, который о себе ничего не помнит. Не помнит, кто он, где родился, где живет, кем работает... Он оглушен, растерян и растоптан. И тут появляетесь вы. Можете внушить своей сестре что угодно. Буквально что угодно. Но мы рекомендуем следующую схему. Убедите ее, что она — это вы, а вы — это она. И предложите ненадолго поменяться местами. Так вы сможете отнять у сестры бизнес, квартиру или загородный дом, даже любимую машину. Она долгое время будет игрушкой в ваших руках, будет подписывать любые бумаги, которые вы ей дадите. Сказочное состояние! Это почти как с Золушкой, только у той времени было до 12 часов, а у вас целых две недели. Но подготовиться необходимо тщательно — заранее озаботиться документами на ваши новые имена, может быть, что-то в прессу запустить.

Он подробно описал этапы подготовки, объяснил непонятные моменты. Алла Семигуб выглядела удовлетворенной, словно кошка, выловившая из аквариума все живое.

— Удачи вам, — пожелал напоследок Червецов. — Если нужны консультации — поможем, но уже за отдельные деньги.

«У них тут целая индустрия, — ужаснулась Алла. — Бюро добрых услуг для маньяков и параноиков. И я — жена депутата — помогу их разоблачить! Должны же Семигубы сделать хоть что-то позитивное для родной страны».

Именно в этот момент помещение наполнилось топотом множества ног, криками служащих и хлопаньем дверей. В кабинет директора ворвались оперативники, и Алла с удовольствием и совершенно искренне завизжала.

Деньги оказались мечеными, весь разговор записывался на пленку, но Червецов очень долго не мог поверить в то, что его поймали. Пока не увидел в зале магазина, через который его провели в наручниках, ухмыляющегося Кудесникова с котом на цепочке.

* * *

— Выходит, «порошок забвения» на самом деле не такое уж страшное зелье, — заметила Лайма. — Человек на пару-тройку недель теряет память, которая потом целиком и полностью восстанавливается.

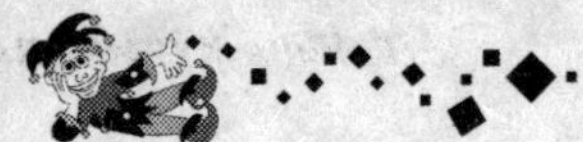

Главным товаром шайки была афера. Они предлагали клиенту ее схему и всего лишь как приложение «порошок забвения» — средство для ее воплощения в жизнь.

— В общем, это логично, — поддакнул Медведь, который сегодня был чисто выбрит и одет в костюм с галстуком. Ему вообще нравилась строгая одежда, хотя чаще всего приходилось довольствоваться чем-нибудь попроще. — Если бы мне дали такой «порошок забвения», я бы и не сообразил, что с ним можно сделать и какую выгоду из него извлечь.

— А вот Червецов сообразил, — заметил Корнеев. — У него для этого образование подходящее. В сущности, фирма по продаже забвения была его детищем. Власов лишь поставлял порошок.

Они сидели в уютном ресторанчике за красиво сервированным столом и пили шампанское, отмечая благополучное окончание дела. Тагиров пришел вместе с Эллой Виганд, которая сильно изменилась с момента их последней встречи. Прежде она смотрела на босса букой и выглядела растерянной и несчастной. А сейчас улыбалась, держала его за руку и то и дело прижималась щекой к крепкому плечу.

— Она все вспомнила, — пояснил тот, заметив любопытные взгляды, которые Лайма бросала на них обоих.

— А он нет, — сказала Элла и по-девичьи хихикнула. — Было так интересно завоевывать его во второй раз! Я точно знала, что должна ему понравиться, а он сопротивлялся изо всех сил.

— Я не сопротивлялся, — снисходительно ответил он, — я наслаждался процессом.

К столу подошел метрдотель и негодующим тоном спросил, обращаясь ко всем сразу:

— Почему в ресторане кот?!

— Он тоже решил поужинать, — пожал плечами Кудесников и бросил Мерсу еще один кусок телятины в желе. — Да вы не переживайте, он очень спокойный и имеет все ветеринарные справки. А блох мы вывели в прошлом месяце.

— Блох?! Немедленно уберите его отсюда!

— Простите, но он останется, — сказал Тагиров и показал свое настоящее удостоверение.

— Дело в том, что это наш сотрудник, — серьезно пояснил Кудесников, не в силах удержаться от соблазна подразнить метрдотеля. — Кот натренирован выявлять недоброкачественные продукты в ресторанной сети города. Мы даем ему дегустировать каждое блюдо и наблюдаем — ест он с удовольствием или же с неохотой. А уж если он начнет закапывать пищу...

— Телятина в желе ему понравилась, — заметил Медведь, с интересом глядя на Мерса, который плотоядно облизывался. Язык у кота был длинным, как у муравьеда, и доставал до самых ушей.

— Мы можем подать вашему сотруднику отдельную тарелку, — фальцетом сказал метрдотель, сердце которого тревожно забилось под форменным костюмом.

Он убежал на кухню, трепеща от возбуждения, а Кудесников заметил:

— Удивительно колоритное животное! Люди верят абсолютно всему, что я про него рассказываю. Он уже ловил в частных квартирах грызунов по личному распоряжению мэра, был медицинским курьером и поводырем, искал кокаин на таможне, участвовал в

соревнованиях по ориентированию на местности, раскапывал клады, находил осколки метеоритов, свидетельствовал против похитителей ювелирных украшений, служил талисманом контрабандистам... Мы прошли такое, что вам и не снилось!

— Я хотел вас поблагодарить, Арсений, за помощь, — сказал Тагиров. — Вас и вашего кота.

— На самом деле, я тоже хотел бы вас поблагодарить, — поспешно откликнулся тот. — С вашей помощью мне удалось очень быстро раскрыть сразу несколько дел и весьма неплохо заработать.

— Я труп, — простонал метрдотель, увидев, как Мерседес, понюхав пельмень, отвернул морду и лег на бок. — Коту плохо.

На самом деле коту было хорошо. Все его мечты были удовлетворены на сто процентов. Несъеденный пельмень лежал возле него, как пойманная и придушенная мышь, которой можно будет полакомиться позже.

— Кстати, — спохватился Тагиров. — Все вы, конечно же, получите материальную компенсацию.

Он назвал сумму, и Медведь присвистнул, не сдержав радостного удивления.

— Я смогу наконец отправиться в путешествие по далеким странам! — поделился он своими планами с друзьями.

— А мне нужно будет прикупить кое-что из железа, — поддержал его почин Корнеев.

— А я, пожалуй, вложу деньги в спортивные клубы, пропагандирующие школу русской борьбы Константина Латышева, — подхватила Лайма.

Над столом повисла озадаченная тишина. Только Корнеев, продолжая жевать, участливо спросил:

— Может, тебе лучше помириться с Шаталовым? И отправиться с ним в свадебное путешествие? Он по крайней мере знает, чего от тебя ждать.

— Н-да? — задумалась она. — В принципе свадебное путешествие — это неплохо. Не обязательно, конечно, с Шаталовым... Я давно лелею сумасшедшую мечту — пройти в подвенечном платье по знаменитой площади перед собором Святого Петра...

— Отличная мысль, — вполголоса сказал Тагиров, наклонившись вперед. — Кстати, у нас есть интересы в Риме. Так что со свадьбой просьба не затягивать.

У Лаймы вытянулось лицо, а он добавил:

— Завтра в три встречаемся в штаб-квартире. К этому часу определитесь, пожалуйста, с кандидатурой жениха. Нам нужно будет его как следует проверить.

Кудесников вынес обожравшегося кота на улицу и поднял голову к небу, на котором повисли бриллиантовые капли созвездий.

— Значит, кандидатура жениха еще не утверждена, — пробормотал он. — А что, Мерс, не съездить ли нам в Рим? Горячее солнце, роскошные фонтаны, Пьяцца делла Ротонда, итальянские мыши...

Мышей Мерседесу не хотелось — ни итальянских, ни здешних. Но мешать хозяину в устройстве личной жизни было бы проявлением свинства. Поэтому он пошевелил хвостом и внятно ответил: «Мау!»

Литературно-художественное издание

Куликова Галина Михайловна

ВУДУ ДЛЯ «ЧАЙНИКОВ»

Ответственный редактор *О. Рубис*
Редактор *Т. Семенова*
Художественный редактор *С. Курбатов*
Художник *Е. Шувалова*
Технический редактор *О. Куликова*
Компьютерная верстка *В. Фирстов*
Корректоры *М. Меркулова, Н. Семенова*

ООО «Издательство «Эксмо»
127299, Москва, ул. Клары Цеткин, д. 18, корп. 5. Тел.: 411-68-86, 956-39-21.
Home page: www.eksmo.ru E-mail: info@eksmo.ru

Подписано в печать с готовых диапозитивов 25.12.2004.
Формат 84×108 $^{1}/_{32}$. Гарнитура «Таймс».
Печать офсетная. Бум. тип. Усл. печ. л. 16,8.
Тираж 40100 экз. Заказ 5738.

Отпечатано в полном соответствии
с качеством предоставленных диапозитивов
в ОАО «Можайский полиграфический комбинат».
143200, г. Можайск, ул. Мира, 93.

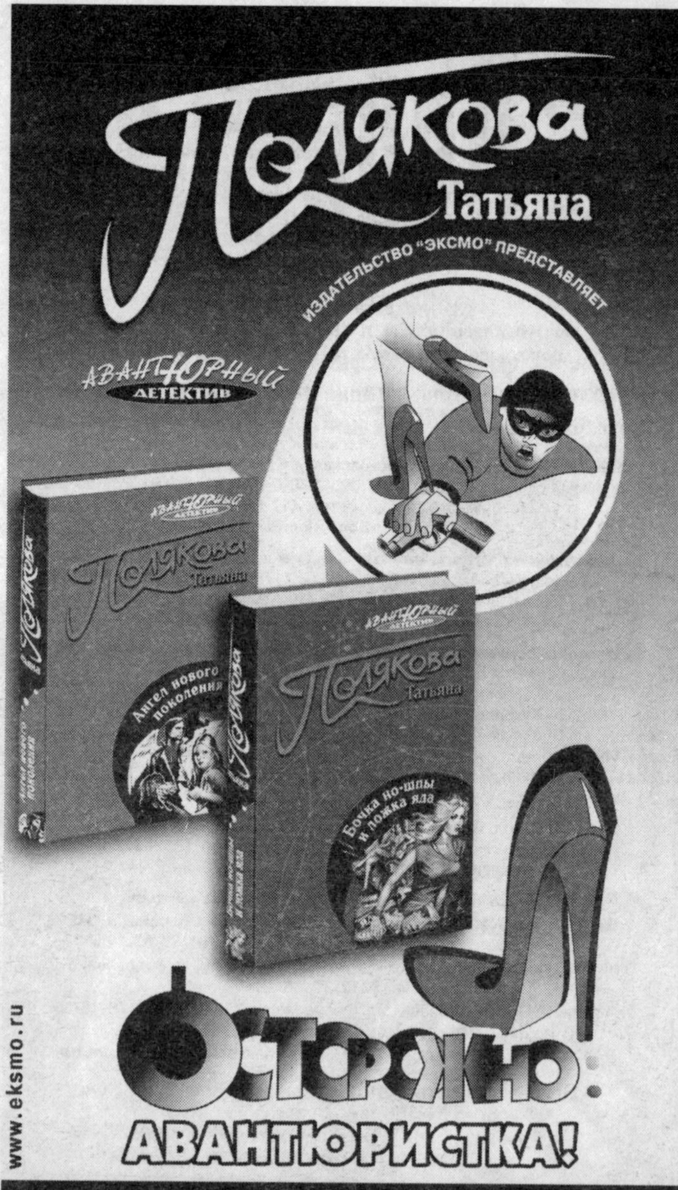

Полякова
Татьяна
ИЗДАТЕЛЬСТВО "ЭКСМО" ПРЕДСТАВЛЯЕТ
АВАНТЮРНЫЙ ДЕТЕКТИВ
Ангел нового поколения
Бочка но-шпы и ложка яда
ОСТОРОЖНО:
АВАНТЮРИСТКА!
www.eksmo.ru

ИЗДАТЕЛЬСТВО «ЭКСМО» ПРЕДСТАВЛЯЕТ

АНТОН Леонтьев

АВАНТЮРНЫЕ РОМАНЫ

Романы Антона Леонтьева – великолепные авантюрные истории о необычных женских судьбах. Увлекательный интригующий сюжет, атмосфера роскоши и великолепия, легкий авторский стиль, загадка личности самого писателя – все это определило успех книг Антона Леонтьева среди сотен тысяч поклонников.

Починку разбитого женского
сердца лучше всего доверить
новому механику.
Охота
гуманна,
добычу

Если вы рискнёте утешить женщину, она припадёт к вашей груди, или обнимет за шею, или обопрётся о плечо, но в итоге всё равно сядет вам на голову.